3-1

초등 사회
자습서

개념 톡톡

금성 초등
교과서와
함께 봐요!

체계적인 교과서 정리와 활동 풀이!

금성출판사

구성과 특징

BOOK 1 개념 톡톡

체계적인 교과서 정리와 활동 풀이

교과서 내용을 충실하게 정리하여 빈틈없이 학습할 수 있습니다.

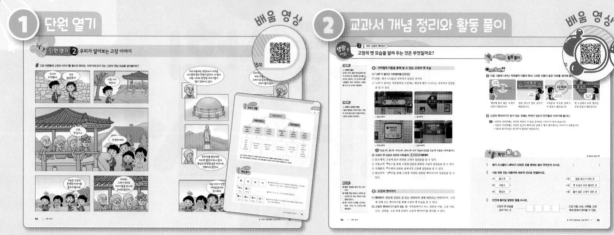

① 단원 열기

② 교과서 개념 정리와 활동 풀이

배움 영상

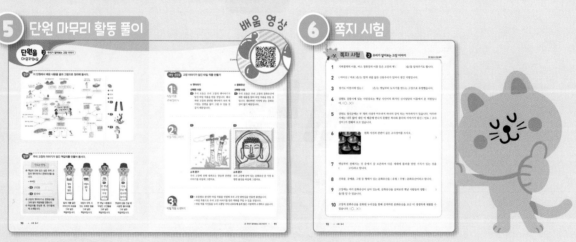

⑤ 단원 마무리 활동 풀이

배움 영상

⑥ 쪽지 시험

BOOK 2 문제 톡톡

학교 시험 완벽 대비

다양한 유형의 문제를 풀면서 시험에 자주 출제되는 내용을 알아볼 수 있습니다.

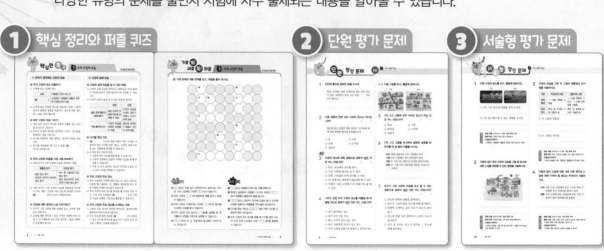

① 핵심 정리와 퍼즐 퀴즈

② 단원 평가 문제

③ 서술형 평가 문제

사회를

이해하고

다함께 탐구하자!

1 교과서의 핵심 내용이 담긴 배움 영상을 QR 코드로 담았습니다.

2 교과서와 똑같은 구성으로 체계적인 자기 주도 학습이 가능하도록 구성했습니다.

3 과정 중심 평가와 수행 평가를 대비하도록 다양한 유형의 문제를 준비했습니다.

3 주제 마무리 활동 풀이

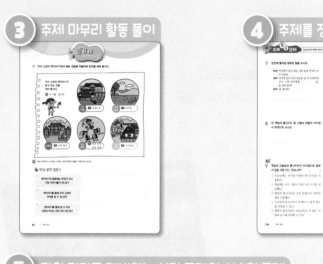

4 주제를 정리하는 기본 문제

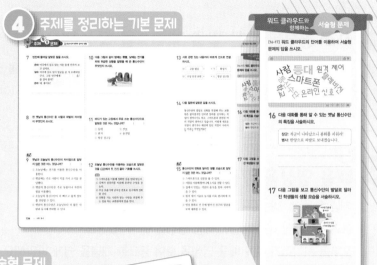

워드 클라우드와 함께하는 **서술형 문제**

7 단원 평가를 대비하는 실력 문제와 서술형 문제

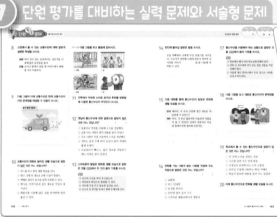

BOOK 3 한 손에 톡톡

시험 직전 공부 꿀팁

핸드북 형태로 들고 다니며 시험 직전에 공부한 내용을 복습할 수 있습니다.

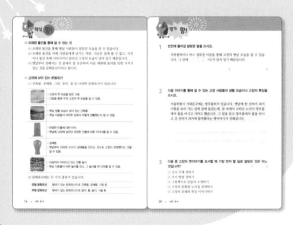

BOOK 4 정답 톡톡

정확한 정답과 친절한 해설

정답과 해설로 실력을 점검하고 부족한 개념 은 한눈에 쏙쏙 으로 보충할 수 있습니다.

사회와 나를 친한 사이로 만드는 공부 비법

비법 ① 사회 공부를 위한 맞춤 계획표를 작성해요!

공부를 시작하기 전에 나만의 맞춤 계획표를 작성하여 실천할 약속을 정해요.
내가 만든 맞춤 계획표를 따라 공부하다 보면 어느새 사회와 친한 사이가 되어 있을 거예요.

비법 ② 배움 영상을 활용해요!

'개념 톡톡'에 있는 QR 코드를 스마트폰이나 태블릿 PC로 찍으면
교과서의 핵심 내용이 담긴 배움 영상을 볼 수 있어요.
공부를 시작하기 전에 배움 영상을 보며 중요한 개념을 쉽게 파악해요.

비법 ③ 학교 진도에 맞춰 꾸준히 공부해요!

교과서와 똑같은 순서와 구성으로 개념을 정리하고 활동을 풀이했어요.
학교 진도에 맞춰 공부하다 보면 체계적으로 자기 주도 학습을 실천할 수 있어요.

비법 ④ '문제 톡톡'과 '한 손에 톡톡'으로 시험을 대비해요!

학교 시험이 다가오면 '문제 톡톡'에 있는 다양한 문제를 풀어 보며 실력을 확인해요.
작고 가벼운 '한 손에 톡톡'은 시험 기간에 들고 다니면서 활용하기 좋아요.

비법 ⑤ 맞은 문제는 빠르게, 틀린 문제는 꼼꼼히 다시 봐요!

공부를 마친 후에 맞은 문제는 빠르게, 틀린 문제는 꼼꼼히 되돌아봐요.
특히 틀린 문제는 꼭 표시해 두었다가 다시 풀어 봐야 해요.
사회와 친해지기 위해서는 복습하는 습관을 들이는 것이 매우 중요해요.

꾸준한 사회 공부를 위한 맞춤 계획표

공부 약속: _____

○ 1일차	○ 2일차	○ 3일차	○ 4일차	○ 5일차
월 일	월 일	월 일	월 일	월 일
~ 쪽	~ 쪽	~ 쪽	~ 쪽	~ 쪽
○ 6일차	○ 7일차	○ 8일차	○ 9일차	○ 10일차
월 일	월 일	월 일	월 일	월 일
~ 쪽	~ 쪽	~ 쪽	~ 쪽	~ 쪽
○ 11일차	○ 12일차	○ 13일차	○ 14일차	○ 15일차
월 일	월 일	월 일	월 일	월 일
~ 쪽	~ 쪽	~ 쪽	~ 쪽	~ 쪽
○ 16일차	○ 17일차	○ 18일차	○ 19일차	○ 20일차
월 일	월 일	월 일	월 일	월 일
~ 쪽	~ 쪽	~ 쪽	~ 쪽	~ 쪽
○ 21일차	○ 22일차	○ 23일차	○ 24일차	○ 25일차
월 일	월 일	월 일	월 일	월 일
~ 쪽	~ 쪽	~ 쪽	~ 쪽	~ 쪽
○ 26일차	○ 27일차	○ 28일차	○ 28일차	○ 30일차
월 일	월 일	월 일	월 일	월 일
~ 쪽	~ 쪽	~ 쪽	~ 쪽	~ 쪽
○ 31일차	○ 32일차	○ 33일차	○ 34일차	○ 35일차
월 일	월 일	월 일	월 일	월 일
~ 쪽	~ 쪽	~ 쪽	~ 쪽	~ 쪽
○ 36일차	○ 37일차	○ 38일차	○ 39일차	○ 40일차
월 일	월 일	월 일	월 일	월 일
~ 쪽	~ 쪽	~ 쪽	~ 쪽	~ 쪽
○ 41일차	○ 42일차	○ 43일차	○ 44일차	○ 45일차
월 일	월 일	월 일	월 일	월 일
~ 쪽	~ 쪽	~ 쪽	~ 쪽	~ 쪽
○ 46일차	○ 47일차	○ 48일차	○ 49일차	○ 50일차
월 일	월 일	월 일	월 일	월 일
~ 쪽	~ 쪽	~ 쪽	~ 쪽	~ 쪽

차례

1. 우리 고장의 모습

사 회를
이 해하고
다 함께
탐구하자!

공부 계획표

• 자신의 일정에 맞게 계획을 세워 보고, 실제 학습일을 적어 봅시다.
• 학습을 마무리한 후 얼마나 학습 목표를 달성했는지 스스로 점검해 봅시다.

친구들과 우리 고장의 모습을 한눈에 내려다볼 수 있는 전망대에 왔어요. 함께 고장 탐험 계획을 세워 볼까요?

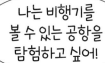

나는 비행기를 볼 수 있는 공항을 탐험하고 싶어!

난 운동을 좋아하니까 체육관을 탐험하고 싶어!

나는 옛사람들이 남긴 것들을 볼 수 있는 박물관과 유적지를 탐험하고 싶어!

나는 자연을 좋아하니까 수목원과 바닷가 해수욕장을 탐험하고 싶어!

우리 친구들이 좋아하는 장소를 모두 가 보자!

좋아!

좋아!

❓ 고장 지도에서 우리 고장에도 있는 장소를 찾아 이야기해 봅시다.

예
- 우리 고장에도 운동을 할 수 있는 체육관이 있습니다.
- 우리 고장에도 여러 식물들을 볼 수 있는 수목원이 있습니다.

도움 친구들이 가고 싶은 6개의 장소를 먼저 찾은 후, 경로를 찾아보아요.

이 단원에서 나는

도움 제시된 낱말을 연결해 나만의 학습 계획을 세워 보아요.

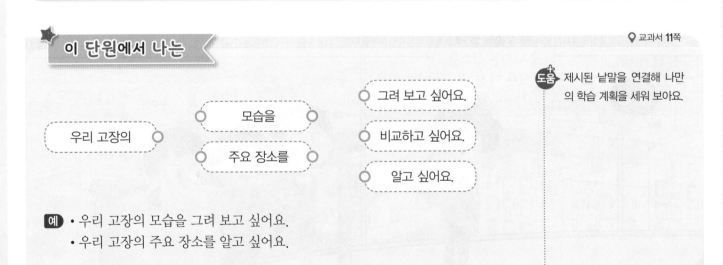

예
- 우리 고장의 모습을 그려 보고 싶어요.
- 우리 고장의 주요 장소를 알고 싶어요.

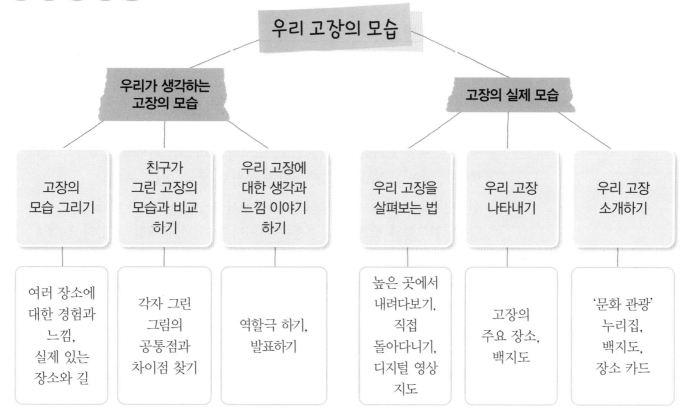

미리 맛보는 **교과서 흐름**

우리 고장의 모습

우리가 생각하는 고장의 모습

- 고장의 모습 그리기
- 친구가 그린 고장의 모습과 비교하기
- 우리 고장에 대한 생각과 느낌 이야기하기

고장의 실제 모습

- 우리 고장을 살펴보는 법
- 우리 고장 나타내기
- 우리 고장 소개하기

고장의 모습 그리기	친구가 그린 고장의 모습과 비교하기	우리 고장에 대한 생각과 느낌 이야기하기	우리 고장을 살펴보는 법	우리 고장 나타내기	우리 고장 소개하기
여러 장소에 대한 경험과 느낌, 실제 있는 장소와 길	각자 그린 그림의 공통점과 차이점 찾기	역할극 하기, 발표하기	높은 곳에서 내려다보기, 직접 돌아다니기, 디지털 영상 지도	고장의 주요 장소, 백지도	'문화 관광' 누리집, 백지도, 장소 카드

🌸 우리 고장에 대한 다양한 생각과 느낌을 표현할 수 있어요.

🌸 우리 고장의 실제 모습을 알 수 있는 여러 방법을 이용하여 우리 고장을 소개할 수 있어요.

미리 맛보는 **핵심 용어**

❶ | 고 | 장 |

❶ 사람이 많이 사는 지방이나 지역을 뜻합니다.

❷ | 장(場) | 소(所) |
| 마당 장 | 곳 소 |

❷ 어떤 일이 이루어지거나 일어나는 곳을 뜻합니다.

❸ | 지(地) | 도(圖) |
| 땅 지 | 그림 도 |

❸ 여러 가지 기호, 문자, 색을 써서 바다, 땅, 산, 강, 마을 등을 나타낸 그림을 말합니다.

1. **1** 우리가 생각하는 고장의 모습

우리 고장의 다양한 장소를 떠올려 볼까요?

1 고장의 장소

(1) 고장: 사람들이 모여 사는 곳이다.

(2) 고장의 여러 ❶장소

① **학교:** 친구들과 함께 교실에서 공부하고, 운동장에서 뛰어놀 수 있다.

② **도서관:** 책을 읽거나 빌릴 수 있고, 도서관의 다양한 행사에 참여할 수 있다.

③ **❷시장:** 맛있는 음식을 먹고, 다양한 물건도 살 수 있다. 보충 ❶

④ **산:** 친구들과 함께 산에 오르고, 계곡에서 물놀이도 할 수 있다.

⑤ **공원:** 친구들과 함께 놀고 운동을 하거나, 가족과 휴식할 수 있다. 보충 ❷

⑥ **우체국:** 다른 고장에 있는 친구에게 편지나 물건을 보낼 수 있다.

▲ 학교   ▲ 도서관

▲ 시장   ▲ 산

▲ 공원   ▲ 우체국

2 고장의 장소에 대한 생각과 느낌

(1) 고장의 장소와 관련한 경험을 떠올리는 방법: 직접 가 본 고장의 여러 장소 중 인상 깊은 장소를 정하고, 그곳과 관련한 경험, 생각과 느낌을 구체적으로 떠올려 본다. 속 시원한 **활동 풀이**

(2) 경험에 따라 다른 장소에 대한 생각과 느낌: 같은 장소여도 각자의 경험에 따라 다른 생각과 느낌을 가질 수 있다.

경험을 떠올리며 우리 고장의 장소에 대한 생각이나 느낌을 써 봅시다.

우리 고장 📝 예 희망시 에 있는 장소

꽃잎의 빈칸에 장소에 대한 생각이나 느낌을 씁니다.

예 부모님께서 팝콘을 사 주셔서 좋았다.

예 사람들이 많아서 자리를 찾는 게 어려웠다.

장소 이름
예 희망 영화관

예 큰 화면으로 영화를 볼 수 있어서 좋았다.

예 영화 관련 캐릭터 상품들이 많아서 신기했다.

예 재미있는 책들이 많아서 좋았다.

예 보고 싶은 책을 바로 검색할 수 있어서 신기했다.

장소 이름
예 희망 도서관

예 가족 또는 친구와 함께 이야기 나눌 수 있는 쉼터가 있어서 편했다.

예 다양한 영상 자료를 시청하고 음악을 듣는 공간이 있어 즐거웠다.

정답과 해설 2쪽

1 우리 고장에 있는 장소 중 자신이 가 본 곳을 세 가지 쓰시오.　(　　　　　)

2 서로 관련 있는 내용끼리 바르게 선으로 연결하시오.

(1) 시장 •

(2) 우체국 •

(3) 도서관 •

• ㉠ 책을 읽거나 빌리는 곳

• ㉡ 다른 고장으로 편지를 보내는 곳

• ㉢ 여러 가지 물건과 음식을 파는 곳

우리 고장의 모습을 그려 볼까요?

◉ 박물관
다양하고 역사가 오래된 유물이나 미술품들이 전시되어 있으며, 여러 가지 재미있는 공연도 열리는 장소이다.

▲ 국립 고궁 박물관

▲ 국립 광주 박물관

▲ 한국 자연사 박물관

1 그리고 싶은 우리 고장의 장소 떠올리기

내가 좋아하는 장소	• 내가 좋아하는 축구를 자주 하는 학교 운동장 • 내가 좋아하는 책을 빌릴 수 있는 도서관 • 내가 좋아하는 과일을 살 수 있는 시장
다른 고장 사람에게 알리고 싶은 장소	• 우리 고장에 있는 박물관 보충 ❶ • 우리 고장에 있는 놀이공원 • 우리 고장에 있는 강가 산책로
내가 자주 가는 장소	• 내가 맛있는 과자를 사러 자주 가는 편의점 • 내가 강아지와 산책하러 자주 가는 공원 • 내가 자주 가는 음식점

내용＋ 그림을 그리기 전에 생각 그물을 활용하여 우리 고장을 나타내기 위한 주제를 적고, 주제를 중심으로 떠오르는 고장의 장소를 써 볼 수 있다.

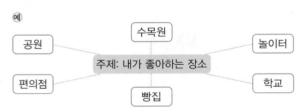

(예)

공원 ─ 수목원 ─ 놀이터
주제: 내가 좋아하는 장소
편의점 ─ 빵집 ─ 학교

2 우리 고장의 모습 그리기 (속 시원한 활동 풀이)

(1) 머릿속에 떠오르는 장소들 그리기

① 상상 속의 장소가 아니라 고장에 실제로 있는 장소를 중심으로 그린다.

② 고장의 장소 중에 그리고 싶은 몇 곳을 정하고, 중요하다고 생각하는 장소를 그린다.

③ 장소의 이름을 써 본다.

내용＋ 고장의 모든 장소를 다 그리지 않아도 된다.

(2) 그 밖에 떠오르는 장소와 길 그리기

① 장소의 모양과 위치를 생각하며 그린다.

② 장소와 장소를 연결하는 길을 그린다.

(3) 장소에 대한 느낌 표현하기

① 장소와 어울리는 색을 칠한다.

② 장소를 떠올렸을 때 드는 느낌을 ❶그림말로 나타내 본다.

내용＋ 장소의 실제 사진을 붙이거나 장소 옆에 말풍선을 달아 장소를 소개하는 간단한 설명을 쓰고, 별점을 줄 수도 있다.

용어 사전
❶ **그림말**: 글 대신 간단한 그림으로 나타낸 표시를 말한다.

다음 과정을 보고 우리 고장의 모습을 그려 봅시다.

내가 그리고 싶은 우리 고장의 장소	내가 그린 우리 고장의 모습
예 • 가족과 함께 살고 있는 우리 집 • 친구들과 함께 공부하고 생활하는 학교 • 생활에 필요한 물건을 구매할 수 있는 시장 • 가족과 함께 산책하며 바람을 쐴 수 있는 공원	

잠깐! 확인해요

고장의 모습을 그릴 때는 고장에 없는 장소도 상상해서 그립니다. (○ , ✕)　　　　(✕)

확인 톡! 톡!

📍 정답과 해설 2쪽

1 내용이 맞으면 ○표, 틀리면 ✕표를 선택하시오.

⑴ 우리 고장의 장소를 그릴 때 고장에 실제로 있는 장소를 중심으로 그립니다. (○ , ✕)

⑵ 우리 고장의 장소를 떠올릴 때는 내가 좋아하는 장소나 다른 고장 사람들에게 알리고 싶은 장소를 떠올립니다. (○ , ✕)

2 우리 고장의 모습을 그리는 방법에 대해 알맞은 설명을 한 학생의 이름을 쓰시오.

철민: 나는 우리 고장에 없는 동물원을 상상해서 그렸어.

나연: 나는 우리 고장에 있는 축구장을 그릴 때 축구장과 어울리지 않는 색으로 칠했어.

도연: 나는 우리 고장에 있는 도서관과 시장을 그리고, 장소를 연결하는 길은 그리지 않았어.

지수: 나는 우리 고장의 장소 중 내가 좋아하고 자주 가는 빵집을 그리고, 그림 옆에 빵집의 사진을 붙였어.

(　　　　　　　　　　　)

나와 친구들이 그린 우리 고장의 모습을 살펴볼까요?

보충 ❶

◉ **자연환경**
우리를 둘러싸고 있는 모든 것 중 사람이 만들지 않은 자연 그대로의 것을 말한다. 산, 강, 바다, 바람, 비 등이 이에 해당한다.

보충 ❷

◉ **수목원**

다양한 나무를 심고, 이름표와 설명을 붙여 놓은 곳이다. 아름다운 자연을 감상하고 휴식도 할 수 있는 장소이다.

① 우리 고장의 모습을 그린 그림 살펴보기

(1) 친구가 그린 고장 그림 살펴보기 속 시원한 활동 풀이

① 친구가 그린 고장 그림에 어떤 장소가 있는지 자세히 살펴본다.
② 친구가 그린 고장 그림에 나타난 주요 건물과 자연환경을 살펴본다. 보충 ❶

(2) 나와 친구가 그린 고장 그림 ❶비교 기준 세우기

① 두 그림에서 공통점과 차이점을 찾아본다.
② 두 그림에서 공통으로 등장하는 장소가 있는지 찾아본다.
③ 두 그림에서 같은 장소이지만 서로 다른 위치에 그려진 것이 있는지 찾아본다.
④ 두 그림에서 같은 장소이지만 서로 다른 모습이나 크기로 그려진 것이 있는지 찾아본다.
⑤ 두 그림 중 어느 한 그림에만 있는 장소가 있는지 찾아본다.

② 나와 친구가 그린 고장 그림 비교하기

(1) 나와 친구가 그린 고장 그림의 공통점과 차이점 속 시원한 활동 풀이

▲ 지현이가 그린 그림　　　　　▲ 시우가 그린 그림

공통점	• 강이 있고, 강이 흘러가는 모습을 표현했음. • 푸른초등학교, 경찰서, 각자의 집이 그려져 있음.
차이점	• 두 그림에는 모두 푸른초등학교가 있지만 학교의 모양과 크기, 위치가 다름. • 지현이의 그림에만 있는 것: 곤충 박물관, 우리 소아과, 별빛 수목원, 체육공원, 푸른중학교 등 보충 ❷ • 시우의 그림에만 있는 것: 애견 미용실, 기차역, 버스 터미널, 미술관 등

내용 ➕ 같은 고장을 그렸지만, 각자의 경험이 다르기 때문에 그림이 서로 다를 수 있다.

(2) 나와 친구가 그린 고장 그림을 비교할 때 주의할 점

① 나와 친구가 그린 우리 고장의 모습에는 비슷한 점도 있고 다른 점도 있다.
② 서로의 그림에 담긴 생각과 느낌을 ❷존중해야 한다.

용어 사전

❶ **비교**: 둘 이상의 사물을 견주어 서로 간의 공통점, 차이점을 찾는 일이다.
❷ **존중**: 높이어서 귀하고 소중하게 대하는 것을 말한다.

친구의 그림에 나타난 장소들을 이야기해 봅시다.

예 지현이의 그림에는 곤충 박물관, 경찰서, 우리 소아과, 체육공원, 학교, 알뜰 슈퍼마켓, 우리 집, 별빛 수목원 등의 건물과 양일강 등의 자연환경이 그려져 있습니다.

나와 친구들이 그린 우리 고장의 모습을 비교해 봅시다.

두 그림에 모두 나타난 장소	두 그림에서 모양이나 위치가 비슷하게 표현된 장소
예 학교, 경찰서, 시장, 기차역이 있음.	**예** 경찰서의 모양, 시장의 모양과 위치가 비슷함.
어느 한 그림에서만 볼 수 있는 장소	**같은 장소이지만 모양이나 위치가 서로 다르게 표현된 장소**
예 시우의 그림에는 애견 미용실, 버스 터미널, 공원, 미술관, 편의점이, 나루의 그림에는 푸른산, 별빛 수목원, 문화원, 체육공원, 도서관, 군청, 다리 등이 있음.	**예** 기차역과 학교의 모양과 위치, 경찰서의 위치, 길, 양일강의 모양 등이 다르게 표현됨.
친구들의 그림을 비교해 보면서 궁금한 점	
예 • 시우가 애견 미용실을 그린 까닭　• 나루가 기찻길을 길게 그린 까닭　• 나루가 문화원을 그린 까닭	

나와 친구들이 그린 고장의 모습에는 공통점과 차이점이 있습니다. (○ , ×)　　　　(○)

⊙ 정답과 해설 2쪽

1 **내용이 맞으면 ○표, 틀리면 ×표를 선택하시오.**
　(1) 우리 고장 그림의 공통점을 찾을 때 어느 한 그림에만 있는 장소를 찾아봅니다. (○ , ×)
　(2) 나와 친구가 그린 고장 그림을 비교할 때 그림에 담긴 생각과 느낌을 존중해야 합니다. (○ , ×)

함께 해요

우리 고장에 대한 생각과 느낌을 이야기해 볼까요?

❶ 우리 고장에 대한 생각과 느낌

(1) 고장에 대한 생각과 느낌이 다른 까닭: 고장에 대한 생각과 느낌은 각자의 경험에 따라 다양하다.

(2) 고장에 대한 서로 다른 생각과 느낌에 대해 가져야 하는 태도: 서로 다른 생각과 느낌을 ❶이해하고 존중해야 한다.

❷ 작가와의 만남 활동

(1) 활동 준비하기: 작가 역할을 맡은 친구에게 질문할 것을 생각해 본다. 보충 ❶

> ❶ 왜 그 장소를 선택해 그렸는지 물어본다.
> ❷ 장소와 관련된 경험을 물어본다.
> ❸ 장소에 관해 어떤 느낌이나 생각이 드는지 물어본다.
> ❹ 특별히 소개하고 싶은 장소가 있는지 물어본다.
> ❺ 내가 잘 모르는 장소가 그림에 그려져 있다면, 그 장소에 관해 물어본다.

(2) 작가와의 만남 활동하기 속 시원한 활동 풀이 보충 ❷

> ❶ 모둠에서 한 친구는 작가 역할을 맡고, 나머지 친구들은 궁금한 점을 질문하는 역할을 맡는다.
> ❷ 작가 역할을 맡은 친구는 그림을 들고 자신이 그린 고장의 모습을 설명한다. 이때 장소에 대한 생각과 느낌도 함께 이야기한다.
> ❸ 설명이 끝나면 나머지 친구들은 질문 카드에 적었던 내용을 질문하고 대답을 듣는다.
> ❹ 모든 친구가 작가 역할을 경험할 수 있도록 역할을 바꿔 진행한다.

활동 도우미 질문 주사위 활용하기

작가와의 만남 활동 중 어떤 질문을 해야 할지 모를 때, 질문 주사위를 활용하면 더 재미있게 이야기를 주고받을 수 있다.

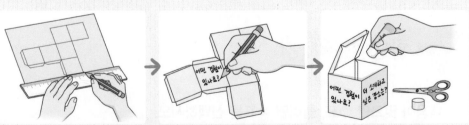

❶ 빈 종이 위에 주사위 전개도를 그립니다.　❷ 주사위의 여섯 면에 각기 다른 질문을 적습니다.　❸ 종이를 오리고 풀로 붙여 주사위를 완성합니다.

작가와의 만남 활동하기

우리 고장의 모습 설명하기

우리 고장에는 제가 살고 있는 집과 친구들과 함께 공부하는 학교가 있습니다. 또 우리 집 근처에 있는 큰 시장에서 다양한 물건을 살 수 있습니다. 주말에는 가족과 함께 공원에 가서 산책도 하고, 도서관에 가서 책을 읽기도 합니다. 제가 우리 고장에서 가장 좋아하는 장소는 재미있는 영화를 볼 수 있는 영화관입니다.

궁금한 점 질문하고 대답하기

시장 옆에 있는 별 그림은 무슨 뜻을 담고 있나요?

시장은 제가 부모님과 함께 매주 가는 장소입니다. 시장에서 맛있는 음식도 먹고, 우리 가족에게 필요한 다양한 물건도 구매하고 있습니다. 가족과 함께한 추억이 있는 곳이기 때문에 별 그림을 그려 보았습니다.

영화관을 크게 그린 까닭은 무엇인가요?

영화관은 제가 우리 고장에서 가장 좋아하는 장소입니다. 새로운 만화 영화가 개봉하면 이곳에 가서 영화를 봅니다. 영화 주인공과 관련한 다양한 물건도 살 수 있어서 참 좋습니다.

 **확인 톡! 톡!**

📍정답과 해설 2쪽

1 **빈칸에 들어갈 알맞은 말을 쓰시오.**

고장에 대한 생각과 느낌은 각자의 경험에 따라 다르기 때문에 나와 다른 생각과 느낌을 ☐☐하고 존중해야 합니다.

(   )

● '우리가 생각하는 고장의 모습'에서 배운 내용을 떠올리며 다음 놀이를 해 봅시다.

놀이 방법

❶ 한 사람이 일어나 "우리 고장은 ○○○입니다."라고 우리 고장을 빗대어 표현합니다.

❷ 자리에 앉아 있는 사람들은 다 함께 "왜요?"라고 묻습니다.

❸ 서 있는 사람은 그 이유를 이야기하고, 다음에 발표할 사람을 정한 후 자리에 앉습니다.

① 우리 고장은 콩나물입니다.

② 왜요?

③ 높은 건물이 많기 때문입니다. 다음 사람은 △△△!

우리 고장은 _예 무지개_ 입니다.
왜냐하면, _예 계절마다 산과 들이 알록달록한 색으로 변하기 때문입니다._

도움 우리 고장의 특징을 떠올리고 그 특징과 생활 속에서 쉽게 접할 수 있는 대상의 공통점을 찾아보아요.

🍓 **핵심 꿀꺽 질문 ⁇**

우리 고장에는 어떤 장소들이 있나요?

우리 고장을 표현한 그림에서 어떤 장소를 표현했나요?

나와 친구가 표현한 우리 고장 그림을 비교할 수 있나요?

중요

1 빈칸에 공통으로 들어갈 알맞은 말을 쓰시오.

> □□에는 사람들이 모여 사는데, 이러한 □□에는 사람들의 생활과 관련된 여러 장소가 있습니다.

2 다음은 고장에서 볼 수 있는 장소들입니다. 이 장소 중 한 가지를 골라 어떤 장소인지 쓰시오.

> • 학교   • 시장
> • 공원   • 도서관
> • 우체국

3 고장에서 볼 수 있는 장소 중 한 곳인 '시장'에 대한 설명으로 알맞지 않은 것은 어느 것입니까?   (   )

① 5일에 한 번씩만 열리고 매일 열리지 않는다.
② 여러 가지 물건들을 다양한 가격에 사고파는 장소이다.
③ 우리 고장에서 직접 만들지 않는 물건들도 구경할 수 있다.
④ 맛있는 요리를 만들기 위한 신선한 재료들을 구입할 수 있다.
⑤ 사람들이 방문하기 편하도록 주로 교통이 편리한 위치에 있다.

4 다음 설명에 해당하는 장소는 무엇인지 쓰시오.

> • 교실에서 친구들과 수업을 듣습니다.
> • 도서실에서 친구들과 책을 읽습니다.
> • 운동장에서 친구들과 공을 차며 뛰어놉니다.

5 다음 그림과 관련 있는 장소로 알맞은 것은 어느 것입니까?   (   )

① 소방서   ② 경찰서
③ 우체국   ④ 도서관
⑤ 백화점

6 고장의 장소와 이에 대한 설명으로 알맞은 것을 보기 에서 두 가지 골라 기호를 쓰시오.

> **보기**
> ㉠ 우체국: 맛있는 음식을 주문하여 먹는다.
> ㉡ 도서관: 아픈 사람을 위해 도움을 요청한다.
> ㉢ 소방서: 화재가 발생하면 출동하여 불을 끈다.
> ㉣ 경찰서: 우리 고장이 안전하도록 질서를 유지한다.

중요

7 빈칸에 공통으로 들어갈 알맞은 말을 쓰시오.

> 고장에는 산, 강, 학교, 공원과 같은 다양한 □□이/가 있습니다. 우리는 머릿속에 떠오르는 □□들을 중심으로 우리 고장의 모습을 직접 표현할 수 있습니다.

_____

_____

8 고장을 그리는 방법으로 알맞지 <u>않은</u> 것을 보기 에서 골라 기호를 쓰고, 바르게 고치시오.

> **보기**
>
> ㉠ 장소와 장소를 연결하는 길을 그린다.
> ㉡ 우리 고장에 없는 장소를 상상하여 그린다.
> ㉢ 장소와 어울리는 색깔을 칠하여 느낌을 표현한다.
> ㉣ 표현할 장소를 떠올릴 때 내가 좋아하거나 자주 가는 장소를 떠올린다.

_____

_____

9 고장을 그리는 활동에 참여한 학생들의 의견 중 가장 알맞지 <u>않은</u> 것은 어느 것입니까?

( )

① 지민: 내가 좋아하는 장소를 그려 볼래.
② 은아: 내가 자주 가는 장소를 그려 볼래.
③ 주영: 우리 고장의 모든 장소를 그려 볼래.
④ 석하: 많은 사람들이 방문하는 장소를 그려 볼래.
⑤ 준모: 다른 고장 사람에게 알리고 싶은 장소를 그려 볼래.

중요

10 빈칸에 들어갈 알맞은 말을 쓰시오.

> 우리 고장 그리기를 할 때 여러 장소가 그림 속에 표현되는데, 장소를 떠올렸을 때 드는 느낌을 □□□(으)로 나타낼 수 있습니다.

_____

11 우리 고장 그림을 그릴 때 표현할 내용으로 알맞지 <u>않은</u> 것은 어느 것입니까? ( )

① 장소의 모양
② 장소의 위치
③ 장소의 이름
④ 장소에 대한 느낌
⑤ 장소에 방문한 시간

12 빈칸에 들어갈 알맞은 말을 쓰시오.

> 고장에 대한 생각과 느낌은 각자의 경험에 따라 다양할 수 있기 때문에 고장에 대한 서로 다른 생각과 느낌을 이해하고 □□해야 합니다.

_____

13 우리 고장의 모습을 그리는 과정을 순서대로 기호를 쓰시오.

> ㉠ 장소에 대한 느낌을 표현한다.
> ㉡ 머릿속에 떠오르는 장소를 그린다.
> ㉢ 그 밖에 떠오르는 장소와 길을 그린다.
> ㉣ 그리고 싶은 우리 고장의 장소를 떠올린다.

중요

14 빈칸에 들어갈 알맞은 말을 쓰시오.

나와 친구들이 그린 우리 고장의 모습에는 서로 비슷한 점도 있지만 다른 점도 있습니다. 우리는 각자의 ☐☐ 에 따라 고장의 모습을 다양하게 표현합니다.

15 고장 그림의 비교 방법으로 알맞지 <u>않은</u> 것을 보기 에서 골라 기호를 쓰고, 바르게 고치시오.

보기

㉠ 공통점을 찾기 위해 같은 장소를 그린 것이 있는지 살펴본다.
㉡ 모양이 비슷하게 표현된 장소를 찾는 것은 공통점을 찾는 것이다.
㉢ 어느 한 그림에서만 볼 수 있는 장소를 찾는 것은 차이점을 찾는 것이다.
㉣ 공통점을 찾기 위해 같은 장소를 다른 위치에 그린 것이 있는지 확인한다.

중요

16 고장의 모습을 그리고 비교해 보는 활동에 대한 의견으로 알맞지 <u>않은</u> 것은 어느 것입니까?

( )

① 두 그림에서 한쪽만 표현한 장소도 있다.
② 서로의 그림에 담긴 생각과 느낌을 존중해야 한다.
③ 두 그림에서 같은 장소를 서로 다른 위치에 표현할 수도 있다.
④ 두 그림에서 같은 장소를 서로 다른 모양과 크기로 표현할 수도 있다.
⑤ 두 그림에서 같은 장소를 표현했다면 그 장소에 대한 생각과 느낌도 서로 같다.

워드 클라우드와 함께하는 **서술형 문제**

[17-18] 워드 클라우드의 단어를 이용하여 서술형 문제의 답을 쓰시오.

17 성국이와 민지가 그린 우리 고장 그림의 공통점과 차이점을 서술하시오.

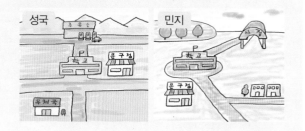

18 학생들이 나눈 대화를 보고 우리 고장의 그림을 감상할 때의 주의점을 서술하시오.

주영: 형석아, 이번 수업 재미있지 않았니?
형석: 응, 재미있었어! 너도 나처럼 학교를 가운데에 그렸구나.
주영: 맞아. 학교 옆에는 공원도 그렸어.
형석: 그래? 학교 옆에 있는 공원에는 볼 것도 없던데, 힘들게 왜 그렸니?

어느 '쓰레기 산'의 변화

서울특별시 마포구 한강 하류에 위치한 난지도는 물이 맑고 깨끗해서 겨울이 되면 수많은 철새가 날아드는
아름다운 곳이었습니다. 그런데 1978년에 이곳이 쓰레기 매립장으로 지정되면서 수많은 쓰레기가 쌓여 거
대한 '쓰레기 산'이 만들어졌습니다. 환경 오염이 심해지자 서울시는 난지도로 쓰레기를 들여오는 것을 중
단했습니다. 그리고 난지도와 주변 지역을 생태 공원으로 만들었습니다. 이러한 노력 덕분에 난지도는 다시
주민들이 휴식을 취하고 여가 생활을 즐기는 깨끗한 쉼터가 될 수 있었습니다.

난지도는 예전에 서울시의 쓰레기 매립장이었다고 해.

지금은 다양한 동식물과 서울 시민이 함께 즐길 수 있는 공원으로 바뀌었어.

철새 도래지였던 난지도

쓰레기 산이 되어버린 난지도

난지도에 조성된 월드컵 공원

1 2 고장의 실제 모습

우리 고장의 실제 모습은 어떻게 알 수 있을까요?

보충 ❶

◉ **디지털 영상 지도와 종이 지도 비교**

디지털 영상 지도는 종이 지도와 다르게 사진으로 만들어진 지도로 종이 지도보다 많은 정보를 나타낼 수 있다.

보충 ❷

◉ **항공 사진**

비행기 등을 타고 높은 곳에서 찍은 사진이다. 우리나라에서는 1960년대부터 항공 사진을 많이 찍기 시작했다.

용어 사전

❶ **스마트폰**: 휴대 전화에 여러 컴퓨터 지원 기능을 추가한 지능형 단말기로 사용자가 원하는 응용 프로그램을 설치할 수 있는 것이 특징이다.

❶ 고장의 실제 모습을 알 수 있는 방법 👟 속 시원한 **활동 풀이**

(1) 고장의 실제 모습을 알 수 있는 여러 가지 방법

① 높은 곳에 올라가 내려다보기: 고장의 모습을 한눈에 볼 수 있다.

② 직접 돌아다니기: 고장의 여러 장소를 자세하게 볼 수 있다.

▲ 공원 근처의 높은 곳에 올라가서 찍은 사진　　▲ 공원 안을 직접 걸어 다니며 찍은 사진

내용➕ 같은 장소라도 사진을 찍는 위치나 바라보는 위치에 따라 그 모습이 달라진다.

(2) 고장의 실제 모습을 알 수 있는 방법의 불편한 점

① 날씨가 좋지 않거나 어두울 때에는 고장의 모습을 알아보기가 어렵다.

② 시간이 오래 걸린다.

❷ 인공위성에서 찍은 사진

(1) 인공위성의 의미: 사람들이 로켓을 이용하여 우주로 쏘아 올린 장치로 지구 주위를 돌며 위치, 날씨 등 다양한 정보를 알려 주는 것이다.

(2) 인공위성에서 찍은 사진의 특징

① 시간과 장소에 관계없이 관찰할 수 있다.

② 어떤 장소의 전체적인 모습을 한눈에 볼 수 있다.

③ 고장의 실제 모습을 더 정확하고 편리하게 살펴볼 수 있다.

④ 우리 고장의 여러 장소를 자세히 볼 수 있다.

내용➕ 매우 높은 곳에 있는 인공위성에서 찍은 사진을 살펴보면 높은 곳에서 내려다보거나 직접 돌아다니는 방법보다 고장의 실제 모습을 더 쉽고 정확하게 알 수 있다.

❸ 디지털 영상 지도

(1) 디지털 영상 지도의 의미: 인공위성이나 항공기에서 찍은 사진을 이용하여 만든 지도이다.

(2) 디지털 영상 지도의 특징 보충 ❶ ❷

① 고장의 여러 장소를 한눈에 볼 수 있다.

② 고장의 전체적인 모습과 자세한 모습을 함께 확인할 수 있다.

③ 직접 가 보지 않아도 ❶스마트폰이나 컴퓨터로 장소의 위치와 모습을 볼 수 있기 때문에 편리하고, 시간을 절약할 수 있다.

고장의 실제 모습을 알 수 있는 여러 가지 방법의 장점과 단점을 이야기해 봅시다.

	① 높은 곳에 올라가 내려다보기	② 직접 돌아다니기
고장의 실제 모습을 알아보는 방법		
장점	예 고장의 여러 장소를 전체적으로 한눈에 볼 수 있음.	예 고장의 여러 장소의 실제 모습을 직접 자세하게 확인할 수 있음.
단점	예 • 높은 건물이나 산에 가려서 안 보이는 장소가 있음. • 멀리 있는 장소는 보기가 어려움.	예 • 날씨가 좋지 않으면 돌아다니기가 힘들고, 가 보지 못하는 장소도 있을 수 있음. • 시간이 오래 걸림.

📍 정답과 해설 3쪽

1 내용이 맞으면 ○표, 틀리면 ×표를 선택하시오.

⑴ 직접 돌아다니는 방법은 시간이 오래 걸린다는 단점이 있습니다. (○ , ×)

⑵ 높은 곳에 올라가 내려다보는 방법은 우리 고장의 모습을 자세히 살펴볼 수 있다는 장점이 있습니다.

(○ , ×)

2 빈칸에 공통으로 들어갈 알맞은 말을 쓰시오.

높은 곳에 직접 올라가 내려다본 사진보다 ☐☐☐☐에서 찍은 사진이 고장의 실제 모습을 더 쉽고 정확하게 알 수 있습니다. 이러한 ☐☐☐☐에서 찍은 사진을 이용하여 만든 지도를 '디지털 영상 지도'라고 하며, '디지털 영상 지도'를 활용하면 고장의 여러 장소를 한눈에 볼 수 있습니다.

( )

3 종이 지도와 비교하여 디지털 영상 지도가 가진 장점을 쓰시오.

( )

디지털 영상 지도로 우리 고장을 살펴볼까요?

1 디지털 영상 지도의 장점

(1) 우리 고장의 전체적인 모습을 살펴볼 수 있다.

(2) ❶확대하면 보고 싶은 장소의 모습을 자세히 볼 수 있다.

(3) 우리 고장의 위치와 생긴 모습을 쉽고 편리하게 알 수 있다.

2 디지털 영상 지도의 이용 방법 속 시원한 활동 풀이

(1) 컴퓨터로 디지털 영상 지도 이용하기 보충 ❶

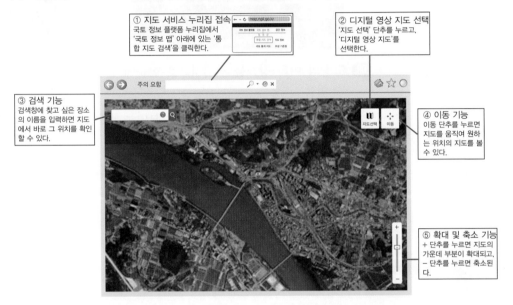

① 지도 서비스 누리집 접속
국토 정보 플랫폼 누리집에서 '국토 정보 맵' 아래에 있는 '통합 지도 검색'을 클릭한다.

② 디지털 영상 지도 선택
'지도 선택' 단추를 누르고, '디지털 영상 지도'를 선택한다.

③ 검색 기능
검색창에 찾고 싶은 장소의 이름을 입력하면 지도에서 바로 그 위치를 확인할 수 있다.

④ 이동 기능
이동 단추를 누르면 지도를 움직여 원하는 위치의 지도를 볼 수 있다.

⑤ 확대 및 축소 기능
+ 단추를 누르면 지도의 가운데 부분이 확대되고, − 단추를 누르면 축소된다.

내용+ 상황에 맞게 누리집에서 제공하는 여러 지도 서비스를 이용할 수 있다.

(2) 스마트폰이나 태블릿 컴퓨터로 디지털 영상 지도 이용하기

다양한 지도 ❷애플리케이션에 접속하여 검색창에 장소의 이름을 입력한다.

디지털 영상 지도와 일반 지도를 선택할 수 있다.

손가락 사이를 넓히면 좁은 지역을 자세히 볼 수 있고, 좁히면 넓은 지역을 한눈에 볼 수 있다.

화면 위에 손가락을 대고 움직이면 원하는 위치로 이동할 수 있다.

지금 나의 위치를 지도에 표시해 준다.

⊞⊟ 단추를 눌러 확대 및 축소 기능을 이용할 수 있다.

내용+ 스마트폰이나 태블릿 컴퓨터를 활용하면 이동하면서도 디지털 영상 지도를 볼 수 있다.

디지털 영상 지도의 여러 가지 기능을 활용해 봅시다.

검색 기능	[활용 1] 검색 기능을 활용해 우리 고장에서 좋아하는 장소를 살펴봅시다.
	예 내가 찾아본 장소는 우리 학교입니다. 검색창에 우리 학교의 이름을 입력해 봤습니다.
이동 기능	[활용 2] 이동 기능을 활용해 우리 고장에서 내가 몰랐던 장소를 살펴봅시다.
	예 내가 새롭게 알게 된 장소는 강입니다. 우리 고장의 강이 다른 고장까지 연결된 것을 알게 되었습니다.
확대 및 축소 기능	[활용 3] 확대 및 축소 기능을 활용해 우리 고장의 모양을 살펴봅시다.
	예 우리 고장의 모양은 소가 웅크리고 앉아 있는 자세처럼 생겼습니다.

잠깐! 확인해요

디지털 영상 지도에는 장소를 검색하는 기능이 있습니다. (○ , ×)　　　　　　(○)

확인 톡! 톡!

🔍 정답과 해설 3쪽

1 빈칸에 들어갈 알맞은 말을 쓰시오.

디지털 영상 지도의 기능 중 찾고 싶은 장소의 이름을 입력하면 지도에서 바로 그 위치를 확인할 수 있는 기능은 ☐☐ 기능입니다.

(　　　　　　　)

2 스마트폰이나 태블릿 컴퓨터로 디지털 영상 지도를 이용하는 방법으로 알맞지 **않은** 것을 보기 에서 골라 기호를 쓰시오.

보기
　㉠ 검색창에 장소의 이름을 입력합니다.
　㉡ 손가락을 움직여 원하는 위치로 이동할 수 있습니다.
　㉢ 디지털 영상 지도와 일반 지도를 선택할 수 있습니다.
　㉣ 손가락 사이를 넓히면 넓은 지역을 한눈에 볼 수 있습니다.

(　　　　　　　)

우리 고장의 주요 장소를 찾아볼까요?

○ 고장 안내도

고장을 안내하는 내용을 담은 지도이다. 고장 안내도는 주제에 따라 다양한 종류가 있다. 주요 볼거리와 관광지 등을 안내한 관광 안내도뿐만 아니라 문화재 안내도, 교통 시설 안내도, 공원 안내도 등이 있다. 고장의 시·군·구청 누리집에서 고장 안내도를 확인할 수 있다.

① 우리 고장의 주요 장소 속 시원한 활동 풀이

(1) 디지털 영상 지도에서 찾아볼 만한 우리 고장의 장소

① 우리가 그렸던 고장 그림에서 발견할 수 있는 장소

② 우리가 잘 알거나 평소에 가 보고 싶었던 장소

③ 고장 안내도에 소개된 장소 보충 ①

④ 사람들이 자주 찾는 장소

⑤ 내가 좋아하는 장소

> **내용⁺** 디지털 영상 지도에는 고장의 모든 장소가 나타나 복잡하기 때문에 주제를 정해 그에 맞는 장소들을 골라 본다.

(2) 주제와 관련된 우리 고장의 주요 장소: 예 광주광역시

❶자연과 관련 있는 곳	무등산, 광주천, 광주호, 용추 계곡 등
다른 고장으로 이동할 때 이용하는 곳	광주 버스 터미널, 광주역, 광주송정역 등
생활을 편리하게 하는 곳	광주광역시청, 병원, 소방서, 도서관, 시장 등
즐거움을 주는 곳	박물관, 미술관, 공연장, 야구장, 축구장 등
유명한 관광지가 있는 곳	국립 아시아 문화 전당, 광주 예술의 거리 등

> **내용⁺** 이외에도 우리 고장의 모든 공원, 어린이가 좋아하는 장소, 사람들이 자주 찾는 장소 등의 주제가 있다.

(3) 우리 고장의 주요 장소를 찾을 때 활용할 수 있는 것: 디지털 영상 지도, 우리 고장 누리집의 고장 안내도, 우리 고장의 모습을 표현한 그림 등

② 주요 장소를 찾으며 알게 된 우리 고장의 실제 모습

(1) 우리 고장의 주요 장소를 살펴보면서 알 수 있는 점

① 우리 고장의 주요 장소의 종류와 위치를 알 수 있다.

② 우리 고장의 더 많은 장소를 새롭게 알 수 있다.

(2) 우리 고장의 전체를 살펴보면서 알 수 있는 점

① 우리 고장의 크기와 어디까지가 우리 고장인지를 알 수 있다.

② 우리 고장에 있는 다양한 모습의 자연환경을 알 수 있다.

③ 시장과 같은 주요 장소가 여러 곳에 흩어져 있는 것을 알 수 있다.

(3) 주요 장소의 위치와 관련하여 알 수 있는 점

① 주요 장소 간의 거리를 알 수 있다.

② 주요 장소의 가까운 곳에는 어떤 것이 있는지 알 수 있다.

용어 사전

❶ **자연**: 사람의 힘이 더해지지 아니하고 세상에 스스로 존재하거나 우주에 저절로 이루어지는 모든 존재나 상태이다.

다음 주제와 관련된 우리 고장의 장소를 생각해 보고, 디지털 영상 지도를 이용해 각 장소의 위치를 확인해 봅시다.

주제 1) 자연과 관련 있는 곳	주제 2) 다른 고장으로 이동할 때 이용하는 곳
[예] 광안리 해수욕장, 해운대 해수욕장, 백양산, 수영강 등	[예] 부산역, 부산 종합 버스 터미널, 김해 국제공항 등
주제 3) 생활을 편리하게 하는 곳	**주제 4) [예] 우리에게 즐거움을 주는 곳**
[예] 부산광역시청, 시장, 동사무소, 백화점 등	[예] 축구장, 야구장, 놀이공원, 놀이터, 미술관 등
주제 5) [예] 유명한 관광지가 있는 곳	**주제 6) [예] 우리 고장의 모든 공원**
[예] 해운대 해수욕장, 흰여울 문화 마을 등	[예] 부산 시민 공원, 평화 공원, 대신 공원 등

잠깐! 확인해요

디지털 영상 지도로 고장에 있는 주요 장소의 위치를 확인할 수 있습니다. (○, ✕)　　　　　(○)

확인 톡! 톡!

♀ 정답과 해설 3쪽

1 빈칸에 들어갈 알맞은 말을 쓰시오.

무등산, 광주천, 광주호 등은 우리 고장의 □□와/과 관련 있는 주요 장소입니다.

(　　　　　　　　)

2 고장의 주요 장소를 찾을 때 활용하는 방법으로 가장 알맞지 **않은** 것을 보기 에서 골라 기호를 쓰시오.

보기
㉠ 사회 시간에 우리 고장의 모습을 직접 표현한 그림을 살펴봅니다.
㉡ 인터넷으로 우리 고장 누리집을 방문해 고장 안내도를 살펴봅니다.
㉢ 디지털 영상 지도를 활용해서 우리 고장의 주요 장소를 찾아봅니다.
㉣ 집에서 거리가 가까운 곳들을 중심으로 직접 걸어 다녀보며 찾아봅니다.

(　　　　　　　　)

우리 고장의 모습을 백지도에 나타내 볼까요?

보충 ❶

◉ 백지도 제공 누리집
국토 지리 정보원에서 운영하는 어린이 지도 여행 누리집을 통해 백지도를 내려받을 수 있다. 또 국토 지리 정보원의 통합 지도 검색에서 백지도를 선택해 원하는 지역의 백지도를 내려받을 수 있다.

1 백지도 이해하기

(1) **백지도의 의미**: 산, 강, 큰길 등의 밑그림만 그려져 있는 지도이다. 보충 ❶

(2) **백지도의 장점**: 백지도를 이용하면 주요 장소만 강조해서 지도에 표시할 수 있다. 보충 ❷

2 백지도에 고장의 주요 장소 표현하기 (교과서 속 시원한 활동 풀이)

(1) 백지도에 표시하고 싶은 주요 장소를 선택해 붙임쪽지에 쓰기

> ❶ 백지도에 그려져 있는 산, 강, 큰길 등의 이름과 위치를 확인한다.
> ❷ 내가 표현하고 싶은 주요 장소가 어디쯤 있는지 살펴보고, 붙임쪽지에 주요 장소의 이름을 쓴다.

(2) 붙임쪽지에 쓴 장소를 백지도의 알맞은 위치에 붙이기

> ❶ 디지털 영상 지도의 확대 기능을 이용하여 각 장소가 어디에 있는지 자세히 살펴본다.
> ❷ 산이나 강, 큰길, 기차역 등을 중심으로 장소의 위치가 어디쯤인지 살펴본다.
> ❸ 붙임쪽지를 하나씩 붙여 가면서 위치를 조금씩 수정한다.

보충 ❷

◉ 백지도의 장점
디지털 영상 지도에는 많은 건물과 길이 나타나 있기 때문에 고장의 주요 장소를 찾기가 어려운데, 백지도를 이용하면 작은 건물을 지우고 주요 장소만 강조해서 지도에 표시할 수 있다.

(3) 주요 장소의 위치가 맞게 표시되었는지 확인하고, 잘못 표시된 장소는 붙임쪽지를 정확한 위치에 다시 붙이기

(4) 붙임쪽지를 하나씩 떼어 내며 그 자리에 그림이나 글씨로 주요 장소 표현하기

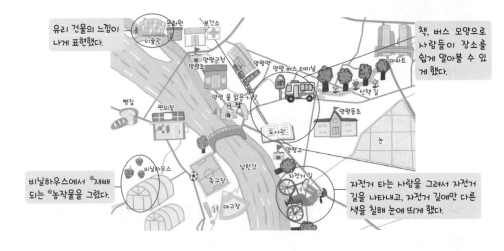

용어 사전

❶ 재배: 식물을 심어 가꾸는 것을 말한다.
❷ 농작물: 논밭에 심어 가꾸는 곡식이나 채소를 뜻한다.

3 백지도에 나타낸 고장의 모습 살펴보기

(1) **고장의 주요 장소**: 우리 고장의 주요 장소들을 한눈에 확인할 수 있다.

(2) **고장의 실제 모습**: 주요 장소의 위치와 특징을 살펴보며 고장의 실제 모습을 익힐 수 있다.

속 시원한 **활동 풀이**

우리 고장의 주요 장소를 백지도에 나타내 봅시다.

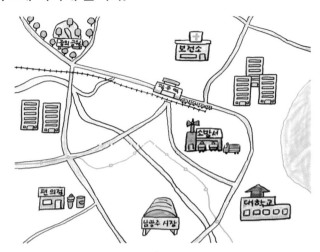

우리 고장의 주요 장소	표현 방법
예 소방서	예 소방차를 그렸습니다.
예 기차역	예 기차역 건물 앞에 기차를 그리고, 기찻길을 길게 그렸습니다.
예 편의점	예 편의점에서 살 수 있는 다양한 간식을 그렸습니다.
예 보건소	예 병원 표시를 그렸습니다.

잠깐! 확인해요

주요 산, 강, 바다, 큰길과 같은 밑그림만 그려진 ☐☐☐을/를 활용해 고장의 모습을 나타냅니다.

(백지도   )

확인 톡! 톡!

📍정답과 해설 3쪽

1 내용이 맞으면 ○표, 틀리면 ×표를 선택하시오.
(1) 백지도는 복잡해서 고장의 주요 장소를 표시하기 어렵습니다. (○ , ×)
(2) 디지털 영상 지도의 확대 기능을 이용하여 주요 장소의 위치를 살펴볼 수 있습니다. (○ , ×)

2 주요 장소의 위치를 백지도에 알맞게 표시하는 방법을 쓰시오.
(   )

우리 고장의 주요 장소를 소개해 볼까요?

보충 ❶

◉ 사진첩

📍 신두리 해안 사구

#원북면 신두리 #해안 사구 #모래 언덕 #천연 기념물 431호 #다양한 사구 식물 #멸종 위기 동식물 #개미귀신 #표범장지뱀 #고라니 #삵 #왕소똥구리 #도롱뇽 #황조롱이 #종다리 #갯그령 #통보리사초

주요 장소의 사진이나 그림과 함께 장소에 대한 다양한 정보, 나의 경험, 감정을 나타내는 문구를 달아 소개할 수 있다.

보충 ❷

◉ 카드 뉴스

그림이나 사진에 간단하지만 핵심적인 내용의 설명을 더해 만드는 형태의 뉴스이다. 우리 고장의 주요 장소를 연달아 소개하는 카드 뉴스를 만들 수 있다.

보충 ❸

◉ 버스 노선도

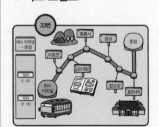

버스 노선도에 버스 정거장 주변에서 볼 수 있는 박물관, 유적지 등 주요 장소의 정보를 담아 소개할 수 있다.

❶ 우리 고장의 주요 장소와 소개 방법 선정하기

(1) **소개할 만한 장소:** 사람들이 많이 찾는 유명한 장소, 경치가 아름다운 장소, 역사적인 의미가 있는 장소 등

(2) **소개 방법:** 백지도에 장소를 소개하는 장소 카드 붙이기 등 **보충❶.❷.❸**

> **내용➕** 다양한 소개 방법: 책, 포스터, 안내 책자, 사진첩, 편지, 카드 뉴스, 버스 노선도 등

❷ 우리 고장을 소개하는 장소 카드 만들기

(1) **소개할 장소에 대한 정보 조사하기:** 시·군·구청 누리집, 우리 고장의 안내 책자, 우리 고장을 잘 알고 있는 어른께 여쭤보기 등

(2) **장소 카드에 넣을 내용 정리하기:** 장소를 보여 줄 수 있는 사진이나 그림, 장소에 대한 간단한 설명, 장소를 추천하는 까닭 등

📌 장소: 국립 광주 박물관

특징: 다양한 문화재가 전시되어 있고 어린이 박물관에서 역사 체험을 할 수 있다.

📌 장소: 무등산 국립 공원

특징: 산에 올라 아름다운 경치를 감상하고, 다양한 동식물을 볼 수 있다.

(3) **장소 카드를 활용하여 우리 고장 소개 자료 만들기** 🏃 속 시원한 **활동 풀이**

> ❶ 누리집이나 고장 안내 책자에서 소개하고 싶은 장소를 찾아본다.
> ❷ 장소의 특징을 정리하여 장소 카드를 만든다.
> ❸ 지난 시간에 꾸민 백지도에 장소 카드를 붙여 소개 자료를 완성한다.
> ❹ 완성한 소개 자료를 이용하여 우리 고장의 주요 장소를 소개한다.

활동 도우미 ▶ 계단 책 만들기

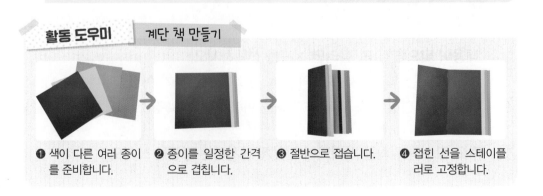

❶ 색이 다른 여러 종이를 준비합니다.
❷ 종이를 일정한 간격으로 겹칩니다.
❸ 절반으로 접습니다.
❹ 접힌 선을 스테이플러로 고정합니다.

우리 고장 소개하기

주요 장소에 대한 정보	**예** 광주역	광주와 다른 고장을 연결해 주는 기차가 다니는 곳입니다.
	예 남광주 시장	매일 새벽 여러 항구에서 들어온 해산물을 파는 시장입니다.
	예 중외 공원	꽃과 나무, 어린이 대공원, 올림픽 동산, 무지개다리 등이 있습니다.

백지도에 장소 카드 붙이기

예

우리 고장의 주요 장소 소개하기

예 광주역은 기차를 타고 우리 고장을 방문하는 사람들이 내리는 곳입니다. 남광주 시장에 가면 맛있고 싱싱한 해산물을 구입할 수 있습니다. 또 중외 공원에는 다양한 놀이 기구가 있어서 가족과 함께 즐거운 추억을 쌓을 수 있습니다.

 **확인 톡! 톡!**

정답과 해설 3쪽

1 장소 카드를 활용하여 우리 고장 소개 자료를 만드는 방법을 순서대로 기호를 쓰시오.

ㄱ 장소의 특징을 정리하여 장소 카드를 만듭니다.
ㄴ 완성한 자료를 이용하여 우리 고장의 주요 장소를 소개합니다.
ㄷ 누리집이나 고장 안내 책자에서 소개하고 싶은 장소를 찾아봅니다.
ㄹ 지난 시간에 꾸민 백지도에 장소 카드를 붙여 소개 자료를 완성합니다.

(　　　　　　)

'고장의 실제 모습'에서 배운 내용을 떠올리며 말판 놀이를 해 봅시다.

도움 배운 내용을 떠올리며 주사위를 활용하거나 가위바위보를 하여 말을 이동해 보아요.

🍓 핵심 꿀꺽 질문 🍓

우리 고장의 실제 모습은
어떻게 알 수 있나요?

우리 고장의 모습을 백지도에
어떻게 나타낼 수 있나요?

우리 고장의 주요 장소는 어디이고
어떻게 소개할 수 있나요?

1 빈칸에 공통으로 들어갈 알맞은 말을 쓰시오.

> 높은 곳에 올라가 내려다본 사진보다 인공위성에서 찍은 사진이 고장의 실제 모습을 더 쉽고 정확하게 알 수 있습니다. 이러한 인공위성에서 찍은 사진을 이용하여 만든 지도를 ☐☐☐☐☐(이)라고 하며, ☐☐☐☐☐☐을/를 활용하면 고장의 여러 장소를 한눈에 볼 수 있습니다.

---

2 다음 설명의 장치를 이용하여 찍은 사진으로 만든 지도의 특징을 쓰시오.

> 사람들이 로켓을 이용하여 쏘아 올린 장치로 위치, 날씨 등 다양한 정보를 알려 줍니다.

중요

3 디지털 영상 지도의 특징에 대한 설명으로 알맞지 <u>않은</u> 것은 어느 것입니까? ( )

① 스마트폰과 컴퓨터로 볼 수 있다.
② 인공위성에서 찍은 사진으로 만든다.
③ 고장의 장소를 자세히 보여 주지 않는다.
④ 매우 높은 곳에서 내려다본 모습을 보여 준다.
⑤ 직접 가 보지 않아도 그 장소의 위치를 확인할 수 있다.

4 다음에서 설명하는 것이 무엇인지 쓰시오.

> 디지털 영상 지도로 우리 고장의 모습을 살펴볼 때 활용하는 것으로, 스마트폰이나 태블릿 컴퓨터에서 사용자의 편의를 위해 개발된 다양한 응용 프로그램입니다.

---

5 디지털 영상 지도의 기능에 대한 설명으로 알맞지 <u>않은</u> 것은 어느 것입니까? ( )

① 거리 재기 기능: 실제 거리를 알 수 있다.
② 이동 기능: 다른 누리집의 지도 서비스로 이동할 수 있다.
③ 확대 및 축소 기능: 지도의 가운데 부분을 확대하거나 축소할 수 있다.
④ 지도 선택 기능: 디지털 영상 지도, 백지도 등 지도의 종류를 선택할 수 있다.
⑤ 검색 기능: 검색창에 찾고 싶은 이름을 입력하면 지도에서 그 위치를 확인할 수 있다.

6 컴퓨터로 디지털 영상 지도를 이용하는 방법을 순서대로 기호를 쓰시오.

> ㉠ 디지털 영상 지도를 선택한다.
> ㉡ 지도 서비스 누리집에 접속한다.
> ㉢ 검색창에서 찾고 싶은 장소를 입력하여 검색한다.
> ㉣ 이동 단추와 확대 및 축소 단추를 이용하여 살펴본다.

7 다음에서 설명하는 것은 무엇인지 쓰시오.

> 고장을 안내하는 내용을 담은 지도입니다. 고장의 주요 장소를 찾을 때 활용할 수 있는 자료입니다.

8 스마트폰이나 태블릿 컴퓨터로 디지털 영상 지도를 사용할 때의 장점을 쓰시오.

9 고장의 주요 장소를 찾을 때 활용할 수 있는 방법으로 가장 알맞지 **않은** 것은 어느 것입니까?
( )

① 인터넷에서 디지털 영상 지도를 활용한다.
② 우리 고장의 공공 기관에 붙은 종이 지도를 살펴본다.
③ 사회 시간에 우리 고장의 모습을 직접 표현한 그림을 살펴본다.
④ 인터넷에서 우리 고장 누리집을 방문하여 고장 안내도를 살펴본다.
⑤ 집에서 출발하여 거리가 가까운 곳들을 중심으로 직접 걸어 다니며 찾아본다.

10 우리 고장의 여러 장소 중 성격이 **다른** 장소는 어느 것입니까? ( )

① 강 　② 시장 　③ 시청
④ 백화점 　⑤ 버스 터미널

중요

11 지도를 이용하여 우리 고장의 주요 장소를 찾아볼 때 알 수 있는 점으로 알맞지 **않은** 것은 어느 것입니까? ( )

① 우리 고장이 생각했던 것보다 넓다는 것을 알 수 있다.
② 교통이 편리한 곳에 주요 장소가 있다는 것을 알 수 있다.
③ 우리 고장에 다양한 모습의 자연환경이 있다는 것을 알 수 있다.
④ 시장과 같은 주요 장소가 고장 곳곳에 흩어져 있음을 알 수 있다.
⑤ 우리 고장에 생각했던 것보다 많은 사람이 살고 있다는 것을 알 수 있다.

12 다음에서 설명하는 것은 무엇인지 쓰시오.

> 산, 강, 큰길 등의 밑그림만 그려져 있는 지도입니다.

13 백지도에 우리 고장의 주요 장소를 나타내는 방법을 순서대로 기호를 쓰시오.

> ㉠ 붙임쪽지에 쓴 장소를 백지도의 알맞은 위치에 붙인다.
> ㉡ 백지도에 표시하고 싶은 주요 장소를 선택해 붙임쪽지에 쓴다.
> ㉢ 붙임쪽지를 하나씩 떼어 내며 그 자리에 그림이나 글씨로 주요 장소를 표현한다.
> ㉣ 주요 장소의 위치가 맞게 표시되었는지 확인하고, 잘못 표시된 장소는 붙임쪽지를 정확한 위치에 다시 붙인다.

14 백지도에 장소의 특징이 드러나게 표시하는 방법을 쓰시오.

_____

_____

15 백지도에 우리 고장의 주요 장소를 나타내는 방법으로 알맞지 <u>않은</u> 것을 [보기]에서 골라 기호를 쓰고, 바르게 고치시오.

[보기]

㉠ 백지도에 그려진 산, 강, 큰길 등의 이름과 위치를 확인한다.
㉡ 백지도와 디지털 영상 지도를 비교하며 주요 장소의 위치를 다시 확인한다.
㉢ 붙임쪽지의 위치는 수정이 불가능하니 주요 장소의 위치를 정확히 찾아 붙인다.
㉣ 백지도에 붙인 붙임쪽지를 떼어 내며 그 자리에 그림이나 글씨로 주요 장소를 표현한다.

_____

_____

[중요]

16 우리 고장을 소개하는 장소 카드를 만드는 활동에 참여한 학생들의 장소 카드 내용 중 알맞지 <u>않은</u> 것은 어느 것입니까? (   )

① 혜림: 나는 장소의 가격을 표시했어.
② 재현: 나는 장소의 사진을 찍어 넣었어.
③ 경래: 나는 장소를 추천하는 까닭을 썼어.
④ 석수: 나는 장소를 표현하는 그림을 그렸어.
⑤ 은정: 나는 장소에 대한 간단한 설명을 넣었어.

워드 클라우드와 함께하는 **서술형 문제**

[17-18] 워드 클라우드의 단어를 이용하여 서술형 문제의 답을 쓰시오.

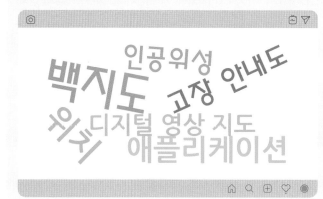

17 다음은 고장의 실제 모습을 알 수 있는 방법입니다. 이 두 가지 방법과 비교하여 인공위성에서 찍은 사진을 살펴보는 방법의 장점을 서술하시오.

• 높은 곳에 올라가 내려다보기
• 직접 돌아다니기

_____

_____

18 백지도를 활용하여 우리 고장의 주요 장소의 위치를 다른 사람에게 알려 줄 때의 효과적인 방법을 서술하시오.

_____

_____

우리 고장의 상징물

각 고장마다 고장의 자연환경, 특산물, 동물, 문화유산, 자랑거리 등을 활용한 상징물이 있습니다. 고장의 축제나 행사를 홍보할 때, 누리집에 게시물을 올릴 때 고장의 상징물을 이용합니다. 상징물로 다양한 홍보 물품을 만들기도 합니다. 또한 상징물을 통해 고장에 사는 사람들의 마음을 하나로 모을 수 있답니다.

▲ 고성 통일 전망대에서 바라본 금강산과 해금강

강원도 고성군 금강누리

금강산과 금강산에서 흘러나와 바다로 유입되는 해금강을 표현한 고성군의 상징물입니다.

전라남도 보성군 BS삼총사

보성군을 상징하는 녹차몬, 키위몬, 꼬막몬입니다. 보성군의 특산물인 녹차, 참다래, 꼬막을 활용하여 만든 상징물입니다.

▲ 보성 녹차밭과 녹차 아이스크림

경기도 고양시 고양고양이

고양시의 명칭을 활용한 상징물입니다. 고양시에서 열리는 다양한 축제에 활용되어 관람객들에게 즐거움을 주고 있습니다.

▲ 고양 종합 운동장의 고양고양이 조형물

충청남도 공주시 공주와 고마곰

공주에는 예로부터 곰에 관한 설화가 있었습니다. 공주시의 상징물인 고마곰은 이 설화 속 곰을 토대로 만들어졌습니다. 공주는 문화유산인 공산성의 모습을 담은 상징물입니다.

▲ 공주 공산성

정리 콕콕 이 단원에서 배운 내용을 글과 그림으로 정리해 봅시다.

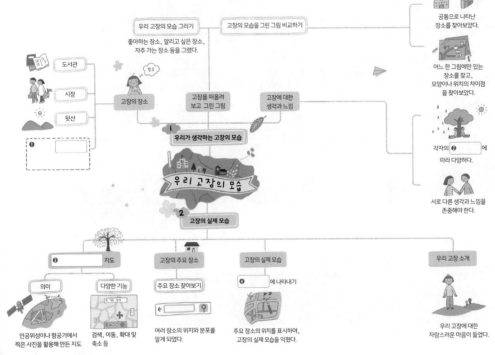

우리 고장의 모습 그리기 — 고장의 모습을 그린 그림 비교하기

좋아하는 장소, 알리고 싶은 장소, 자주 가는 장소 등을 그렸다.

공통으로 나타난 장소를 찾아보았다.

도서관 / 시장 / 뒷산 / ❶

고장의 장소 — 고장을 떠올려 보고 그린 그림 — 고장에 대한 생각과 느낌

어느 한 그림에만 있는 장소를 찾고, 모양이나 위치의 차이점을 찾아보았다.

우리가 생각하는 고장의 모습

각자의 ❷ 에 따라 다양하다.

우리 고장의 모습

서로 다른 생각과 느낌을 존중해야 한다.

고장의 실제 모습

❸ 지도

의미 / 다양한 기능

고장의 주요 장소 — 주요 장소 찾아보기

고장의 실제 모습 — ❹ 에 나타내기

우리 고장 소개

인공위성이나 항공기에서 찍은 사진을 활용해 만든 지도

검색, 이동, 확대 및 축소 등

여러 장소의 위치와 분포를 알게 되었다.

주요 장소의 위치를 표시하며, 고장의 실제 모습을 익혔다.

우리 고장에 대한 자랑스러운 마음이 들었다.

정답

❶ 예 공원

❷ 경험

❸ 디지털 영상

❹ 백지도

창의 팡팡 우리 고장의 특징에 어울리는 상징물을 만들어 봅시다.

만드는 방법

❶ 우리 고장을 대표할 만한 장소와 그 까닭을 써 봅니다.
• 대천 해수욕장: 여름에 많은 사람이 찾아오는 장소이다.
• 예 양양 해변

❷ 대표 장소와 어울리는 우리 고장의 특징을 써 봅니다.
• 해수욕장에서 진흙을 몸에 가득 묻히는 축제가 열린다.
• 예 넓고 푸른 바다이다.

[예시]	[내가 쓰는 곳]
고장 이름: 보령시	고장 이름: 예 양양군
상징물: 머피와 머티	상징물: 예 철썩이

상징물에 깃든 의미: 예 여름 방학에 우리 고장에서 열리는 머드 축제(진흙 축제)에 참여했는데, 많은 사람이 진흙을 온몸에 묻히고 신나게 놀고 있었다. 그 사람들의 모습을 상징물로 만들어 보았다.	상징물에 깃든 의미: 예 우리 고장의 자랑 중 하나는 넓고 깨끗하고 푸른 바다가 있다는 것이다. 푸른 바다에서 즐기는 스포츠인 서핑을 하기 위해 많은 사람이 우리 고장에 놀러 오고 있어서 서핑을 하는 파도의 모습을 그려 보았다.

세상 속으로 우리 고장의 오감 지도 만들기

1단계

경험 떠올리기

예 • 가족과 함께 운동하러 다녀온 체육공원에서 운동하는 사람들의 소리를 들었습니다.
• 체험 학습으로 다녀온 미술관의 유리 건물에 빛이 반사되어 번쩍거렸습니다.
• 길 가다가 빵집에서 맛있는 빵을 굽는 냄새를 맡았습니다.
• 버스 정류장에서 버스가 경적 소리를 내며 달리는 소리를 들었습니다.
• 친구들과 모래놀이 하던 놀이터의 모래가 참 부드러웠습니다.
• 가족과 함께 시장에 갔을 때 먹은 음식이 아주 맛있었습니다.

2단계

오감 경험 모으기

장소	친구 이름		오감
예 체육공원	예 별이	👂	예 운동하는 사람들의 소리가 들린다.
예 미술관	예 천수	👁	예 미술관의 유리 건물이 번쩍거린다.
예 빵집	예 은아	👃	예 맛있는 빵을 굽는 냄새가 난다.
예 버스 정류장	예 석하	👂	예 버스가 경적 소리를 내며 달리는 소리가 들린다.
예 놀이터	예 연주	✋	예 놀이터 바닥에 깔려 있는 모래가 부드럽다.
예 시장	예 해연	👅	예 가족과 함께 시장에 갔을 때 먹은 음식이 아주 맛있었다.

3단계

오감 지도 만들기

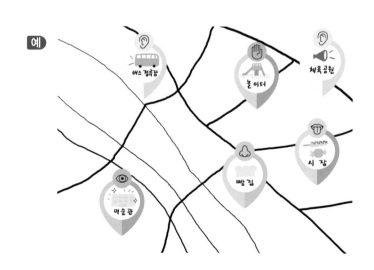

1 고장의 모습을 그릴 때는 고장에 없는 장소도 상상해서 그립니다. (○ , ✕)

2 ( )(이)란 사람들이 모여 사는 곳으로, 이곳에는 사람들의 생활과 관련된 여러 장소가 있습니다.

3 고장에는 산, 강, 학교, 공원과 같은 다양한 ( )이/가 있습니다. 이를 중심으로 우리 고장의 모습을 직접 표현할 수 있습니다.

4 우리 고장 그리기를 할 때 여러 장소가 그림 속에 표현되는데, 장소를 떠올렸을 때 드는 느낌을 ( )(으)로 나타낼 수 있습니다.

5 나와 친구들이 그린 고장의 모습에는 공통점과 차이점이 있습니다. (○ , ✕)

6 나와 친구들이 그린 우리 고장의 모습에는 서로 비슷한 점도 있지만 다른 점도 있는데, 이는 각자의 ( )에 따라 고장의 모습을 다양하게 표현하기 때문입니다.

7 우리 고장을 다르게 표현했더라도 그것에 담긴 생각과 느낌을 서로 이해하고 ( )합니다.

8 인공위성으로 찍은 사진을 이용하여 만든 지도를 ( )(이)라고 하며, 이를 통해 고장의 실제 모습을 쉽고 정확하게 나타낼 수 있습니다.

9 장소의 위치를 보고 거리가 가까우면 모두 우리 고장의 장소입니다. (○ , ✕)

10 산, 강, 큰길 등의 밑그림만 그려져 있는 지도를 ( )(이)라고 합니다.

1 다음 설명에 어울리는 장소의 이름을 쓰시오.

역사가 오래된 유물이나 미술품들이 전시되어 있으며, 여러 가지 재미있는 공연도 열리는 장소입니다.

2 다음은 고장에서 볼 수 있는 장소들입니다. 이 장소 중 한 가지를 골라 어떤 장소인지 쓰시오.

- 공원
- 학교
- 시장
- 우체국
- 도서관

3 고장에 있는 장소에 대한 설명으로 알맞은 것을 보기 에서 두 가지 골라 기호를 쓰시오.

보기
㉠ 경찰서에서 책을 빌려 볼 수 있다.
㉡ 학교 운동장에서 축구를 할 수 있다.
㉢ 소방서에서 직접 쓴 편지를 부칠 수 있다.
㉣ 산에 가면 계곡에서 물놀이를 할 수 있다.

중요
4 빈칸에 들어갈 알맞은 말을 쓰시오.

나와 친구가 그린 우리 고장의 그림에는 서로 비슷한 점과 다른 점이 있는데, 이는 각자의 ☐☐이/가 다르기 때문입니다.

5 우리 고장의 모습을 그리면서 나눈 대화 중 알맞지 않은 설명을 한 학생을 두 명 고르시오.
(,)

① 준모: 나는 좋아하는 장소를 종이 가운데에 크게 그렸어.
② 영훈: 나는 우리 고장의 장소를 어울리는 색깔로 칠했어.
③ 신욱: 나는 부모님과 자주 가는 식당을 집 근처에 그렸어.
④ 주영: 나는 우리 고장에는 없는 놀이공원을 상상해서 그렸어.
⑤ 석하: 나는 학교와 집을 그리고 두 장소를 연결하는 길은 그리지 않았어.

6 다음 그림과 관련 있는 장소로 가장 알맞은 것은 어느 것입니까? ( )

① 시장
② 도서관
③ 우체국
④ 운동장
⑤ 경찰서

중요
7 우리 고장의 모습을 그리는 과정을 순서대로 바르게 나열한 것은 어느 것입니까? ( )

㉠ 장소에 대한 느낌을 표현한다.
㉡ 머릿속에 떠오르는 장소를 그린다.
㉢ 그 밖에 떠오르는 장소와 길을 그린다.
㉣ 그리고 싶은 우리 고장의 장소를 떠올린다.

① ㉠-㉡-㉢-㉣
② ㉠-㉢-㉣-㉡
③ ㉡-㉠-㉢-㉣
④ ㉢-㉠-㉡-㉣
⑤ ㉣-㉡-㉢-㉠

8 빈칸에 공통으로 들어갈 알맞은 말을 쓰시오.

> ☐☐에는 산, 강, 학교, 공원과 같은 다양한 장소가 있습니다. 우리는 머릿속에 떠오르는 장소들을 중심으로 우리 ☐☐의 모습을 직접 표현할 수 있습니다.

9 디지털 영상 지도의 특징에 대한 설명으로 알맞지 <u>않은</u> 것을 보기 에서 골라 기호를 쓰고, 바르게 고치시오.

> 보기
>
> ㉠ 디지털 영상 지도는 고장의 위치를 쉽게 파악할 수 있도록 도와 준다.
> ㉡ 디지털 영상 지도에서 고장의 모습을 자세하고 생생하게 살펴볼 수 있다.
> ㉢ 디지털 영상 지도의 다양한 기능을 활용하여 고장의 모습을 살펴볼 수 있다.
> ㉣ 디지털 영상 지도는 일반 컴퓨터에서만 살펴볼 수 있고, 스마트폰에서는 살펴볼 수 없다.

10 학생들이 나눈 대화를 보고 우리 고장의 그림을 감상할 때의 주의점을 쓰시오.

> 세정: 나는 우리 고장을 표현한 그림에서 학교를 가운데에 가장 크게 그렸어.
> 상현: 쳇! 매일 등교하기 귀찮은 학교를 왜 그렸니?

11 중요 빈칸에 공통으로 들어갈 알맞은 말을 쓰시오.

> 높은 곳에 올라가 내려다본 사진보다 ☐☐ ☐☐에서 찍은 사진이 고장의 실제 모습을 더 쉽고 정확하게 알 수 있습니다. 이러한 ☐ ☐☐☐에서 찍은 사진을 이용하여 만든 지도를 디지털 영상 지도라고 하며, 디지털 영상 지도를 활용하면 고장의 여러 장소를 한눈에 볼 수 있습니다.

12 우리 고장의 여러 장소 중 성격이 <u>다른</u> 장소는 어느 것입니까? ( )

① 산   ② 시청
③ 도서관   ④ 우체국
⑤ 버스 터미널

13 디지털 영상 지도의 기능으로 알맞지 <u>않은</u> 것은 어느 것입니까? ( )

① 검색 기능   ② 이동 기능
③ 사진 촬영 기능   ④ 거리 재기 기능
⑤ 확대 및 축소 기능

14 빈칸에 공통으로 들어갈 알맞은 말을 쓰시오.

> • 장소에 대한 경험과 느낌을 바탕으로 ☐☐ ☐☐을/를 만듭니다.
> • 우리 고장을 소개할 때 ☐☐ ☐☐을/를 활용할 수 있습니다.

15 다음과 같이 우리 고장의 모습을 백지도에 표현하면 어떤 점이 좋은지 쓰시오.

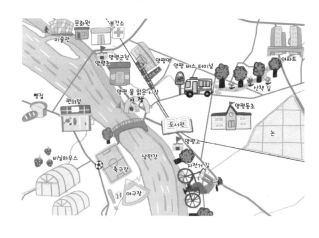

_____

_____

16 다음 내용에서 알맞은 말에 ○표 하시오.

> 디지털 영상 지도에서 +단추를 클릭하면 보이는 화면을 (확대 / 축소)할 수 있고, −단추를 클릭하면 보이는 화면을 (확대 / 축소)할 수 있습니다.

17 지도를 이용하여 우리 고장의 모습을 살펴보고 주요 장소를 찾아보며 알맞지 <u>않은</u> 설명을 한 학생은 누구입니까? (   )

① 창석: 주요 장소의 종류, 위치를 알 수 있다.
② 재식: 우리 고장에 생각보다 많은 사람이 살고 있다.
③ 현지: 우리 고장의 더 많은 장소를 새롭게 알 수 있다.
④ 성준: 주요 장소의 가까운 곳에 어떤 것이 있는지 알 수 있다.
⑤ 은아: 걸어서 갈 수 있지만 우리 고장이 아니라 이웃 고장의 장소인 곳이 있다.

18 빈칸에 공통으로 들어갈 알맞은 말을 쓰시오.

> 산, 강, 큰길 등의 밑그림만 그려져 있는 지도를 ☐☐☐☐(이)라고 합니다. ☐☐☐에 우리 고장의 장소 카드를 붙여 소개 자료를 만들 수 있습니다.

19 우리 고장의 주요 장소를 알아보는 방법으로 알맞지 <u>않은</u> 것을 보기 에서 두 가지 골라 기호를 쓰시오.

> 보기
> ㉠ 시청 누리집에 접속하여 조사한다.
> ㉡ 고장의 안내 책자나 안내도를 본다.
> ㉢ 방에 있는 지구본을 돌리며 살펴본다.
> ㉣ 이웃 고장에 살고 계신 친척 어른께 여쭈어 본다.

중요
20 고장을 소개하는 장소 카드를 만들 때의 유의점으로 알맞지 <u>않은</u> 것을 보기 에서 골라 기호를 쓰시오.

> 보기
> ㉠ 장소의 사진을 찍어 넣는다.
> ㉡ 장소를 추천하는 까닭을 쓴다.
> ㉢ 장소의 길이를 표시해 넣는다.
> ㉣ 장소에 대한 간단한 설명을 넣는다.

[1-2] 고장을 그린 그림을 보고 물음에 답하시오.

> 선생님: 우리 고장의 여러 장소를 종이에 표현하여 마을 지도를 완성해 보는 시간을 가지겠습니다. 우리 고장의 어떤 장소를 떠올렸나요?
>
> 학생1: 저는 축구를 할 수 있는 학교 운동장이요.
>
> 학생2: 체험 학습으로 다녀온 박물관이요.
>
> 선생님: 그럼 지금부터 떠올린 장소를 종이에 표시하며 고장의 지도를 그려 봅시다.
>
> (고장 지도 그리는 중)
>
> 선생님: 1모둠과 2모둠은 아래처럼 우리 고장을 서로 다르게 표현했군요. 두 그림 사이에 어떤 ㉠ 공통점과 차이점이 있는지 설명해 볼까요?
>
>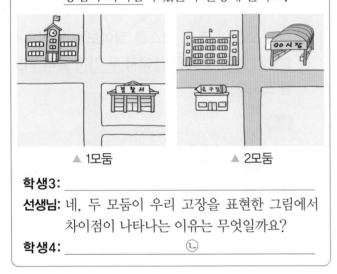
>
> ▲ 1모둠　　　　　▲ 2모둠
>
> 학생3: _____
>
> 선생님: 네, 두 모둠이 우리 고장을 표현한 그림에서 차이점이 나타나는 이유는 무엇일까요?
>
> 학생4: _____㉡_____

1 1모둠과 2모둠이 표현한 고장의 그림을 비교하여 ㉠ 공통점과 차이점을 서술하시오.

(1) 공통점: _____

(2) 차이점: _____

_____

2 ㉡에 들어갈 학생 4의 대답을 서술하시오.

_____

_____

[3-5] 다음 자료를 보고 물음에 답하시오.

우리 고장의 실제 모습 알아보기	
〈방법 1〉	〈방법 2〉
• 높은 곳에 올라가 내려다 보기 • 직접 돌아다니기	(㉠) ↓ (㉡) 만들기

3 ㉠에 들어갈 알맞은 말을 쓰고, ㉠으로 찍은 사진의 장점을 서술하시오.

(1) ㉠: _____

(2) ㉠으로 찍은 사진의 장점: _____

_____

4 ㉠에서 찍은 사진을 이용하여 만든 ㉡ 지도의 이름을 쓰고, ㉡ 지도가 종이 지도보다 좋은 점을 서술하시오.

(1) ㉡ 지도의 이름: _____

(2) ㉡ 지도가 종이 지도보다 좋은 점: _____

_____

5 ㉡ 지도를 스마트폰이나 태블릿 컴퓨터에서 활용할 때의 장점을 서술하시오.

_____

_____

2. 우리가 알아보는 고장 이야기

사 회를
이 해하고
다 함께
탐구하자!

공부 계획표

• 자신의 일정에 맞게 계획을 세워 보고, 실제 학습일을 적어 봅시다.
• 학습을 마무리한 후 얼마나 학습 목표를 달성했는지 스스로 점검해 봅시다.

고장 어른들께 고장의 이야기를 들으러 왔어요. 이야기에 담겨 있는 고장의 옛날 모습을 알아볼까요?

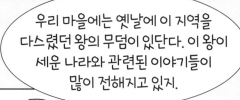

우리 마을에는 옛날에 이 지역을 다스렸던 왕의 무덤이 있단다. 이 왕이 세운 나라와 관련된 이야기들이 많이 전해지고 있지.

우리 마을은 부드러운 옷감을 짜는 마을로 유명하단다. 그래서 옷감과 관련된 재미난 이야기들이 있어.

우리 마을 뒷산에는 커다란 불상이 하나 있어. 불상과 관련된 슬픈 이야기도 전해지고 있단다.

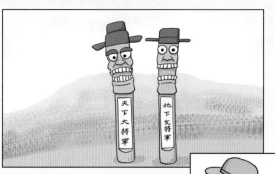

우리 마을에는 장승과 관련된 이야기가 전해지고 있단다. 옛날부터 장승이 우리 마을을 보호해 준다고 믿고 있지.

오늘 이야기 정말 재미있었어요! 감사해요.

재미있었다니 다행이구나. 이제 저녁 시간이 다 되었으니, 집에 가 볼까?

재미있는 이야기를 해 주신 보답으로 저희가 마을까지 모셔다 드릴게요!

활동 풀이

📍 교과서 53~54쪽

사회랑 놀아요 **고장 어른들을 마을로 모셔다드리자!**

? 고장에 전해 오는 이야기로 무엇을 알 수 있는지 이야기해 봅시다.

예 • 고장의 옛 모습을 알 수 있습니다.
• 고장의 역사적 유래와 특징을 알 수 있습니다.

도움 고장 어른들의 이야기를 바탕으로 각 마을의 모습을 예상해 보아요.

📍 교과서 55쪽

★ **이 단원에서 나는**

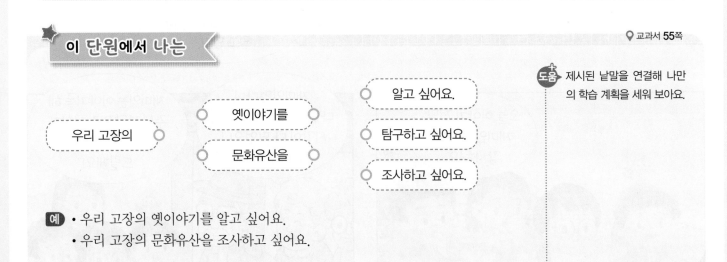

우리 고장의 ○ ─ ○ 옛이야기를 ○ ─ ○ 알고 싶어요.
○ ─ ○ 탐구하고 싶어요.
○ 문화유산을 ○ ─ ○ 조사하고 싶어요.

도움 제시된 낱말을 연결해 나만의 학습 계획을 세워 보아요.

예 • 우리 고장의 옛이야기를 알고 싶어요.
• 우리 고장의 문화유산을 조사하고 싶어요.

미리 맛보는
교과서 흐름

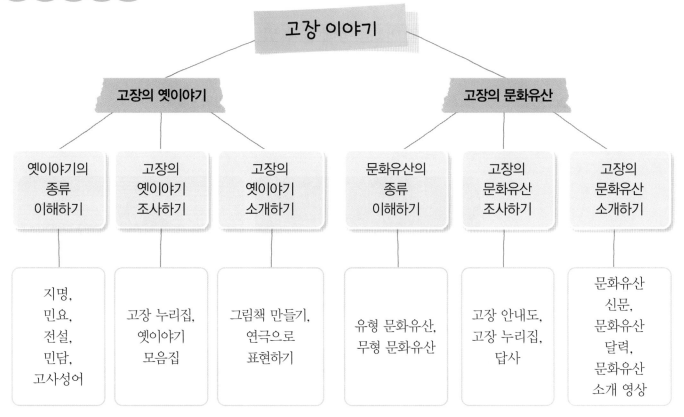

고장 이야기

├─ 고장의 옛이야기
│   ├─ 옛이야기의 종류 이해하기
│   │   └─ 지명, 민요, 전설, 민담, 고사성어
│   ├─ 고장의 옛이야기 조사하기
│   │   └─ 고장 누리집, 옛이야기 모음집
│   └─ 고장의 옛이야기 소개하기
│   └─ 그림책 만들기, 연극으로 표현하기
│
└─ 고장의 문화유산
    ├─ 문화유산의 종류 이해하기
    │   └─ 유형 문화유산, 무형 문화유산
    ├─ 고장의 문화유산 조사하기
    │   └─ 고장 안내도, 고장 누리집, 답사
    └─ 고장의 문화유산 소개하기
        └─ 문화유산 신문, 문화유산 달력, 문화유산 소개 영상

🍀 고장마다 전해 오는 다양한 옛이야기로 옛날 사람들의 생활 모습을 알 수 있어요.
🍀 고장의 문화유산 속에 담긴 이야기를 통해 고장의 역사적 유래와 특징을 알 수 있어요.

미리 맛보는
핵심 용어

❶ 옛	이	야	기

❶ 옛날에 있었던 일 또는 예전부터 전해 내려오는 이야기를 뜻합니다. 전설, 민담, 고사성어 등이 있습니다.

❷ 지(地)	명(名)
땅 지	이름 명

❷ 마을, 산, 들, 강, 길 등의 이름을 뜻합니다.

❸ 문(文)	화(化)	유(遺)	산(産)
글 문	될 화	남을 유	자산 산

❸ 옛날부터 전해지는 것 중에서 다음 세대에 물려줄 가치가 있는 것을 말합니다.

고장의 옛 모습을 알려 주는 것은 무엇일까요?

보충 ❶

● 나루의 용도
강가나 냇가, 좁은 바닷길에서 배가 건너다니는 일정한 장소를 가리키는 말이다. 강 근처의 마을 사람들은 주로 나루에서 나룻배를 타고 강 건너로 이동했다.

보충 ❷

● 나루가 사라진 까닭
기술의 발달로 다리와 철도, 자동차 도로 등이 많이 만들어지면서 나루의 쓰임이 적어졌다.

① 지하철역 이름을 통해 알 수 있는 고장의 옛 모습

(1) '나루'가 들어간 지하철역들 보충 ❶, ❷

① 나루: 배가 드나들던 나루터가 있었던 곳이다.

② '나루'가 들어간 지하철역의 고장에는 옛날에 배가 드나드는 나루터가 있었음을 알 수 있다.

▲ 잠실나루역　　　　　　　　　　　　▲ 광나루역

▲ 여의나루역　　　　　　　　　　　　▲ 송파나루역

내용➕ 잠실나루, 광나루, 여의나루, 송파나루 모두 옛날에 한강을 건널 때 이용된 나루터들이다.

(2) 고장의 옛 모습과 관련된 지하철역 속 시원한 활동 풀이

① 돌고개역: 고장에 돌과 관련된 고개가 있었음을 알 수 있다.

② 서빙고역: '❶빙고'를 통해 고장에 얼음과 관련된 시설이 있었음을 알 수 있다.

③ 지게골역: '❷지게'와 관련된 골짜기가 고장에 있었음을 알 수 있다.

④ 왕십리역: '십❸리'를 통해 고장에 거리와 관련된 옛이야기가 있었음을 알 수 있다.

용어 사전

❶ 빙고: 얼음을 넣어 두는 창고이다.

❷ 지게: 옛날 집에서, 마루와 방 사이의 문 또는 부엌의 바깥문을 뜻한다.

❸ 리: 거리의 단위를 나타내는 말로, 1리는 약 0.393km에 해당한다.

② 고장의 옛이야기

(1) 옛이야기: 옛날에 있었던 일 또는 예전부터 전해 내려오는 이야기이다. 고장에 전해 오는 옛이야기를 통해 고장의 옛 모습을 알 수 있다.

(2) 고장의 옛이야기가 담겨 있는 것: 지하철역이나 버스 정류장 이름, 고장 이름, 도로, 건축물, 고장 축제 등에서 고장의 옛이야기를 찾아볼 수 있다.

📍 교과서 56~57쪽

다 함께 활동

1 다음 그림에 나타난 지하철역 이름의 뜻과 그러한 이름이 붙은 이유를 생각해 봅시다.

옛날에 돌이 많은 고개가 있었기 때문입니다.

얼음 창고가 있던 곳이기 때문입니다.

지게문과 비슷한 골짜기가 있었기 때문입니다.

옛 도성에서 10리 떨어진 곳에 있었기 때문입니다.

2 고장의 옛이야기가 담겨 있는 것에는 무엇이 있는지 친구들과 이야기해 봅시다.

예 • 과천의 선바위에는 커다란 바위가 서 있던 곳이라는 이야기가 담겨 있습니다.
• 서울의 낙성대에는 강감찬 장군이 태어나던 날에 큰 별이 떨어졌다는 이야기가 전해집니다.
• 서울의 밤나무골은 밤나무가 많았던 마을입니다.

확인 톡! 톡!

📍 정답과 해설 7쪽

1 배가 드나들던 나루터가 있었던 곳을 뜻하는 말이 무엇인지 쓰시오. ( )

2 서로 관련 있는 내용끼리 바르게 선으로 연결하시오.

(1) 돌고개 •

(2) 서빙고 •

(3) 왕십리 •

• ㉠ 얼음 창고가 있던 곳

• ㉡ 옛 도성과 10리 떨어진 곳

• ㉢ 돌이 많은 고개가 있던 곳

3 빈칸에 들어갈 알맞은 말을 쓰시오.

고장의 옛 모습을 알려 주는 것 ☐ ☐ ☐ ☐ 고장 이름, 도로, 건축물, 고장 축제 등에서 찾아볼 수 있음.

고장의 지명에는 어떤 옛이야기가 담겨 있을까요?

보충 ❶

● **우륵**

신라의 음악가로, 가야 왕의 뜻을 받들어 가야금을 만들고 연주곡을 지었다.

보충 ❷

● **신사임당**

조선 시대에 「초충도」 등의 그림을 그린 화가이자, 여러 시를 남긴 문인이다. 율곡 이이의 어머니로 유명하다.

▲ 「초충도」

용어 사전

❶ **관리**: 옛날에 벼슬에 올라 나라 일을 하던 사람이다.

❷ **가야금**: 우리나라의 현악기로, 열두 줄을 손가락으로 뜯어 소리를 낸다.

❶ 지명으로 알 수 있는 고장의 특징

(1) **지명**: 마을, 산, 들, 강, 길 등의 이름을 나타내는 말이다.

(2) **고장의 지명에 담긴 옛이야기로 알 수 있는 것**: 당시의 자연환경, 생활 모습, 살았던 인물, 실제로 일어났던 일 등을 알 수 있다.

❷ 고장의 다양한 지명 《재미 속 시원한》 활동 풀이

두물머리(경기도 양평군)
북한강과 남한강 두 물줄기가 만나는 곳이라서 붙은 이름임. 비슷한 뜻을 가진 지명으로 '아우내', '어울매'도 있음.

조치원(세종특별자치시)
옛날에 ❶관리나 상인, 여행자들이 하룻밤 묵어가던 마을로, '원'이 들어간 고장은 주로 여행 중에 쉬어 갈 수 있는 곳이었음.

마이산(전라북도 진안군)
말의 귀를 닮은 두 개의 큰 산봉우리로, 마이산처럼 자연환경의 생김새로 지명을 짓기도 했음.

마포(서울특별시 마포구)
마포는 한강에 있던 나루터인 마포나루에서 따온 이름으로, '포'가 들어간 고장은 나루터가 있던 곳이었음.

탄금대(충청북도 충주시)
옛날에 우륵이라는 인물이 가야금을 탄 곳으로 전해지며, '탄금'은 거문고나 ❷가야금을 탄다는 뜻임. 보충 ❶

사기막골(경기도 이천시)
옛날부터 도자기를 만드는 고장으로 유명했으며, '가마골', '점촌'이라는 이름을 가진 고장도 도자기를 만드는 고장이었음.

사임당로(강원도 강릉시)
예술가인 신사임당의 이름을 딴 도로로, 옛날에 살았던 고장의 유명한 인물의 이름을 지명으로 사용하기도 함. 보충 ❷

 **다함께** 활동

① 앞에서 소개한 각 고장의 지명이 어떤 특징을 나타내는지 구분해 봅시다.

② 우리 고장에도 이러한 특징을 보여 주는 지명들이 있는지 찾아봅시다.

고장의 자연환경과 관련된 지명	고장의 옛날 생활 모습과 관련된 지명	고장에서 살았던 인물이나 일어났던 일과 관련된 지명
예 두물머리, 마이산	예 조치원, 마포, 사기막골	예 탄금대, 사임당로
예 경상남도 밀양시에 있는 얼음골은 한여름에도 얼음이 어는 신비한 곳이라 하여 붙은 이름입니다.	예 경기도 성남시 복정동은 기와를 굽던 큰 가마터가 있었기 때문에 '기와말(마을)'이라고 불렸습니다.	예 경기도 용인시에는 정몽주의 호를 따서 이름 지은 포은대로가 있습니다. 용인에 그의 무덤이 있습니다.

잠깐! 확인해요

고장 ☐☐에 담긴 옛이야기로 당시의 자연환경, 생활 모습 등을 알 수 있습니다.

(지명   )

 **확인 톡! 톡!**

📍정답과 해설 7쪽

1 내용이 맞으면 ○표, 틀리면 ×표를 선택하시오.

⑴ 마을, 산, 들, 강, 길 등의 이름을 지명이라고 합니다. (○ , ×)

⑵ 탄금대라는 지명을 통해 이 고장의 자연환경을 알 수 있습니다. (○ , ×)

2 서로 관련 있는 내용끼리 바르게 선으로 연결하시오.

⑴ 조치원 •
⑵ 사임당로 •
⑶ 두물머리 •

• ㉠ 고장의 자연환경과 관련된 지명
• ㉡ 고장의 옛날 생활 모습과 관련된 지명
• ㉢ 고장에 살았던 인물이나 일어났던 일과 관련된 지명

3 고장의 지명을 통해 알 수 있는 것을 보기에서 모두 골라 기호를 쓰시오.

보기
㉠ 고장의 자연환경　　　　　㉡ 고장의 인구 분포
㉢ 고장의 옛날 생활 모습　　㉣ 고장에 살았던 인물이나 일어났던 일

(   )

고장에 전해 오는 다양한 옛이야기를 알아볼까요?

보충 ❶

● 정선 아리랑

강원도 무형 문화재로, 옛날 사람들의 생활 모습을 담은 약 1,200수의 가사가 전해진다.

보충 ❷

● 안성맞춤 박물관

경기도 안성시에 있는 박물관이다. 유기를 중심으로 안성의 다양한 문화유산을 접할 수 있다.

용어 사전

❶ **비범**: 보통 수준보다 훨씬 뛰어남을 뜻한다.

❷ **관용적**: 널리 습관적으로 쓰이는 것을 말한다.

❸ **과거**: 옛날 우리나라에서 관리를 뽑을 때 실시한 시험을 뜻한다.

❹ **유래**: 어떤 물건이나 일이 생겨남을 뜻한다.

❶ 고장에 전해 오는 다양한 옛이야기

(1) 옛이야기의 종류

① 민요: 옛날부터 사람들이 부르던 전통적인 노래로 특정한 작자가 없다.

② 전설: 옛날부터 입에서 입으로 전해 오는 이야기이며, 주로 구체적인 증거물이 있고 ❶비범한 인물이 등장한다.

③ 민담: 옛날부터 입에서 입으로 전해 오는 이야기이며, 증거물이 없고 주로 평범한 인물이 등장한다.

④ 고사성어: 옛날에 있었던 일을 바탕으로 ❷관용적인 뜻으로 굳어져 쓰이는 글귀이다.

내용➕ 입에서 입으로 전해지는 옛이야기를 설화라고 하며, 신화, 전설, 민담 등이 있다.

(2) 옛이야기를 통해 알 수 있는 것: 옛날 사람들의 생활과 지혜, 옛날 고장 사람들의 생활 모습을 알 수 있다.

❷ 옛이야기 속에 담긴 생활 모습 (속 시원한 활동 풀이)

아우라지(강원도 정선군)
두 개의 시내가 어우러져 하나의 강으로 이어지는 곳임. 밤사이 내린 비 때문에 만날 수 없었던 처녀와 총각의 안타까운 마음이 담겨 있는 '정선 아리랑'을 통해 옛날 사람들은 비가 많이 오면 강 건너편으로 가기 어려웠다는 사실을 알 수 있음. 보충 ❶

삼성혈(제주특별자치도 제주시)
제주도에 처음 살았던 사람들에 대한 전설이 담겨 있는 곳임. 삼성혈에서 나온 세 사람이 공주와 결혼하여 씨를 뿌려 농사를 짓고 가축을 기르며 살았다는 이야기를 통해 옛날부터 농경을 중요시했다는 것을 알 수 있음.

쌍우물(서울특별시 서대문구)
가뭄에도 마르지 않고 맑은 물이 나오던 우물임. 이곳에서 물을 마시고 ❸과거 시험에 합격한 선비에 대한 민담이 있는데, 이를 통해 과거 합격에 대한 선비들의 소망을 알 수 있고, 공동 우물을 이용했다는 것을 알 수 있음.

안성 유기(경기도 안성시)
안성이라는 지명과 맞춤이라는 말이 합쳐져 어떤 물건이나 상황이 딱 들어맞을 때 쓰는 '안성맞춤'이라는 고사성어가 생김. 이는 예로부터 안성이 유기(놋그릇)로 유명하여, '안성'이라고 하면 유기를 떠올리는 것에서 ❹유래됨. 보충 ❷

우리 고장의 옛이야기 중에서 옛날 사람들의 생활 모습을 보여 주는 장면을 하나 골라 그려 봅시다.

옛이야기의 내용

예 서울특별시 종로구에는 양반들이 말을 타고 다니던 길이 있었습니다. 당시 백성들은 양반이 지나갈 때까지 머리를 숙이고 예를 갖추어야 했기 때문에 그 뒤의 좁은 길로 돌아서 다녔습니다. 이에 좁은 길을 말을 피하는 길이라는 뜻의 '피맛골'이라고 불렀습니다. 이 길에는 백성들이 이용하는 가게들이 들어섰습니다.

옛날 사람들의 생활 모습

예 옛날에 일반 백성들은 높은 벼슬을 하던 양반들에게 예를 갖추어야 했습니다.

고장에는 민요, 전설, 민담, 고사성어 등 다양한 옛이야기가 전해 오고 있습니다. (○ , ✕)　　(○)

확인 톡! 톡!

정답과 해설 7쪽

1 다양한 옛이야기의 종류로 알맞은 것을 보기 에서 모두 골라 기호를 쓰시오.

보기
㉠ 신화　　㉡ 민요　　㉢ 가요　　㉣ 전설　　㉤ 민담　　㉥ 명언　　㉦ 고사성어

(　　　　　　　　　)

2 서로 관련 있는 내용끼리 바르게 선으로 연결하시오.

(1) 삼성혈 •

(2) 아우라지 •

(3) 안성유기 •

• ㉠ 예부터 농경을 중시해 왔다.

• ㉡ 안성 지역은 예로부터 유기로 유명했다.

• ㉢ 비가 오면 강 건너 마을에 가기 힘들었다.

옛이야기에 담긴 고장의 역사를 알아볼까요?

보충 ①

● **난계 국악 박물관**

난계 박연의 음악적 업적과 예술적 혼을 계승하는 동시에 지역 문화 예술 활동의 대중화, 국악 교육 등을 실시하고 있는 박물관이다.

보충 ②

● **진주성 전투**
임진왜란 당시 일본은 경상도에서 전라도로 통하는 길목에 있는 진주를 공격하기 위해 2만여 명의 군사를 보냈다. 이에 조선인들은 힘을 합쳐 맞섰고, 결국 일본군은 7일 만에 진주성에서 물러났다.

용어 사전

❶ **국악**: 예로부터 전해 오는 우리나라 고유의 음악이다.
❷ **임진왜란**: 1592년 일본군이 조선에 침략해 벌어진 전쟁이다.
❸ **명정**: 죽은 사람이 누구인지 밝히기 위해 성씨, 관직 등을 써놓은 기이다.
❹ **호**: 사람의 본명 이외에 따로 지어 부르는 이름이다.

① 고장의 역사와 관련된 옛이야기

(1) 고장에 전해 오는 옛이야기를 통해 알 수 있는 내용: 고장의 역사와 옛 고장 사람들이 어떤 활동을 했는지 알 수 있다.

(2) 옛이야기에 담긴 고장의 역사 〈책 속 시원한 활동 풀이〉

옛이야기	고장의 역사
충청북도 영동군에서 태어난 박연은 어려서부터 피리를 잘 불었다. 어느 날 박연이 부모님의 산소를 지키며 피리를 불고 있었다. 피리 소리를 듣고 온 호랑이는 그의 피리 연주를 좋아해 잡아먹지 않고 함께 산소를 지켜 주었다.	**충청북도 영동군** 우리 고장에서 ❶국악을 발전시킨 인물로 유명한 난계 박연이 태어나서 자랐다는 사실을 알 수 있음.
❷임진왜란 중 진주성 전투 때 진주성 안팎의 군인들은 남강에 등불을 띄워 성 밖의 지원군에게 신호를 보냈다. 또 횃불과 함께 남강에 띄운 등불로 남강을 건너려는 일본군을 막았다.	**경상남도 진주시** 임진왜란이라는 전쟁이 일어났을 당시 진주성에서 치열한 싸움이 일어났다는 사실을 알 수 있음.
마지막까지 고려 왕조에 대한 충성을 지킨 인물인 정몽주의 무덤을 옮기게 되었다. 경기도 용인시에 이르렀을 때, ❸명정이 바람에 날아가자 명당이라고 생각하여 그곳으로 무덤을 옮겼다.	**경기도 용인시** 우리 고장에 고려의 충신인 정몽주의 무덤이 있다는 것을 알 수 있음.

② 고장의 역사를 기억하는 방법

충청북도 영동군	경상남도 진주시	경기도 용인시

난계 국악 박물관 박연을 기억하기 위해 그의 ❹호인 '난계'를 따서 이름 지은 박물관이 세워짐. 보충 ①	**진주 남강 유등 축제** 진주시 남강과 진주성에서 매년 열리는 축제로, 유등 띄우기 행사가 있음. 보충 ②	**용인 포은 문화제** 경기도 용인시에서 매년 열리는 축제로, 포은 정몽주의 충성심을 기리기 위해 시작됨.

다음 질문에 답하며 옛이야기에 담긴 우리 고장의 역사를 이야기해 봅시다.

☑ 옛날에 우리 고장에 살았던 인물이나 일어났던 일을 알고 있나요?

예 계백이라는 사람이 황산벌에서 적과 맞서 싸우다가 목숨을 잃었습니다.

☑ 고장의 축제나 행사로 남아 있는 옛이야기를 알고 있나요?

예 황산벌 전투 재현 행사를 알고 있습니다.

☑ 친구들과 함께 더 조사해 보고 싶은 옛이야기가 있나요?

예 계백이라는 사람과 황산벌 전투가 담긴 옛이야기를 더 알아보고 싶습니다.

잠깐! 확인해요

고장에는 고장의 역사를 알 수 있는 옛이야기가 전해 옵니다. (○ , ✕)　　　　　(○)

📍정답과 해설 7쪽

1 빈칸에 공통으로 들어갈 알맞은 말을 쓰시오.

고장에 전해 오는 옛이야기를 통해 고장의 □□을/를 알 수 있습니다. 옛날에 살았던 인물이나 일어났던 일과 관련된 옛이야기들이 전해 옵니다. 우리 고장의 옛이야기에는 어떤 □□이/가 담겨 있는지 조사해 보면 우리 고장을 더욱 잘 알 수 있습니다.

(　　　　　　　　　　)

2 서로 관련 있는 내용끼리 바르게 선으로 연결하시오.

(1) 난계 국악 박물관 •　　　• ㉠ 박연은 조선 시대 국악을 발전시킨 인물이다.

(2) 용인 포은 문화제 •　　　• ㉡ 임진왜란 중 강에 등을 띄워 신호를 주고받았다.

(3) 진주 남강 유등 축제 •　　　• ㉢ 정몽주는 고려 왕조에 대한 충성을 지킨 인물이다.

우리 고장의 옛이야기를 조사해 볼까요?

보충 ❶

● **문화원**
각 지방의 향토 문화를 알리고 지키기 위해서 일정한 시설을 가지고 문화 교육 사업을 하는 곳이다.

보충 ❷

● **향토 문화 해설사**
지역의 문화재 및 지역 문화를 국내 · 외 관광객들에게 정확히 설명하고 안내하는 사람이다.

보충 ❸

● **지역 도서관 누리집**
시 · 군 · 구청의 누리집 외에도 지역 도서관 누리집에 접속해서 고장의 역사, 지명, 옛이야기 등을 검색할 수 있다.

▲ 완주 군립 도서관 누리집

용어 사전

❶ **견학**: 실제로 보고 그 일에 관한 지식을 넓히는 것을 뜻한다.
❷ **향토**: 자기가 태어나서 자란 땅, 혹은 어떤 지방을 뜻한다.

① 고장의 옛이야기 조사 계획 〔속 시원한 활동 풀이〕

(1) 조사 주제 정하기: 어떤 옛이야기를 조사할지 정한다.
① 고장의 생활 모습을 알 수 있는 옛이야기
② 고장의 역사를 알 수 있는 옛이야기
③ 고장의 지명과 관련된 옛이야기

(2) 조사 방법 정하기

조사 방법	주의 사항
누리집 검색하기	공공 기관에서 제공하는 것 활용하기
관련 장소 찾아가기	보호자와 함께 가기
문화원 ❶견학하기 보충 ❶	
도서관에서 옛이야기 모음집 찾기	도서관 예절을 지키며 찾기
❷향토 문화 해설사에게 이야기 듣기 보충 ❷	이야기를 경청하고, 녹음이 필요한 경우 먼저 허락받기

(3) 조사하기: 세운 계획에 따라 조사하고 알게 된 내용을 정리한다.

② 다양한 조사 방법

(1) 고장의 누리집 보충 ❸
① 각 고장의 '○○ 문화원'과 시 · 군 · 구청 누리집에서 우리 고장의 지명, 옛이야기를 검색할 수 있다.

▲ 광주 문화원 누리집

▲ 부산광역시청 누리집

② '지역 N 문화' 누리집에서 우리 고장과 관련된 옛이야기를 찾을 수 있다.
(2) 고장의 옛이야기 모음집: 각 고장에서 펴내는 옛이야기 모음집을 활용할 수 있다.

◀ 경기도 광주 지역의 설화를 모은 『너른고을 옛이야기』

◀ 경기도 김포 지역의 옛이야기를 모은 『온 가족이 함께 읽는 김포의 옛이야기』

 지역화 **다 함께** 활동

우리 고장의 옛이야기 조사 계획을 세워 다양한 방법으로 조사해 봅시다.

조사 주제	**예** 고장의 장승과 관련된 옛이야기
조사 목적	**예** 고장의 옛이야기 조사
조사 기간	**예** 20△△년 △△월 △△일
조사 방법	**예** 누리집 검색하기
조사를 통해 알고 싶은 내용	**예** 고장의 장승과 관련된 옛이야기가 무엇이 있는지 알고 싶습니다.
준비물	**예** 컴퓨터, 필기도구, 활동지
주의할 점	**예** 공공 기관의 누리집을 활용해야 합니다.
조사를 통해 알게 된 우리 고장의 옛이야기	**예** 장승배기는 '장승이 세워진 곳'이라는 뜻이라고 합니다. 조선의 제22대 왕인 정조는 아버지의 묘소를 찾아가면서 숲이 우거진 장소에서 잠시 쉬어 갔습니다. 그는 앞으로 안심하고 다닐 수 있도록 그곳에 두 개의 커다란 장승을 세우라고 명령했습니다. 그 후로 장승이 세워진 마을에 '장승배기'라는 지명이 붙었습니다.

잠깐! 확인해요

☐☐☐ 검색을 통해 고장의 옛이야기를 조사할 수 있습니다. (누리집)

 **확인 톡! 톡!**

📍 정답과 해설 7쪽

1 고장의 옛이야기를 조사하는 방법을 순서대로 기호를 쓰시오.

㉠ 조사 방법 정하기   ㉡ 조사 주제 정하기   ㉢ 조사하고 알게 된 내용 정리하기

( )

2 서로 관련 있는 내용끼리 바르게 선으로 연결하시오.

(1) 누리집 검색하기 •   • ㉠ 보호자와 함께 간다.

(2) 관련 장소 찾아가기 •   • ㉡ 공공 기관에서 제공한 것을 활용한다.

(3) 옛이야기 모음집 찾아보기 •   • ㉢ 도서관 예절을 지키며 모음집을 찾는다.

우리 고장의 옛이야기를 소개해 볼까요?

① 고장의 옛이야기 소개하기

(1) **소개 방법**: 옛이야기를 활용하여 그림책 만들기, 역할놀이, 구연동화, 안내 책
자 등을 만들어 소개할 수 있다. 보충 ①, ②, ③

(2) **소개할 내용**: 옛이야기를 통해 알 수 있는 고장의 유래와 특징을 담는다.

(3) **소개하기 활동 후 느낀 점**: 고장에 관한 관심과 ●친밀감을 느꼈는지 이야기한다.

② 고장의 옛이야기를 그림책으로 소개하기

(1) **그림책 만들기를 할 때 생각할 점 알아보기**

① 어떤 옛이야기가 고장의 특징을 잘 보여 주는지 생각한다.

② 참고할 만한 그림책이 있는지 찾아본다.

③ 어떤 순서로 옛이야기를 소개해야 좋은지 생각한다.

④ 고장의 특징을 재미있게 표현하는 제목을 짓는다.

⑤ 한 면에 들어갈 글과 그림의 양을 정한다.

⑥ 주제가 잘 드러나는 책 표지가 무엇인지 생각한다.

(2) **옛이야기를 소재로 그림책 만들기** 속 시원한 활동 풀이

❶ 모둠별로 그림책에 담을 우리 고장의 옛이야기를 선택한다.
❷ 표현하려는 그림책 내용에 알맞은 제목과 차례를 정한다.
❸ 그림책에 옛이야기와 관련된 그림을 그리고, 글을 쓴다.
❹ 완성된 그림책을 친구들에게 소개하고, 고장에 대해 알게 된 점을 발표한다.

활동 도우미 미니책 만들기

❶ 종이를 위와 같이 접습니다.

❷ 종이를 세로로 접은 후, 중심 선을 따라 한면만 오립니다.

❸ 종이를 펼치면 가운데에 오린 선이 나타납니다.

❹ 오린 종이를 가로로 접은 후, 양끝을 잡고 안으로 밀어 넣 습니다.

❺ 종이 전체가 십자 모양이 될 때까지 밀어줍니다.

❻ 나머지 종이를 한 방향으로 몰아서 책 모양이 되도록 접 습니다.

그림책 만들어 소개하기

소개할 고장의 옛이야기	예 장승배기 이야기
그림책 제목	예 장승배기 이야기에 담긴 우리 고장의 역사
차례	예 1. 어디가 장승배기 마을이었을까? 2. 정조는 왜 장승을 만들었을까? 3. 지금 장승배기는 어떤 모습일까?

그림책 장면 예

❶ '장승배기'는 서울특별시 동작구에 있던 마을입니다.

❷ 장승이 서 있던 데서 마을 이름이 유래했습니다.

❸ 옛날에 이 일대는 울창한 나무숲이었습니다.

❹ 조선 왕인 정조는 사도 세자를 잊지 못해 아버지의 묘소인 현륭원에 갔습니다.

이곳에 장승을 만들어 세워라.
❺ 이 지점에서 쉬면서 "이곳에 장승을 만들어 세워라."라고 명령했다고 합니다.

❻ 이는 왕이 안심하고 그곳을 오갈 수 있도록 하기 위해서였습니다.

❼ 이때부터 이곳에는 '장승배기'라는 지명이 붙게 되었다고 합니다.

❽ 오늘날 장승배기에는 장승배기라는 지하철역이 있습니다.

 확인 톡! 톡!

📍정답과 해설 7쪽

1 고장의 옛이야기를 그림책으로 만들어 소개하는 방법을 순서대로 기호를 쓰시오.

㉠ 그림책에 들어갈 글을 쓰고 그림을 그립니다.
㉡ 표현하려는 내용에 알맞은 그림책 제목과 차례를 정합니다.
㉢ 모둠별로 그림책에 담을 우리 고장의 옛이야기들을 선택합니다.

(   )

● '우리 고장의 옛이야기'에서 배운 내용을 떠올리며 빈칸을 채워 봅시다.

우리 고장의 옛이야기가 담겨 있는 것을 적어 봅시다.

예 역 이름 - 광나루

역 이름   예 잠실나루

자연 환경   예 마이산

건축물   예 강릉 향교

고장 축제   예 진주 남강 유등 축제

마을 이름   예 사기막골

도움 직접 조사했거나 친구들이 소개한 고장의 옛이야기들을 기억해 적어 보아요.

🍓 핵심 꿀꺽 질문 ?

옛이야기의 종류에는 무엇이 있고, 어떤 이야기들이 있나요?

옛이야기를 통해 우리 고장의 무엇을 알 수 있나요?

옛이야기를 통해 알 수 있는 고장의 역사는 어떤 것이 있나요?

1 빈칸에 들어갈 알맞은 말을 쓰시오.

고장의 옛날 모습을 알려 주는 ☐☐☐☐ 은/는 고장의 곳곳에서 찾아볼 수 있습니다. 지하철역이나 버스 정류장 이름뿐만 아니라 고장의 이름, 도로, 건축물, 고장의 축제 등에 도 고장의 ☐☐☐☐이/가 담겨 있기도 합 니다.

2 다음 질문에 알맞은 답을 쓰시오.

서울특별시에는 서빙고역이 있습니다. 서빙고 (西氷庫)는 '서쪽에 위치한 얼음 창고'라는 뜻 입니다. 서빙고역이라는 지하철역의 이름을 통 해 무엇을 알 수 있을까요?

중요

3 다음 중 고장의 지명을 통해 알 수 있는 옛이야 기에 대한 설명으로 알맞지 <u>않은</u> 것은 어느 것 입니까? ( )

① 사기막골은 옛날부터 도자기를 만들던 곳 이다.
② 조치원은 예로부터 유명한 병원이 있던 곳 이다.
③ 마이산은 산봉우리가 말의 귀를 닮아 붙인 이름이다.
④ 마포구의 마포는 나루터인 마포나루에서 따온 이름이다.
⑤ 두물머리는 두 물줄기가 만나는 곳이라서 붙은 이름이다.

4 빈칸에 공통으로 들어갈 알맞은 말을 쓰시오.

고장의 ☐☐에는 여러 옛이야기가 담겨 있 습니다. 자연환경, 옛날의 생활 모습, 살았던 인물이나 일어났던 일과 관련된 ☐☐ 등이 있습니다.

5 고장에 살았던 인물과 관련된 지명을 <u>두 가지</u> 고르시오. (,)

① 마이산
② 조치원
③ 탄금대
④ 두물머리
⑤ 사임당로

6 고장에 전해 오는 다양한 옛이야기에 대해 바 르게 말한 학생을 보기 에서 <u>두 명</u> 골라 기호를 쓰시오.

보기
㉠ 솔아: 정선 아리랑을 통해 아우라지에서 아 우를 그리워하던 형의 마음을 알 수 있어.
㉡ 수영: 제주도의 삼성혈과 관련된 이야기를 통해 옛날부터 농경을 중요시했다는 것을 알 수 있어.
㉢ 유빈: 안성맞춤이라는 고사성어를 통해 안성 이라는 사람이 문제를 잘 맞혔다는 것을 알 수 있어.
㉣ 동현: 쌍우물에서 물을 마시고 가던 선비 이 야기를 통해 과거 시험에 합격하고 싶어했던 사람들의 마음을 알 수 있어.

7 다음에서 설명하는 것은 무엇인지 쓰시오.

> 옛날부터 사람들이 부르던 전통적인 노래를 이르는 말입니다. 특정한 작자가 없으며, 사람들의 생활 모습이 담겨 있다는 특징이 있습니다. 대표적인 것으로는 '정선 아리랑'이 있습니다.

8 다음 이야기를 통해 알 수 있는 고장의 역사는 무엇인지 쓰시오.

> 충청북도 영동군에는 난계 국악 박물관이 있습니다. 난계는 조선시대 국악을 연구한 박연의 호입니다. 지금도 난계 국악 박물관에서는 전통 악기 수업이 열리고 있습니다.

중요

9 다음 대화에서 이어질 말로 가장 알맞은 것은 어느 것입니까? ( )

> **다현:** 이 축제는 '임진왜란'이라는 전투를 알리는 축제라고 하더라.
> **예진:** 남강에 등을 띄워두니 정말 멋있다. 등을 띄워두는 게 '임진왜란'과 어떤 관련이 있는걸까?
> **다현:** _____

① 전쟁이 끝난 후 그 기쁨을 나누는 등이었대.
② 전기가 없어서 길을 밝히기 위해 등을 띄웠대.
③ 강에 등을 띄워 일본군에게 혼란을 주려고 했대.
④ 강이 어디에 있는지 확실히 알기 위해 등을 띄웠대.
⑤ 당시에 성 밖의 군인들과 등으로 신호를 주고받기도 했대.

10 밑줄 친 '이것'은 무엇인지 쓰시오.

> 우리 고장의 옛이야기를 조사하는 방법은 다양합니다. 그중 이것을 통해 조사하는 방법을 사용하면 직접 견학을 가지 않아도 다양한 정보를 얻을 수 있습니다. 이것을 사용할 때에는 공공 기관에서 만든 이것에서 조사하는 등, 믿을 수 있는 것을 사용해야 한다는 주의점이 있습니다.

11 다음 중 고장의 옛이야기를 조사할 때 사용할 수 있는 것으로 알맞지 <u>않은</u> 것은 어느 것입니까? ( )

① 인터넷 광고
② 문화원 누리집
③ 관련 장소 방문
④ 옛이야기 모음집
⑤ 향토 문화 해설사의 설명

12 우리 고장의 옛이야기를 조사하는 과정을 순서대로 기호를 쓰시오.

> ㉠ 사용할 조사 방법을 정한다.
> ㉡ 주의할 점을 알고, 실제 조사를 한다.
> ㉢ 어떤 옛이야기를 조사할지 주제를 정한다.

13 빈칸에 들어갈 알맞은 말을 쓰시오.

우리 고장의 옛이야기를 직접 조사하고 친구들에게 소개해 봅시다. 이 과정을 통해 우리 고장에 대한 □□와/과 친밀감을 높일 수 있습니다.

[16-17] 워드 클라우드의 단어를 이용하여 서술형 문제의 답을 쓰시오.

삼신할 옛 이야기 지명
아우라지민담 전설 고사성어
민요 안성맞춤상우물

14 빈칸에 들어갈 알맞은 말을 쓰시오.

조사한 고장의 옛이야기를 그림책을 만들어 소개하려고 할 때는 여러 가지를 고려해야 합니다. 그중 우리 고장의 특징을 재미있게 표현하려면 어떤 □□을/를 지어야 할지 생각해야 합니다.

16 다음 옛이야기와 관련된 민요를 통해 알 수 있는 옛날 사람들의 생활 모습을 서술하시오.

옛날에 강을 사이에 두고 살던 처녀와 총각이 사랑에 빠졌습니다. 어느 날, 너무 많이 내린 비 때문에 두 사람이 만날 수 없게 되었습니다. '정선 아리랑'은 이러한 안타까운 마음을 담은 민요입니다.

15 다음 중 우리 고장의 옛이야기를 그림으로 만들어 소개할 때 고려해야 할 내용으로 알맞지 <u>않은</u> 것은 어느 것입니까?   (   )

① 참고할 만한 그림책은 무엇이 있을까?
② 어떤 순서로 옛이야기를 소개해야 좋을까?
③ 우리 고장의 시장은 어디에 위치해 있을까?
④ 한 면에 글과 그림을 얼마나 넣는 것이 좋을까?
⑤ 어떤 옛이야기들이 우리 고장의 특징을 잘 보여 줄까?

17 다음 그림과 관련된 말을 쓰고, 이를 통해 알 수 있는 고장의 특징을 서술하시오.

말과 관련된 옛이야기가 담긴 지명들

예로부터 말은 중요한 이동 수단이었기 때문에 여러 곳에 말과 관련된 옛이야기가 담긴 지명이 남아 있습니다. 전국에 말과 관련된 지명은 약 700여 개 정도나 된다고 합니다.

말죽거리

조선 시대에는 먼 거리를 여행할 때 말을 타고 다녔습니다. 그래서 먼 길을 가는 중간중간에 말도 쉴 수 있게 해 주어야 했습니다. 서울특별시 서초구 양재동에 있는 말죽거리는 먼 길을 걸어 서울까지 온 사람들이 말에게 죽을 끓여 먹였다는 데서 유래되었습니다.

피맛골

조선 시대 백성들은 말을 탄 높은 관리를 만나면 관리가 지나갈 때까지 계속 엎드려 있어야 했고, 하루에 몇 번을 만나도 꼭 엎드려 있어야 했습니다. 당시 말을 탄 관리들을 피해 좁은 골목길로 다니는 것을 피마(避 피할 피, 馬 말 마)라고 했는데, 서울특별시 종로구의 '피맛골'은 이때 붙여진 이름입니다.

마량면

전라남도 강진군에 있는 마량(馬 말 마, 良 좋을 량)면의 지명은 조선 시대에 제주에서 말을 이곳까지 싣고 와서 다시 살찌운 다음 좋은 상태로 서울에 보낸 것에서 유래되었습니다.

오래된 물건을 통해 무엇을 알 수 있을까요?

보충 ❶

● **우리나라 최초의 안경**
정확한 기원은 알 수 없지만, 16세기경 우리나라에 처음 안경이 전해졌다. 조선 시대에는 윗사람 앞에서 안경을 쓰는 것은 예의에 어긋나는 것으로 여겼다.

보충 ❷

● **국민학교**
일본이 우리나라를 식민 지배하던 시절 국민학교라는 이름을 만들었고, 이 이름은 대한민국이 1945년 광복을 맞이한 이후에도 계속 쓰였다. 이후 1996년 초등학교로 이름을 바꾸게 되었다.

보충 ❸

● **문화유산의 보호**
미래 세대에 물려줄 가치가 있는 문화유산은 여러 방법으로 보호하고 있다. 세계적으로 보호할 문화유산은 유네스코(UNESCO)라는 단체에서 세계 문화유산으로 지정해 보호한다.

용어 사전

❶ **가치**: 사물이 지니고 있는 쓸모를 뜻한다.

❶ 오래된 물건으로 알 수 있는 것 [속 시원한 활동 풀이]

	**옛날 사진** 옛날에는 성문 앞 거리에 많은 가게들이 있었다는 것을 알 수 있음.
	**옛날 사진** 지금은 땅속에 묻혀 보이지 않지만 옛날에는 고장에 큰 다리가 있었다는 것을 알 수 있음.
	**오래된 안경** 안경의 모습이 지금과는 다름. 오래된 안경을 통해 옛날에도 안경이 있었고, 과거의 사람들이 어떤 안경을 쓰고 생활했는지를 알 수 있음. 보충 ❶
	**오래된 다리미** 전기 다리미가 없던 시대의 다리미로, 오목한 부분에 뜨거운 숯을 넣어 그 열기로 옷을 다렸음. 과거의 사람들이 구겨진 옷을 펴기 위해 어떤 도구를 사용했는지 알 수 있음.
	오래된 생활 통지표 초등학교가 국민학교라는 이름을 가지고 있을 때의 생활 통지표로, 이를 통해 옛날 어린이들이 다니던 학교의 이름과 학교에서의 생활 모습을 알 수 있음. 보충 ❷
	**오래된 책가방** 옛날에 사용하던 책가방의 형태를 알 수 있으며, 책가방의 장식을 통해 옛날에 어린이들에게 인기가 있었던 만화가 무엇인지 등 어린이들의 생활 모습을 알 수 있음.

❷ 문화유산의 의미

(1) **문화유산**: 옛날부터 전해지는 것 중에서 잘 보존하여 다음 세대에 물려줄 만한 ❶가치가 있는 것이다. 보충 ❸

(2) **문화유산이 중요한 까닭**
① 지금은 쉽게 볼 수 없는 물건이기 때문이다.
② 옛날 사람들이 살았던 모습을 추측할 수 있기 때문이다.

 속 시원한 **활동 풀이**

다 함께 활동

위 물건 중 다음 세대에 물려줄 만한 가치가 있다고 생각되는 것을 고르고, 왜 그렇게 생각하는지 친구들과 말해 봅시다.

물려줄 만한 가치가 있다고 생각되는 것	그렇게 생각하는 이유
예 옛날 사진	예 사라지거나 달라진 고장의 과거 모습을 알려 주는 물건이기 때문입니다.
예 오래된 안경	예 옛날 사람들이 어떤 안경을 쓰고 생활했는지 알려 주는 물건이기 때문입니다.
예 오래된 다리미	예 옛날 사람들이 전기 없이 어떻게 옷을 다렸는지 알려 주는 물건이기 때문입니다.

 **확인 톡! 톡!**

📍정답과 해설 8쪽

1 옛날부터 전해지는 것 중에서 잘 보존하여 다음 세대에 물려줄 만한 가치가 있는 것을 뜻하는 말이 무엇인지 쓰시오.　（　　　　　）

2 서로 관련 있는 내용끼리 바르게 선으로 연결하시오.

(1) ・

(2) ・

(3)  ・

・㉠ 옛날에는 뜨거운 숯으로 옷의 구김을 폈다.

・㉡ 옛날에는 지금과 조금 다른 모습의 안경을 썼다.

・㉢ 초등학교라는 이름이 있기 전에는 국민학교라고 불렸다.

3 내용이 맞으면 ○표, 틀리면 ×표를 선택하시오.
(1) 오래된 사진은 화질이 좋지 않아 미래 사람에게 남길 가치가 없습니다. (○ , ×)
(2) 오래된 생활 통지표를 통해 옛날 어린이들의 학교생활을 알 수 있습니다. (○ , ×)

고장에는 어떤 문화유산이 있을까요?

보충 ❶

◎ 「부산포 초량 화관 지도」
18세기 중엽의 항구인 초량 왜관을 그린 지도이다. 1678년부터 사용된 이곳은 연간 50척 이상의 무역선이 출입하던 곳이다.

보충 ❷

◎ 약현 성당
우리나라 최초의 서양식 교회 건축물이다. 천주교를 박해하던 때에 많은 천주교인들이 이곳에서 처형되었다. 1998년에 첨탑 일부만 남기고 불에 타 없어졌다가 다시 복원되었다.

보충 ❸

◎ 영산 줄다리기
경상남도 창녕군 영산면에서 전해 내려오는 민속놀이이다. 마을을 동부와 서부로 나누어서 하는 이 놀이는 1970년에 중요 무형 문화재로 지정되었고, 2015년에 인류 무형 문화유산으로 등재되었다.

용어 사전

❶ 공예품: 예술적 가치가 있게 만든 공작품, 칠기, 도자기, 가구 같은 것들을 뜻한다.
❷ 도자기: 점토를 가지고 어떤 형태로 만들어 불에 구워 낸 그릇이다.

❶ 문화유산의 종류

(1) **유형 문화유산**: 건축물, 공예품, 그림 등 형태가 있는 문화유산이다.
(2) **무형 문화유산**: 음악, 춤 등 형태가 없는 문화유산이다.

❷ 고장에 남아 있는 문화유산 (속 시원한 활동 풀이)

그림
고장의 옛 모습을 담은 그림으로, 이 그림을 통해 우리 고장의 옛 모습을 알 수 있음. 보충 ❶

건축물
몇백 년 전에 지어진 집으로, 이 건축물을 통해 옛날 사람들이 어떤 집에서 어떻게 생활했는지를 알 수 있음.

비석
고장의 유명한 인물에 대한 내용이 새겨져 있는 비석으로, 이 비석을 통해 옛날에 고장에 살던 유명한 인물에 대한 이야기를 알 수 있음.

건축물
오래된 서양식 건축물로, 이 건축물을 통해 서양식 건축물이 우리나라에 들어오게 된 이유와 옛날 건축 기술을 알 수 있음. 보충 ❷

전통 놀이
줄다리기와 같은 전통 놀이가 지금까지 이어지고 있는데, 이 놀이를 통해 옛날 사람들이 어떤 놀이를 했고 그 놀이를 한 이유가 무엇인지 알 수 있음. 보충 ❸

❶공예품
고장에 남아 있는 ❷도자기를 통해 우리 고장이 옛날부터 도자기를 만드는 것으로 유명했음을 알 수 있음.

속 시원한 **활동 풀이**

지역화 **다 함께** 활동

📍교과서 76~77쪽

1 말풍선 내용을 참고하여 알맞은 문화유산 붙임 딱지를 붙여 봅시다.

2 우리 고장에 어떤 문화유산이 있는지 친구들과 이야기해 봅시다.

예 • 우리 고장에는 농부들이 농사일을 할 때 흥을 돋우기 위해 연주하던 음악이 전해집니다.
• 우리 고장에는 옛날에 활동했던 승려가 지은 절이 있습니다.

잠깐! 확인해요

고장에는 건축물, 공예품, 그림, 음악 등의 ☐☐☐☐이/가 남아 있습니다.　　　(　　　문화유산　　　)

확인 톡! 톡!

📍정답과 해설 8쪽

1 여러 가지 문화유산 중 건축물, 공예품, 그림 등 형태가 있는 문화유산을 무엇이라고 하는지 쓰시오.

(　　　　　　　)

2 다음 문화유산이 유형 문화유산이면 '유', 무형 문화유산이면 '무'를 쓰시오.

(1)

(2)

(3)

(　　　　) 　　　　 (　　　　) 　　　　 (　　　　)

3 내용이 맞으면 ○표, 틀리면 ×표를 선택하시오.

⑴ 고장의 옛 모습을 담은 그림은 지금과 다르기 때문에 문화유산이 될 수 없습니다. (○ , ✕)

⑵ 고장에 전해 오는 줄다리기를 통해 옛날 사람들이 어떤 놀이를 즐겼는지 알 수 있습니다. (○ , ✕)

고장의 문화유산을 통해 무엇을 알 수 있을까요?

보충 ①

◉ 진천 농다리
충청북도 진천군에는 고려 시대에 만들어졌다고 전해지는 돌다리가 있다. 이것은 우리나라에 남아 있는 다리 중 가장 길고 오래된 것이다.

보충 ②

◉ 장승
마을이나 절의 입구, 길가에 세운 나무 혹은 돌로 된 조각이다. 기둥 윗부분에는 사람의 얼굴을 조각하고, 보통 남녀로 쌍이 되어 마주 서 있다.

보충 ③

◉ 제주 해녀 문화
제주도에서 해녀를 중심으로 이어져 온 기술 및 문화를 말한다. 제주 해녀 문화는 제주특별자치도에 의해 제주도를 상징하는 캐릭터로 지정되었고, 2016년에는 유네스코 인류 무형 문화유산에 등재되었다.

용어 사전

❶ **해녀**: 바다 속에 들어가 해삼, 전복, 미역 등을 따는 것을 직업으로 하는 여자를 뜻한다.

❷ **대장장이**: 망치, 가위 등으로 금속을 조각하여 철로 물건을 만들어 내는 사람을 뜻한다.

---

① 고장의 문화유산이 지닌 특징과 가치

(1) 고장에 남아 있는 문화유산으로 알 수 있는 것
① 고장의 옛 모습
② 옛날 사람들의 다양한 생활 모습
③ 옛날 사람들의 슬기, 멋
④ 옛날 사람들이 중요하게 생각한 것

(2) **고장의 문화유산을 보호해야 하는 까닭**: 문화유산에는 옛 고장에 대한 이야기가 담겨 있기 때문에 고장의 문화유산을 소중히 여기고 보호해야 한다.

② 고장의 문화유산에 담긴 옛날 사람들의 삶 속 시원한 활동 풀이

고장의 문화유산	옛날 사람들의 삶
돌다리	개천마다 돌다리가 있었는데, 강을 건너기 위해 돌다리를 이용했고, 비가 많이 오면 돌다리가 잠겨 이용하기 어려웠음. 보충 ❶
장승	마을을 지켜 달라는 뜻으로 마을 입구에 돌이나 나무로 만든 장승을 세워 두었음. 보충 ❷
성곽	적의 침입을 막고 고장을 지키기 위해서 흙이나 돌을 이용하여 산에 세움.
관아	관리들이 모여서 고을을 다스리던 곳으로, 고장의 중심에 있었으며 지금의 시청이나 구청, 또는 군청과 비슷한 역할을 함.
우물	땅을 파서 땅속의 물이 고여 있게 만든 시설로, 옛날 사람들은 이곳에서 물을 얻어서 사용함.
절, 불상	불교를 믿는 사람들이 많은 고장에 절이 세워지고 불상이 만들어지면서, 사람들은 절에 가서 자신의 소망을 빌었음.
해녀 문화	❶해녀와 관련된 기술, 작업 도구와 옷 등을 통틀어서 해녀 문화라고 부름. 보충 ❸
효자비	효자로 유명한 사람이 살았던 고장에 세워진 비석으로, 우리나라 사람들이 옛날부터 효를 중요시했음을 알 수 있음.
❷대장장이, 철갑 옷	철이 많이 생산되었던 고장에 있었으며, 대장장이는 주로 철로 된 무기나 농기구를 만들었음.
기차역	철도가 생기기 시작했을 무렵에 역이 세워진 곳으로, 사람들이 오고 가기 쉬운 위치에 있던 고장이라는 것을 알 수 있음.

속 시원한 **활동 풀이**

스스로 활동

앞에서 소개한 문화유산처럼 옛날 사람들의 생활 모습을 잘 보여 주는 우리 고장의 문화유산을 써 봅시다.

이름	예 봉수대	이름	예 춘포역
선택한 이유	예 옛날에 우리 고장에 살았던 사람들이 위급한 소식을 알리기 위해 이용했던 특별한 시설이기 때문입니다.	선택한 이유	예 우리나라에 남아 있는 가장 오래된 기차역이고, 우리나라의 역사를 간직하고 있는 특별한 건축물이기 때문입니다.

잠깐! 확인해요

고장의 문화유산을 통해 옛날 사람들의 생활 모습을 알 수 있습니다. (○ , ×) 　　　(○)

확인 톡! 톡!

🔎 정답과 해설 8쪽

1 빈칸에 들어갈 알맞은 말을 쓰시오.

고장에 남아 있는 문화유산을 통해 고장의 옛 모습과 옛날 사람들의 다양한 ☐☐ ☐☐을/를 알 수 있습니다.

(　　　　　　)

2 서로 관련 있는 내용끼리 바르게 선으로 연결하시오.

(1) 돌다리 •　　　　　　• ㉠ 효를 중요하게 생각한 옛날 사람들

(2) 효자비 •　　　　　　• ㉡ 철로 만든 물건이 많이 남아 있는 고장

(3) 대장장이 •　　　　　　• ㉢ 강을 건너기 위해 옛날 사람이 사용한 것

3 다음 질문에 알맞은 대답을 쓰시오.

이 문화는 특히 제주도에서 찾아볼 수 있는 것입니다. 이것은 바닷속에 들어가 해삼, 전복 등을 따는 여자들의 문화로, 관련 기술, 노래, 작업 도구와 옷 등을 통해 전해 오고 있습니다. 이 문화는 무엇일까요?

(　　　　　　)

우리 고장의 문화유산을 조사해 볼까요?

❶ 고장의 문화유산 조사 방법

(1) 문화유산을 조사할 때 알아봐야 할 내용: 문화유산의 특징, 문화유산이 만들어진 시기, 문화유산과 관련된 이야기 등을 찾아봐야 한다.

(2) 문화유산을 조사하는 방법

고장 안내도에서 문화유산 위치 찾기	
	고장의 문화유산을 한눈에 파악할 수 있음. 보충 ❶, ❷
고장 누리집 검색하기	
	문화유산과 관련된 자료를 ❶편리하게 찾을 수 있음.

내용➕ 고장의 문화원 누리집 외에도 시·군·구청과 각 지역 도서관 누리집에서도 고장의 문화유산을 조사할 수 있다.

❷ 우리 고장의 문화유산 조사

(1) 고장의 문화유산을 조사하는 순서 (속 시원한 활동 풀이)

> ❶ 조사해 보고 싶은 문화유산을 정한다.
> ❷ 조사 방법을 정해서 조사한다.
> ❸ 조사한 내용을 정리한다.
> ❹ 문화유산을 보호하기 위해 우리가 할 수 있는 일을 생각한다.

(2) 문화유산을 보호하기 위해 우리가 할 수 있는 일: 오래된 문화유산을 아끼고 지키려는 마음을 가져야 한다.

우리 고장의 문화유산에 대해 조사한 내용을 정리해 봅시다.

조사한 문화유산	예 강릉 향교
조사 방법	예 고장의 문화원 누리집 검색하기
알게 된 내용	예 • 강릉 향교는 학문이 높았던 사람들의 제사를 지내고, 백성에게 학문을 가르치기 위해 만들었습니다. • 강릉 향교에는 대성전이라는 건축물이 있습니다.
문화유산을 보호하기 위해 우리가 할 수 있는 일	예 • 문화유산을 아끼는 마음을 가져야 합니다. • 문화유산을 방문했을 때 쓰레기를 함부로 버리지 않아야 합니다.

잠깐! 확인해요

고장 안내도와 고장 누리집을 활용하여 문화유산을 ☐☐할 수 있습니다.　　　(　조사　)

확인 톡! 톡!

🔍 정답과 해설 8쪽

1 문화유산을 조사할 때 알아봐야 할 내용으로 알맞은 것을 보기에서 모두 골라 기호를 쓰시오.

> 보기
> ㉠ 문화유산의 특징　　　　㉡ 문화유산을 아끼는 마음
> ㉢ 문화유산과 관련된 이야기　㉣ 문화유산이 만들어진 시기

(　　　　　　)

2 서로 관련 있는 내용끼리 바르게 선으로 연결하시오.

(1) 고장 안내도　•　　　•㉠ 관련 자료를 편리하게 찾을 수 있다.

(2) 문화원 누리집　•　　　•㉡ 문화유산을 한눈에 파악할 수 있다.

3 내용이 맞으면 ○표, 틀리면 ×표를 선택하시오.
(1) 문화유산을 아끼고 지키는 것은 전문가의 일이므로 우리는 할 수 없습니다. (○ , ×)
(2) 고장의 문화원 누리집을 방문하면 문화유산과 관련된 자료를 편리하게 찾을 수 있습니다. (○ , ×)

우리 고장의 문화유산을 답사해 볼까요?

보충 ❶

◉ 강릉 향교
향교란 선현에게 제사를 지내고 지방의 학생들을 교육하던 곳이다. 강원도 강릉시 교동에 있는 강릉 향교에는 조선 시대의 향교 구조가 그대로 보존되어 있다.

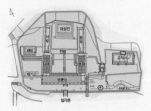

▲ 강릉 향교 배치도

❶ 답사의 의미

(1) **답사**: 고장의 문화유산을 직접 찾아가 보고 느끼는 것이다.

(2) **답사의 좋은 점**: 문화유산을 조금 더 생생하게 체험할 수 있다.

❷ 우리 고장의 문화유산 답사

(1) 답사를 계획할 때 생각해야 할 점

① 답사할 문화유산 정하기

② 문화유산에 대해 알고 있는 내용과 더 알고 싶은 내용 생각하기

③ 누구와 함께 답사할지 ❶의논하기

④ 답사한 내용을 어떻게 정리할지 생각하기

(2) 답사 계획하기의 예 교과서 속 시원한 활동 풀이

보충 ❷

◉ 국가 문화유산 포털 누리집
각종 문화유산의 정보 및 사진을 자세히 살펴볼 수 있는 종합 정보 시스템이다. 3D 문화유산을 검색해 다양한 문화유산을 실제로 답사하듯 생생하게 볼 수도 있다.

☑ 답사할 문화유산은 무엇인가요?	강릉 향교 보충 ❶
☑ 답사할 문화유산에 대해 알고 있는 점은 무엇인가요?	옛날에 학생들에게 학문을 가르치던 곳입니다.
☑ 답사하면서 더 알고 싶은 내용은 무엇인가요?	• 이 문화유산은 왜 여기에 세워졌을까? • 이 문화유산은 어떻게 사용되었을까? • 이 문화유산과 관련된 이야기는 무엇일까?
☑ 누구와 함께 답사할 계획인가요?	3학년 △반 학생들
☑ 답사한 내용을 어떻게 정리하면 좋을까요?	보고 듣고 느낀 점을 시간 순서대로 정리합니다.

(3) 문화유산을 답사할 때 유의할 점

① 방문한 문화유산을 꼼꼼하게 살펴봐야 한다.

② 답사하면서 생각나는 것들을 기록해 두어야 한다.

> **내용⁺** 메모하기, 사진 찍기, 그림 그리기, 질문지 내용 조사하기 등의 방법을 활용해 답사 내용을 기록할 수 있다.

(4) 답사 후 활동

보충 ❸

◉ 어린이 · 청소년 문화재청 누리집
어린이와 청소년을 대상으로 하는 문화유산 종합 정보 시스템이다.

① 보고서 작성하기: 답사 후 직접 보고 느낀 것을 글쓰기, 신문 만들기, 안내 자료 만들기, 시화 그리기 등 다양한 형태로 작성해 본다.

② 답사 내용 공유하기: 답사 후 문화유산 소개 자료 등을 만들어 친구들과 함께 공유하며 고장에 대한 ❷자긍심을 느낄 수 있다.

> **내용⁺** 직접 문화유산을 답사하는 것이 어려울 때는 국가 문화유산 포털 누리집, 어린이 · 청소년 문화재청 누리집 등 각종 누리집을 활용해 고장의 문화유산을 살펴볼 수 있다. 보충 ❷ ❸

용어 사전

❶ 의논: 서로 의견을 주고받는 것을 뜻한다.
❷ 자긍심: 스스로에게 긍지를 가지는 마음을 뜻한다.

 **활동** 친구들과 계획을 세워 답사를 하고, 알게 된 점을 정리해 봅시다.

1 답사 전에 미리 생각해야 하는 것들을 확인합니다.

미리 준비해요

☑ 답사할 문화유산 정하기

예 강릉 오죽헌

☑ 이 문화유산에 대해 알고 있는 점 떠올리기

예 강원도 강릉시에 남아 있는 오래된 주택입니다.

☑ 더 알고 싶은 내용이 무엇인지 이야기하기

예 이 문화유산은 왜 여기에 세워졌을까?, 이 문화유산과 관련된 이야기는 무엇일까?

☑ 누구와 함께 답사할지 의논하기

예 3학년 △반 학생들

☑ 답사한 내용을 어떻게 정리할지 생각하기

예 신문으로 만들어 정리합니다.

---

2 문화유산을 답사하며 궁금한 점을 알아봅니다.

예 • 이곳에서 조선 시대 학자인 율곡 이이가 태어났습니다.

　　• 검은 대나무가 집 주변을 둘러싸고 있어서 '오죽헌'이라는 이름이 붙여졌습니다.

잠깐! 확인해요

고장의 문화유산을 직접 찾아가 보고 느끼는 것을 ☐☐(이)라고 합니다.　　　　(　　　답사　　　)

📍 정답과 해설 8쪽

1 빈칸에 들어갈 알맞은 말을 쓰시오.

문화유산을 답사할 때 유의점이 있습니다. 첫째, 방문한 문화유산을 꼼꼼히 살펴봐야 합니다. 둘째, 답사하면서 생각나는 것들을 ☐☐해 두어야 합니다.

(　　　　　　　　　　)

2 내용이 맞으면 ○표, 틀리면 ×표를 선택하시오.

(1) 답사 후에는 문화유산을 직접 보고 느낀 것을 글로 써서 정리할 수 있습니다. (○ , ✕)

(2) 선생님과 함께 답사 장소에 가기 때문에 누구와 함께 답사할지는 고민하지 않아도 됩니다. (○ , ✕)

우리 고장의 문화유산을 소개해 볼까요?

보충 ❶

● **어린이 도슨트 제도**
도슨트는 박물관이나 미술관 등에서 관람객들에게 전시물을 설명하는 사람이다. 서대문 자연사 박물관에서는 어린이 관람객들의 눈높이에 맞는 설명을 위해 어린이 도슨트 제도를 운영하고 있다.

▲ 서대문 자연사 박물관의 어린이 도슨트

❶ 고장의 문화유산 소개 계획

(1) **홍보 방법 정하기**: 문화유산 신문 만들기, 문화유산 잡지, 문화유산 달력 만들기, 문화유산 소개 영상 만들기, 문화유산 사진전 열기, 어린이 문화 관광 해설사가 되어 고장의 문화유산 소개하기 등이 있다. **보충 ❶**

(2) **홍보 내용 정하기**: 문화유산의 특징과 가치, 문화유산에 대한 생각이나 느낌을 담는다.

(3) **홍보 자료를 만들 때 주의할 점 떠올리기**
① 함께 만드는 모둠원들의 생각이 잘 반영되도록 해야 한다.
② 문화유산의 특징이 잘 드러나도록 만들어야 한다.
③ 각자 맡은 역할에 최선을 다하며 협력해야 한다.
④ 영상 촬영은 짧은 시간에 하기 어렵기 때문에 미리 계획을 잘 세워서 만들어야 한다.

❷ 우리 고장의 문화유산 소개 (속 시원한 활동 풀이)

(1) **문화유산 신문 만들기**: 고장의 문화유산에 대한 자세한 내용을 한눈에 보여 줄 수 있다.

> ❶ 어떤 주제로 신문을 만들지 친구들과 의논하고, 신문의 특징을 잘 보여 주는 제목을 정한다.
> ❷ 신문 주제에 적합한 고장의 문화유산을 정하고, 필요한 사진과 그림을 수집한다.
> ❸ 문화유산을 소개하는 신문 기사를 쓰고, 신문을 꾸민다.

(2) **문화유산 달력 만들기**: 달력을 볼 때마다 우리 고장의 문화유산을 떠올릴 수 있다.

> ❶ 종이에 월, 일을 적는다.
> ❷ 월별로 소개하고 싶은 문화유산을 고른다.
> ❸ 문화유산 사진을 붙이거나, 그림을 그려 달력을 꾸민다.

(3) **문화유산 소개 영상 만들기**: 지루하지 않고 재미있게 우리 고장의 문화유산에 대한 내용을 설명할 수 있다.

> ❶ 문화유산의 특징이 잘 드러나도록 소개 영상 ❶대본을 만든다.
> ❷ 문화유산 소개 영상을 촬영한다.

내용➕ 우리 고장의 문화유산을 홍보하는 자료를 만들고, 소개하는 활동을 하면서 문화유산의 소중함과 고장에 대한 자긍심을 느낄 수 있다.

용어 사전
❶ **대본**: 연극, 영화 등의 기본이 되는 각본. 무대 장치 및 배우의 동작이나 대사 등을 적은 글을 뜻한다.

홍보할 문화유산	예 경상북도 경주의 문화유산 – 불국사, 첨성대
홍보 자료에 들어갈 내용	예 불국사의 특징, 첨성대를 통해 알 수 있는 옛날 사람들의 생활 모습

홍보 방법	방법	예 문화유산 신문 만들기
	선택 이유	예 우리 고장에 남아 있는 다양한 문화유산을 한눈에 보여 줄 수 있기 때문입니다.

홍보 자료

예

'살아 있는 박물관' 경주의 문화유산

부처님의 나라, 불국사

불국사는 불교 경전에 나오는 이상적인 부처님의 나라를 표현한 절입니다.
불국사는 우리나라에서는 가장 많은 국보를 보유하고 있는 절이기도 합니다.
십 원 동전에 새겨져 있는 다보탑과 석가탑도 불국사에서 만날 수 있습니다.

불국사

다보탑

첨성대

별을 바라보던 첨성대

옛날에 하늘의 별을 관찰하던 시설입니다.
옛날 사람들은 하늘을 보고 기후를 예측하여 농사를 지을 때 도움을 받았습니다.

석가탑

 **확인 톡! 톡!**

📍정답과 해설 8쪽

1 빈칸에 들어갈 알맞은 말을 써 봅시다.

고장의 문화유산을 소개하면서 문화유산의 소중함과 가치를 알 수 있습니다. 우리 고장의 문화유산을 보호하고, 널리 알리는 노력을 하면서 고장에 대한 ☐☐☐을/를 기를 수 있습니다.

(   )

'우리 고장의 문화유산'에서 배운 내용을 떠올리며 문화유산 말하기 놀이를 해 봅시다.

우리 고장에는!

놀이 방법

1 한 사람이 '우리 고장에는 △△△(문화유산 이름)도 있고!'라고 말합니다.

2 다음 사람은 '우리 고장에는 △△△도 있고, □□□도 있고!'라고 이어 말합니다.

3 생각이 나지 않을 때는 손뼉을 치고 다음 순서에는 참여하지 않습니다.

4 마지막 한 명이 남을 때까지 놀이를 진행하고, 고장의 문화유산을 빈칸에 정리합니다.

우리 고장의 문화유산

예 오죽헌, 강릉 향교, 장승, 효자비, 영산 줄다리기 등

도움 우리 고장에 있는 여러 가지 문화유산의 이름을 기억해 놀이를 해 보아요.

핵심 꿀꺽 질문

문화유산이란 무엇이고, 어떤 종류가 있나요?

문화유산에 담긴 고장의 옛 모습에는 무엇이 있나요?

고장에 대한 자긍심을 느끼기 위해 문화유산을 어떻게 조사하고 소개할 수 있나요?

1 빈칸에 들어갈 알맞은 말을 쓰시오.

옛날부터 전해지는 것 중에서 잘 보존하여 다음 세대에 물려줄 만한 가치가 있는 것을 ☐☐☐☐(이)라고 합니다.

2 다음 질문에 알맞은 답을 쓰시오.

이것은 할아버지께서 어린 시절 다니셨던 국민학교의 생활 통지표입니다. 이 물건은 미래 사람들에게 남길 만한 가치가 있다고 합니다. 그 이유는 무엇일까요?

중요

3 다음 중 문화유산의 종류가 **다른** 한 가지는 어느 것입니까? ( )

① 옛날부터 유명했던 도자기
② 줄다리기와 같은 전통 놀이
③ 옛날 사람들이 사용하던 안경
④ 옛날 고장의 모습을 그린 그림
⑤ 몇백 년 전 사람들이 살던 건축물

4 다음에서 설명하는 문화유산의 종류가 무엇인지 쓰시오.

「부산포 초량 화관 지도」는 18세기 중엽 초량 왜관 일대를 그린 그림입니다. 이곳은 조선 후기 외교 무역의 중심지 기능을 하며 연간 50척 이상의 무역선이 출입했습니다.

5 다음 그림과 관련 있는 문화유산으로 알맞은 것은 어느 것입니까? ( )

① 우물 ② 돌다리
③ 효자비 ④ 고려청자
⑤ 해녀 문화

6 문화유산에 대해 바르게 설명한 학생을 보기 에서 **두 명** 골라 기호를 쓰시오.

보기

㉠ 영권: 줄다리기와 같은 전통 놀이가 지금까지 남아 있어.
㉡ 수빈: 효자비를 통해 옛날 사람들이 효를 중시했다는 것을 알 수 있어.
㉢ 윤성: 옛날 사람들은 전기가 없어서 구겨진 옷을 다려서 입을 수 없었어.
㉣ 지민: 최초의 서양식 성당 건축물을 보니 우리나라는 건축 기술이 없었나 봐.

7 빈칸에 공통으로 들어갈 알맞은 말을 쓰시오.

> 우리 고장에는 여러 종류의 문화유산이 남아 있습니다. 문화유산을 살펴보면 고장의 옛 ☐☐와/과 옛날 사람들의 다양한 생활 ☐☐을/를 알 수 있습니다.

―――――――――――――――――――

8 다음 문화유산을 통해 알 수 있는 것은 무엇인지 쓰시오.

> 옛날에는 고장마다 우물이 있었습니다. 우물은 물을 얻기 위하여 땅을 파고 물이 괴게 만든 시설입니다.

―――――――――――――――――――
―――――――――――――――――――

중요

9 문화유산에 대한 설명으로 알맞지 <u>않은</u> 것은 어느 것입니까? (   )

① 옛날 사람들은 강을 건너기 위해 돌다리를 만들었다.
② 옛날 사람들은 적의 침입을 막기 위해 성곽을 세웠다.
③ 철로 만든 물건뿐 아니라 철을 다루는 기술도 전해지고 있다.
④ 장승은 마을 입구에서 마을을 지켜 주는 수호신 역할을 했다.
⑤ 관아는 사람들의 생활에 방해되지 않도록 마을의 외곽에 위치했다.

10 다음 질문에 알맞은 답을 쓰시오.

> 우리 고장의 문화유산을 조사할 때에는 여러 가지를 활용할 수 있습니다. 그중 이것을 활용하면 다양한 자료를 편리하게 찾을 수 있습니다. 이것은 무엇일까요?

―――――――――――――――――――

11 문화유산을 조사할 때 알아봐야 할 내용으로 알맞지 <u>않은</u> 것은 어느 것입니까? (   )

① 문화유산의 특징을 알아본다.
② 문화유산을 만든 까닭을 조사한다.
③ 문화유산의 위치는 알아보지 않는다.
④ 문화유산이 만들어진 시기를 찾아본다.
⑤ 문화유산과 관련된 이야기를 찾아본다.

12 문화유산 답사를 계획하는 과정에서 꼭 생각해야 하는 것들을 보기 에서 <u>두 가지</u> 골라 기호를 쓰시오.

> **보기**
> ㉠ 답사할 문화유산은 무엇인가?
> ㉡ 더 알고 싶은 내용은 무엇인가?
> ㉢ 문화유산 달력에 어떤 사진을 붙일 것인가?
> ㉣ 문화유산 신문에 어떤 기사를 작성할 것인가?

―――――――――――――――――――

13 답사의 좋은 점은 무엇인지 쓰시오.

―――――――――――――――――――

14 다음 상황에서 주의해야 할 점은 무엇이 있는지 쓰시오.

> 효준이는 같은 반 친구들과 함께 문화유산을 답사하러 갔습니다. 문화유산에는 이곳저곳 많은 설명이 쓰여 있었고, 문화 해설사의 설명도 들을 수 있었습니다. 하지만 효준이는 이 모든 내용을 다 기억하고 갈 수 있을지 걱정입니다.

15 빈칸에 들어갈 알맞은 말을 쓰시오.

> 우리 고장의 문화유산을 소개하면서 문화유산의 소중함과 가치를 알 수 있습니다. 이렇게 우리 고장의 문화유산을 보호하고, 널리 알리는 노력을 하면 고장에 대한 □□□을/를 기를 수 있습니다.

중요

16 문화유산 홍보 자료를 만들 때 주의할 점으로 알맞지 않은 것은 어느 것입니까? ( )

① 영상 촬영은 계획을 잘 세워서 만든다.
② 문화유산의 특징이 잘 드러나도록 만든다.
③ 각자 맡은 역할에 최선을 다하며 협력한다.
④ 주어진 역할 외에는 절대 신경 쓰지 않는다.
⑤ 모둠원들의 생각이 잘 반영되도록 해야 한다.

워드 클라우드와 함께하는 서술형 문제

[17-18] 워드 클라우드의 단어를 이용하여 서술형 문제의 답을 쓰시오.

17 다음에서 설명하는 문화유산을 통해 알 수 있는 옛날 사람들의 생활 모습을 서술하시오.

> 효자비는 마을에 있는 효자를 알리는 비석입니다. 이름난 효자가 있는 고장에는 효자비가 세워져 있었습니다.

18 다음 그림에 등장한 사람의 직업과 이 사람이 주로 만들었던 것을 서술하시오.

톡 톡 튀는 이야기

해외에 있는 우리나라 문화유산

우리나라의 문화유산 중에는 다른 나라에 빼앗겼거나 문화 교류를 하며 해외에 흘러 나간 것들이 있습니다. 우리나라는 2012년에 '국외 소재 문화재 재단'을 세워 불법적으로 해외에 유출된 문화유산을 되찾아오기 위해 노력하고, 문화 교류로 유출된 문화유산이 현지에서 그 가치를 활용할 수 있도록 지원하고 있습니다.

우리 곁으로 돌아온 외규장각 의궤

1866년, 강화도를 침범한 프랑스는 외규장각에 있던 의궤를 약탈해 갔습니다. 의궤는 왕실의 결혼식과 장례식 같은 국가의 중요한 의식과 행사 등에 관한 내용을 그림이나 글로 기록해 놓은 책입니다. 이후 프랑스 국립 도서관에 보관되어 있던 외규장각 의궤는 반환 협상 20년, 약탈당한 지 145년 만에 다시 우리 곁으로 돌아왔습니다.

▲ 강화도 외규장각

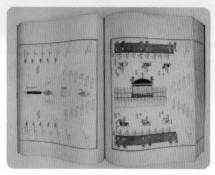
▲ 외규장각 의궤

영국 8,796　노르웨이 81　독일 13,309
덴마크 1,278　스웨덴 51
네덜란드 1,930
러시아 5,334　캐나다 4,276
카자흐스탄 1,024
중국 12,985　일본 89,498　미국 54,171
대만 3,073
그리스 32
바티칸 298
프랑스 5,684　이탈리아 70　헝가리 341
벨기에 60　스위스 696　오스트리아 1,665　오스트레일리아 41

0　2,000 km

(단위: 점)

▲ 국외 소재 문화재 현황(2021년 기준): 22개국, 735개처 204,693점

정리 꼭꼭 이 단원에서 배운 내용을 글과 그림으로 정리해 봅시다.

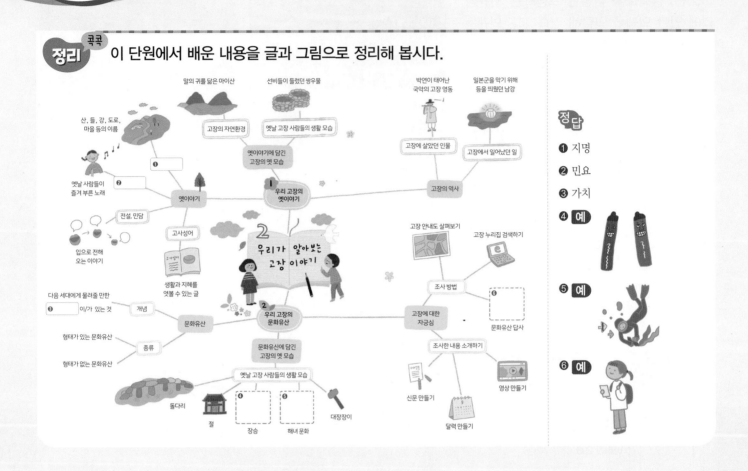

말의 귀를 닮은 마이산
선비들이 들렀던 쌍우물
박연이 태어난 국악의 고장 영동
일본군을 막기 위해 등을 띄웠던 남강

고장의 자연환경
옛날 고장 사람들의 생활 모습
고장에 살았던 인물
고장에서 일어났던 일

산, 들, 강, 도로, 마을 등의 이름

옛이야기에 담긴 고장의 옛 모습

❶

옛날 사람들이 즐겨 부른 노래

❷

옛이야기

우리 고장의 옛이야기

고장의 역사

전설, 민담

고사성어

입으로 전해 오는 이야기

고장 안내도 살펴보기
고장 누리집 검색하기

생활과 지혜를 엿볼 수 있는 글

다음 세대에게 물려줄 만한

❸   이/가 있는 것

개념

조사 방법

문화유산 답사

문화유산

고장에 대한 자긍심

형태가 있는 문화유산

종류

조사한 내용 소개하기

형태가 없는 문화유산

우리 고장의 문화유산

문화유산에 담긴 고장의 옛 모습

옛날 고장 사람들의 생활 모습

신문 만들기
영상 만들기
달력 만들기

돌다리
절
❹
❺
장승
해녀 문화
대장장이

정답

❶ 지명

❷ 민요

❸ 가치

❹ 예

❺ 예

❻ 예

창의 팡팡 우리 고장의 이야기가 담긴 책갈피를 만들어 봅시다.

만드는 방법

❶ 책갈피 안에 담고 싶은 우리 고장의 옛이야기나 문화유산을 씁니다.
- 마이산
- 예 고인돌
- 예 돌다리

❷ 고장의 옛이야기나 문화유산을 그려 넣어 책갈피를 만듭니다.

❸ 책갈피를 완성한 후, 친구들에게 소개합니다.

말의 귀를 닮은 마이산

말의 귀를 닮은 마이산의 모습을 그려 넣은 책갈피입니다.

석탑이 있는 절

석탑이 우뚝 서 있는 오래된 절을 그려 넣은 책갈피입니다.

예 먼 옛날 사람의 무덤 고인돌

먼 옛날 사람들의 무덤인 고인돌을 그려 넣은 책갈피입니다.

예 강을 건널 때 필요한 돌다리

옛날에 강을 건널 때 사용한 돌다리를 그려 넣은 책갈피입니다.

세상 속으로 고장 이야기가 담긴 타일 작품 만들기

1단계

타일 작품
주제 정하기

⚙ **옛이야기**

선택한 이유

예 우리 모둠은 우리 고장의 옛이야기가 담긴 타일 작품을 만들 것입니다. 왜냐하면 고장과 관련된 옛이야기 속의 재미있는 장면을 많이 그릴 수 있을 것 같기 때문입니다.

⚙ **문화유산**

선택한 이유

예 우리 모둠은 우리 고장의 문화유산에 대한 내용을 담아 타일 작품을 만들 것입니다. 왜냐하면 기억에 남는 문화유산이 많기 때문입니다.

2단계

타일 작품 그리기

예

소개 문구

우리 고장에 전해 내려오는 장승과 관련된 이야기를 타일에 그렸어요.

예

소개 문구

우리 고장에 남아 있는 문화유산 중 가장 유명한 불상을 타일에 그렸어요.

3단계

타일 작품 소개하기

예 • 모둠별로 완성한 타일 작품을 연결해 우리 고장 탐방길을 만들면 좋겠습니다.
• 타일 작품으로 우리 고장 이야기를 담은 벽화를 꾸밀 수 있을 것입니다.
• 타일 작품 사진들을 누리 소통망 서비스(SNS)에 올려 많은 사람에게 소개하고 싶습니다.

1 지하철역의 이름, 버스 정류장의 이름 등은 고장의 옛 (　　　　)을/를 알려주기도 합니다.

2 (마이산 / 마포)은/는 말의 귀를 닮은 산봉우리가 있어서 생긴 지명입니다.

3 경기도 이천시에 있는 (　　　　)은/는 옛날부터 도자기를 만드는 고장으로 유명했습니다.

4 강원도 강릉시에 있는 사임당로는 옛날 시인이자 화가인 신사임당의 이름에서 온 지명입니다. (○ , ×)

5 강원도 정선군에는 두 개의 시내가 어우러져 하나의 강이 되는 아우라지가 있습니다. 아우라지에는 너무 많이 내린 비 때문에 만나지 못했던 처녀와 총각의 이야기가 담긴 (민요 / 고사성어)가 전해져 오고 있습니다.

6  왼쪽 사진과 관련이 깊은 고사성어를 쓰시오.

(　　　　　　　　　　)

7 옛날부터 전해지는 것 중에서 잘 보존하여 다음 세대에 물려줄 만한 가치가 있는 것을 (　　　　)(이)라고 합니다.

8 건축물, 공예품, 그림 등 형태가 있는 문화유산을 (유형 / 무형) 문화유산이라고 합니다.

9 고장에는 여러 문화유산이 남아 있는데, 문화유산을 살펴보면 옛날 사람들의 생활 (　　　　)을/를 알 수 있습니다.

10 고장의 문화유산을 문화원 누리집을 통해 검색하면 문화유산을 조금 더 생생하게 체험할 수 있습니다. (○ , ×)

1 빈칸에 들어갈 알맞은 말을 쓰시오.

지하철역이나 버스 정류장 이름을 통해 고장의 옛날 모습을 알 수 있습니다. 그 안에 ☐☐☐☐이/가 담겨 있기 때문입니다.

_____

2 다음 이야기를 통해 알 수 있는 옛날의 생활 모습이나 고장의 특징을 쓰시오.

서울특별시 반포 대교 북쪽에는 서빙고라는 마을이 있습니다. 조선 시대 얼음을 저장하는 창고인 서빙고(西氷庫)가 있던 데서 유래한 이름입니다.

_____

3 고장의 옛이야기를 조사하는 방법으로 알맞은 것을 보기 에서 두 가지 골라 기호를 쓰시오.

보기
㉠ 고장의 시장 찾아가기
㉡ 디지털 영상 지도로 고장 살펴보기
㉢ 문화원 누리집에서 옛이야기 검색하기
㉣ 옛이야기와 관련된 장소에 직접 방문하기

_____

중요★

4 고장의 옛이야기를 조사할 때 가장 먼저 할 일로 알맞은 것은 어느 것입니까? ( )

① 조사 주제 정하기
② 조사 방법 정하기
③ 그림책으로 만들어 소개하기
④ 고장의 지명에 담긴 옛이야기 찾기
⑤ 문화원 누리집에서 검색하여 조사하기

5 빈칸에 들어갈 알맞은 말을 쓰시오.

잠실나루, 광나루, 여의나루 등 지하철역의 이름에는 공통적으로 '나루'라는 말이 들어갑니다. '나루'라는 말이 들어간 까닭은 배가 드나드는 ☐☐☐이/가 있었기 때문입니다.

_____

6 다음 고장에 어울리는 지명으로 알맞은 것은 어느 것입니까? ( )

① 마포
② 마이산
③ 조치원
④ 두물머리
⑤ 사임당로

7 고장마다 전해 오는 옛이야기의 종류를 보기 에서 두 가지 골라 기호를 쓰시오.

보기
㉠ 옛날 사람들이 즐겨 부른 민요
㉡ 입에서 입으로 전해 오는 전설
㉢ 생활의 지혜를 알 수 있는 조언
㉣ 고장의 유명한 사람이 남긴 명언

8 빈칸에 들어갈 알맞은 말을 쓰시오.

> 고장에는 옛날에 살았던 인물이나 일어났던 일과 관련된 옛이야기들도 전해 옵니다. 옛이야기를 통해 고장의 ☐☐와/과 옛 고장 사람들이 어떤 활동을 했는지 알 수 있습니다.

_____

9 다음 글에서 설명하는 축제를 통해 알 수 있는 역사는 무엇인지 쓰시오.

> 경상남도 진주시는 남강에서 매년 진주 남강 유등 축제를 열고 있습니다. 이것은 다양한 등을 강물에 띄우는 풍습이 이어진 것입니다.

_____

_____

10 우리 고장의 옛이야기를 조사하는 과정을 순서대로 기호를 쓰시오.

> ㉠ 조사 방법을 정한다.
> ㉡ 조사할 주제를 정한다.
> ㉢ 조사한 내용을 정리하여 소개한다.
> ㉣ 고장의 누리집이나 옛이야기 모음집 등을 활용하여 조사한다.

_____

중요

11 다음 중 나머지와 다른 종류의 문화유산은 어느 것입니까? (   )

① 놀이   ② 불상
③ 성당   ④ 그림
⑤ 공예품

중요

12 오래된 물건에 대한 설명으로 알맞지 않은 것은 어느 것입니까? (   )

① 옛날 고장의 사진을 통해 옛 모습을 알 수 있다.
② 고장을 그린 그림은 정확하지 않기 때문에 보존할 가치가 없다.
③ 숯다리미를 통해 옛날 사람들이 사용한 다리미의 형태를 알 수 있다.
④ 지금은 쉽게 볼 수 없는 물건은 미래 사람들에게 남길 만한 가치가 있다.
⑤ 국민학교가 있던 시절의 생활 통지표를 통해 초등학교의 역사를 알 수 있다.

13 밑줄 친 '이것'이 무엇인지 쓰시오.

> 옛날부터 전해지는 것 중에서 잘 보존하여 다음 세대에 물려줄 만한 가치가 있는 것을 이것이라고 합니다. 이것은 형태가 있고 없음에 따라 유형과 무형으로 나눌 수 있습니다.

_____

14 고장의 문화유산을 통해 알 수 있는 것에 대한 내용으로 알맞은 것을 보기 에서 두 가지 골라 기호를 쓰시오.

> 보기
> ㉠ 불상을 보면 옛날에는 불교를 중요시하지 않았다는 것을 알 수 있다.
> ㉡ 효자비를 통해 옛날에는 말을 기르는 것을 중시했다는 것을 알 수 있다.
> ㉢ 우물을 보면 옛날 사람들은 마을 우물에서 물을 길어다가 마셨다는 것을 알 수 있다.
> ㉣ 돌다리를 보면 옛날 사람들이 강을 건너기 위해 돌다리를 만들었다는 것을 알 수 있다.

_____

15 고장의 문화유산을 조사하려고 할 때, 알아봐야 할 내용으로 알맞지 <u>않은</u> 것은 어느 것입니까? ( )

① 문화유산의 특징을 알아봐야 한다.
② 문화유산을 만든 까닭을 찾아봐야 한다.
③ 문화유산이 만들어진 시기를 알아야 한다.
④ 문화유산을 지키기 위한 노력을 해야 한다.
⑤ 문화유산과 관련된 이야기를 조사해야 한다.

16 문화유산을 조사하는 방법 중에서 아래의 방법을 사용할 때의 주의점에는 무엇이 있는지 쓰시오.

> 문화유산을 조사하기 위해 누리집을 활용할 수 있습니다. 누리집을 활용하면 직접 문화유산을 답사하지 않아도 다양한 정보를 편리하게 찾을 수 있습니다.

_____

_____

17 고장의 문화유산을 직접 답사하려고 할 때, 미리 준비해야 할 내용으로 알맞지 <u>않은</u> 것은 어느 것입니까? ( )

① 답사할 문화유산을 정한다.
② 누구와 함께 답사할지 의논한다.
③ 답사한 내용을 어떻게 정리할지 생각한다.
④ 더 알고 싶은 내용은 무엇인지 이야기한다.
⑤ 문화유산이 없는 지역은 어디인지 조사한다.

18 다음 질문에 알맞은 답을 쓰시오.

> 고장의 문화유산을 직접 찾아가 보고 느끼는 것을 답사라고 합니다. 답사를 하면 고장의 문화원 누리집으로 검색하는 것보다 어떤 점이 좋을까요?

_____

_____

19 빈칸에 들어갈 알맞은 말을 쓰시오.

> 우리 고장의 문화유산을 홍보하는 자료를 만들면, 고장의 문화유산을 보호하고 널리 알리는 노력을 하면서 고장에 대한 ☐☐☐을/를 기를 수 있습니다.

_____

_____

중요★
20 고장의 문화유산을 조사하는 방법에 대한 설명으로 알맞은 것은 어느 것입니까? ( )

① 문화유산은 고장의 문화원 누리집에서만 검색할 수 있다.
② 답사 중에는 내용을 기록하기보다 해설사의 설명에 집중한다.
③ 답사를 가기 전에 문화유산에 대해 이미 알고 있는 점을 떠올려 본다.
④ 문화유산은 이미 유명한 것이므로 따로 홍보 자료를 만들 필요가 없다.
⑤ 문화유산 소개 영상을 만들 때는 예상 밖의 일이 많이 생기므로 구체적인 계획은 세우지 않는다.

[1-3] 다음 사진을 보고 물음에 답하시오.

ㄱ 쌍우물

ㄴ 삼성혈

ㄷ 탄금대

ㄹ 마포

1 ㄱ에 얽힌 옛이야기를 통해 알 수 있는 옛날 사람들의 모습을 서술하시오.

_____

_____

2 ㄴ에 얽힌 전설을 통해 알 수 있는 옛날 사람들이 중시한 것이 무엇인지 쓰고, 그 이유를 서술하시오.

_____

_____

3 ㄱ~ㄹ 중, 역사적 인물과 관련이 있는 곳을 찾아 기호를 쓰고, 어떤 이야기가 전해지는지 서술하시오.

_____

_____

[4-6] 승희네 모둠 친구들이 만든 달력을 보고 물음에 답하시오.

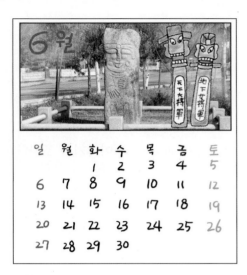

일	월	화	수	목	금	토
		1	2	3	4	5
6	7	8	9	10	11	12
13	14	15	16	17	18	19
20	21	22	23	24	25	26
27	28	29	30			

4 사진 속 문화유산이 유형 문화유산인지 무형 문화유산인지 쓰고, 그 이유를 서술하시오.

_____

_____

5 사진 속 문화유산이 옛날에 어떤 역할을 했는지 서술하시오.

_____

_____

6 이러한 문화유산을 통해 무엇을 알 수 있는지 서술하시오.

_____

_____

3. 교통과 통신수단의 변화

사 회를
이 해하고
다 함께
탐구하자!

공부 계획표

• 자신의 일정에 맞게 계획을 세워 보고, 실제 학습일을 적어 봅시다.
• 학습을 마무리한 후 얼마나 학습 목표를 달성했는지 스스로 점검해 봅시다.

우리는 타임머신을 타고 전래 동화 세계로 떠났어요. 견우와 직녀를 만날 수 있게 해 줄 교통수단과 통신수단을 찾아볼까요?

활동 풀이

📍 교과서 **97~98**쪽

사회랑 놀아요 **두 사람을 연결해 줄 물건을 찾아보자!**

? 찾아낸 교통과 통신수단을 견우와 직녀가 어떻게 사용할 수 있는지 이야기해 봅시다.

도움 그림에 나타난 교통과 통신 수단을 이용해 견우와 직녀 가 만날 수 있는 방법을 생 각해 보아요.

예 • 배를 타거나 전화를 걸 수 있습니다.
　 • 비행기를 타거나 편지를 쓸 수 있습니다.

📍 교과서 **99**쪽

이 단원에서 나는

교통수단의 변화 ○ ━ ○ 과정을 ○ ━ ○ 설명하고 싶어요.

통신수단의 변화 ○ ━ ○ 영향을 ○ ━ ○ 탐구하고 싶어요.

○ 비교하고 싶어요.

도움 제시된 낱말을 연결해 나만 의 학습 계획을 세워 보아요.

예 • 교통수단의 변화 과정을 설명하고 싶어요.
　 • 통신수단의 변화 영향을 탐구하고 싶어요.

미리 맛보는
교과서 흐름

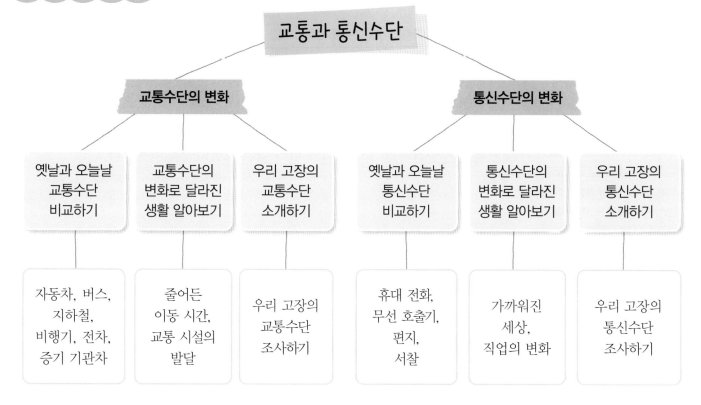

🌸 옛날과 오늘날의 교통수단을 비교하고, 교통수단의 변화로 달라진 생활 모습을 알 수 있어요.
🌸 옛날과 오늘날의 통신수단을 비교하고, 통신수단의 변화로 달라진 생활 모습을 알 수 있어요.

미리 맛보는
핵심 용어

❶
교(交) **통**(通) **수**(手) **단**(段)
사귈 교　통할 통　손 수　구분 단

❶ 사람이 이동하거나 짐을 옮길 때 사용하는 수단으로 버스, 지하철, 자동차, 배, 비행기 등이 있습니다.

❷
통(通) **신**(信) **수**(手) **단**(段)
통할 통　믿을 신　손 수　구분 단

❷ 소식을 전하거나 정보를 주고받을 때 사용하는 수단으로 편지, 전화기, 누리 소통망 서비스 등이 있습니다.

❸
생(生) **활**(活) **모** **습**
날 생　살 활

❸ 우리가 살아가고 있는 모습으로, 과학 기술의 발달 등으로 계속 변화하고 있습니다.

생활 속 사회

이동할 때 무엇을 타고 다니나요?

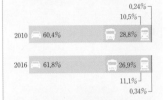
❶ 교통수단의 의미와 특징

(1) 교통수단: 사람들이 이동하거나 물건을 멀리 옮길 때 사용하는 것이다.

(2) 교통수단의 특징

① 이동하는 목적과 거리에 따라 이용하는 교통수단이 다르다.

② 옮기는 물건의 종류와 크기에 따라 다른 교통수단을 이용한다.

❷ 오늘날 사람들이 이용하는 교통수단 속 시원한 활동 풀이

	**자동차:** 도로를 이용해 이동할 수 있는 교통수단으로, 운전을 하여 ❶목적지까지 빠르고 쉽게 도착할 수 있음. 보충 ❶
	**비행기:** 하늘에서 이동할 수 있는 교통수단으로, 해외에 갈 때 주로 이용함. 편하고 빠르게 다른 나라에 도착할 수 있음.
	**버스:** 버스 정류장에서 버스를 탈 수 있으며, 안전하게 많은 사람을 이동시켜 줌.
	**지하철:** 땅 밑으로 다니는 교통수단으로, 주로 큰 도시에 있음. 지하철역을 이용해 탈 수 있으며 ❷교통 체증이 발생하지 않음. 보충 ❷
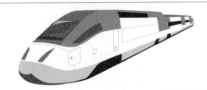	**고속 열차:** 다른 도시로 멀리 이동할 때 사용하는 교통수단으로, 교통 체증 없이 정확한 시간에 목적지까지 사람이나 물건을 이동시켜 줌.
	**배:** 강이나 바다를 통해 이동하며 사람이나 큰 물건을 이동시켜 줌. 주로 섬에 가기 위해 ❸항구에서 배를 타고 이동함.
	**자전거:** 가까운 거리를 이동할 때 주로 사용하며 사람의 힘으로 움직이는 교통수단임.

다음 사례들을 참고하여 우리 가족들은 다른 장소로 이동할 때 무엇을 이용하는지 말해 봅시다.

자전거를 타고 출근하는 아버지

걸어서 도서관에 가는 누나

스쿠터를 타고 퇴근하는 엄마

예 • 아버지는 지하철을 타고 회사에 출근하십니다. 차가 막히지 않아 늦지 않게 회사에 도착할 수 있다고 하셨습니다.
• 엄마는 비행기를 타고 제주도 여행을 다녀오셨습니다. 제주도까지 빠르고 편하게 갈 수 있어서 좋다고 하셨습니다.
• 친구들과 자전거를 타고 가까운 공원에 갔습니다. 가까운 거리는 자동차보다 자전거를 타고 가는 것이 더 편리하고 좋은 것 같습니다.

확인 톡! 톡!

정답과 해설 12쪽

1 사람들이 이동하거나 물건을 멀리 옮길 때 사용하는 것이 무엇인지 쓰시오.

(   )

2 서로 관련 있는 내용끼리 바르게 선으로 연결하시오.

(1) 배 •

(2) 비행기 •

(3) 기차, 자동차 •

• ㉠ 땅으로 다니는 교통수단

• ㉡ 하늘로 다니는 교통수단

• ㉢ 강이나 바다로 다니는 교통수단

3 교통수단에 대한 설명으로 알맞은 것을 보기에서 **두 가지** 골라 기호를 쓰시오.

보기

㉠ 교통수단에는 자동차, 비행기 등이 있습니다.
㉡ 이동하는 거리에 상관없이 항상 같은 교통수단을 이용합니다.
㉢ 물건을 옮길 때 종류와 크기에 따라 다른 교통수단을 이용합니다.

(   )

옛날에는 무엇을 타고 다녔을까요?

보충 ❶

◉ **버스 안내양**
사람들이 안전하게 버스를 타고 내리도록 도와주면서 버스 요금을 받았다.

보충 ❷

◉ **신분에 따라 이용한 교통수단**
옛날에는 신분이 낮은 사람들은 말을 구하기가 어려웠고, 가마는 다른 사람들이 직접 들도록 해야 했기 때문에 신분이 높은 사람들만 말이나 가마를 탈 수 있었다.

❶ 주변 어른들이 이용했던 교통수단 🔍속 시원한 활동 풀이

전차	증기 기관차	자동차	버스

전기의 힘으로 땅 위를 달리는 교통수단으로, 여러 사람이 함께 탈 수 있음.	뜨거운 ❶증기의 힘으로 달리는 기관차로, 지금은 박물관에서 볼 수 있음.	우리나라에서 처음으로 만든 자동차로, 당시에는 자동차를 이용하기 어려웠음.	버스에서 손님을 안내하는 안내양이 있었지만 현재는 사라졌음. 보충 ❶

내용➕ 과학과 기술이 발전하면서 새로운 교통수단이 만들어지면 이전의 교통수단은 바뀌거나 사라지기도 한다.

❷ 먼 옛날 사람들이 이용했던 교통수단

자연의 힘을 이용한 교통수단	• 돛단배, ❷뗏목 등 • 바람이나 물의 흐름을 이용하기 때문에 이동이 편리하고 많은 물건을 쉽고 빠르게 옮길 수 있음.
동물의 힘을 이용한 교통수단	• 말, 소❸달구지 등 • 말을 타면 걸어가는 것보다 빨리 이동할 수 있고, 소달구지를 이용하면 무거운 짐을 나르기 쉬움.
사람의 힘을 이용한 교통수단	• 가마, 지게 등 보충 ❷ • 가마에 탄 사람은 먼 거리를 편하게 이동할 수 있고, 지게를 이용하면 물건을 편리하게 옮길 수 있음.

내용➕ 가마는 주로 신분이 높은 사람들이 이용했던 탈것으로, 옛날에는 신분에 따라 이용한 교통수단이 달랐음을 알 수 있다.

❸ 옛날과 오늘날의 교통수단 비교

(1) **공통점:** 사람들이 다른 곳으로 이동하거나 물건을 옮길 때 이용한다.
(2) **차이점** 🔍속 시원한 활동 풀이
① 옛날에는 주로 사람이 물건을 직접 들거나, 소와 같은 동물의 힘을 이용했지만 오늘날에는 기계의 힘을 이용한다.
② 옛날보다 오늘날의 교통수단이 더 빠르고 편리하다.

용어 사전

❶ **증기:** 기체 상태로 되어 있는 물을 뜻한다.
❷ **뗏목:** 통나무를 떼로 가지런히 엮어서 물에 띄워 사람이나 물건을 운반할 수 있도록 만든 것이다.
❸ **달구지:** 소나 말이 끄는 짐수레를 뜻한다.

주변 어른들이 이용했던 옛날 교통수단을 조사하여 발표해 봅시다.

예 누가	예 옛날 교통수단	예 오늘날 교통수단과 다른 점
아빠	통일호	고속 열차에 비해 속도가 느렸고, 길이도 짧았습니다.
엄마	지하철	지하철역이 많지 않아 지하철을 자주 이용하기 어려웠습니다.
할아버지	전차	지하철과 달리 땅 위로만 다녔습니다.
할머니	증기 기관차	오늘날 기차보다 소음이 심했고, 환경을 많이 오염시켰습니다.

옛날과 오늘날의 교통수단을 비교하여 무엇이 다른지 써 봅시다.

옛날	예 • 사람이 직접 물건을 들거나, 동물의 힘을 이용했다. • 힘이 많이 들고, 시간이 오래 걸렸다.
오늘날	예 • 기계의 힘을 이용하고, 교통수단이 다양해졌다. • 힘이 적게 들고, 빠르고 편하게 이동할 수 있다.

잠깐! 확인해요

옛날에는 동물이나 자연의 힘을 이용해 물건을 옮겼습니다. (○ , ✕)　　　　　(○)

 **확인 톡! 톡!**

🔍 정답과 해설 12쪽

1 서로 관련 있는 내용끼리 바르게 선으로 연결하시오.

(1) ［ 가마 ］ •　　　　　• ㉠ ［ 동물을 이용한 교통수단 ］

(2) ［ 말, 소달구지 ］ •　　　　　• ㉡ ［ 사람이 직접 들어서 이동했던 교통수단 ］

2 내용이 맞으면 ○표, 틀리면 ✕표를 선택하시오.

(1) 과학과 기술이 발전하면서 새로운 교통수단이 만들어졌습니다. (○ , ✕)

(2) 먼 옛날 신분이 높은 사람들은 말이나 가마를 이용하여 이동했습니다. (○ , ✕)

교통수단의 변화로 달라진 생활은 무엇일까요?

❶ 교통수단의 변화로 줄어든 이동 시간

| 예 **서울에서 부산까지** | • 도보: 약 30일 • 말: 약 3일 • 자동차: 약 5시간 |
| | • 고속 열차: 약 2시간 40분 • 비행기: 약 1시간 |

• 옛날에는 걸어가거나 말을 타고 갔지만 오늘날에는 자동차, 고속 열차, 비행기를 타고 감.
• 새로운 교통수단의 등장으로 이동 시간이 크게 줄었음. 🏃 속 시원한 **활동 풀이**

❷ 교통수단과 관련된 시설의 발달

(1) **교통수단과 관련된 시설** 🏃 속 시원한 **활동 풀이**

자동차	고속 도로, 주유소, 휴게소, 주차장 등
기차	기차역, 철도, 터널, 다리 등 보충 ❶
버스	버스 정류장, 버스 터미널 등
비행기	공항, 비행장, ❶항공관제탑 등 보충 ❷
배	항구, 여객선 터미널, ❷부두 등

(2) **교통 시설의 발달로 달라진 생활 모습**
① 언제든지 원하는 곳으로 빠르고 쉽게 이동할 수 있다.
② 자신이 원하는 교통수단과 교통 시설을 선택할 수 있다.
③ 새로운 교통 시설을 중심으로 사람이 많아지고, 여러 가게들도 늘어나 큰 도시가 만들어지기도 한다.

❸ 교통수단의 변화가 우리 생활에 미친 영향 🏃 속 시원한 **활동 풀이**

(1) **교통수단의 변화로 편리해진 생활**
① 비행기, 배(화물선), 자동차와 같은 교통수단을 이용해 다른 고장이나 다른 나라에서 만들어진 물건을 쉽게 구할 수 있다.
② 택배를 이용하면 인터넷으로 주문한 물건을 빠르게 받아볼 수 있다.

(2) **교통수단의 변화에 영향을 받은 직업**
① 새로운 교통수단의 등장으로 생겨난 직업: 버스 운전기사, 자동차 정비원 등
② 새로운 교통수단의 등장으로 사라진 직업: ❸뱃사공, ❹인력거꾼 등

내용 새로운 교통수단의 등장으로 옛날 교통수단이 사라지면서 뱃사공, 인력거꾼 등의 직업이 사라졌다.

 스스로 활동

교통수단의 변화로 달라진 사람들의 생활 모습을 이야기해 봅시다.

예 • 새로운 교통수단이 등장하면서 다른 곳으로 더 빨리 이동할 수 있게 되었습니다.
• 새로운 교통수단을 이용해서 여가 생활을 즐기기도 합니다.
• 많은 사람과 무거운 짐도 한꺼번에 옮길 수 있게 되었습니다.

스스로 활동

교통수단의 변화로 새롭게 나타난 시설에 무엇이 더 있는지 생각해 봅시다.

예 • 새로운 지하철역이 생겨서 다른 지역으로 갈 수 있는 방법이 다양해졌습니다.
• 집 근처에 주유소가 새로 생겨서 아빠가 주유를 하기 위해 멀리 가지 않아도 됩니다.
• 전동 킥보드 충전소가 새로 생겨서 전동 킥보드를 타다가 언제든지 거리에서 충전할 수 있습니다.

스스로 활동

교통수단의 변화로 우리 생활에 새롭게 나타난 문제점은 없는지 생각해 봅시다.

예 • 자동차, 버스, 지하철 등의 교통수단이 늘어나면서 교통사고가 더 많아진 것 같습니다.
• 교통수단의 변화로 사라지는 직업이 생기면 일자리를 잃는 사람들이 생길 것 같습니다.
• 새로운 교통수단이나 교통 시설이 생기더라도 그것을 이용하기 힘든 고장이 많은 것 같습니다.

잠깐! 확인해요

새로운 교통수단으로 ☐☐ 시간이 크게 줄어들었다. (이동)

 확인 톡! 톡!

📍 정답과 해설 12쪽

1 다양한 교통수단이 발달하면서 만들어진 도로, 철도, 기차역, 버스 터미널 등이 무엇인지 쓰시오.

( )

2 내용이 맞으면 ○표, 틀리면 ×표를 선택하시오.

(1) 교통수단의 발달로 다른 지역으로 이동할 수 있는 방법이 다양해졌습니다. (○ , ×)
(2) 새로운 교통 시설을 중심으로 여러 가게들이 생겨나기도 했습니다. (○ , ×)
(3) 다양한 교통 시설이 생겨서 우리의 생활은 이전보다 많이 불편해졌습니다. (○ , ×)

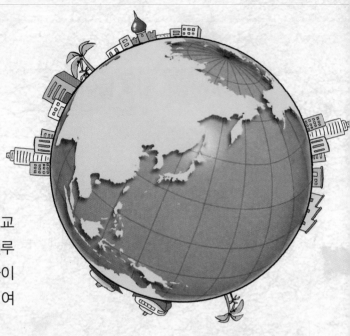

여러 나라의 특별한 교통수단

각 나라마다 나라의 환경에 따라 그곳에서만 볼 수 있는 특별한 교통수단이 있습니다. 이탈리아의 곤돌라, 홍콩의 트램, 이집트의 펠루카, 태국의 툭툭, 필리핀의 지프니 등이 대표적입니다. 현지인들이 많이 이용할뿐만 아니라 그 나라에만 있는 교통수단이기 때문에 여행을 온 많은 관광객이 이용해 보기도 합니다.

이탈리아의 곤돌라

곤돌라는 물의 도시라고 불리는 이탈리아의 베니스에서 이용하는 교통수단입니다. 곤돌라는 이탈리아 말로 '흔들리다'라는 뜻을 가졌고, 옛날의 배 모양을 본떠서 만들어졌습니다. 이탈리아를 찾는 많은 관광객들은 곤돌라를 이용하여 베니스 곳곳을 관광하기도 합니다.

홍콩의 트램

트램은 도로 위에 만든 레일 위를 달리는 전차입니다. 홍콩, 프랑스, 독일 등의 여러 나라에서 볼 수 있으며, 특히 홍콩의 트램은 2층으로 되어 있다는 점에서 특별합니다. 100년이 넘은 역사를 자랑하는 홍콩의 트램은 홍콩을 대표하는 교통수단입니다.

이집트의 펠루카

펠루카는 삼각형의 돛을 달고 바람의 힘을 이용해 이동하는 돛단배입니다. 펠루카는 나일강이 흐르는 이집트 지역에서 이직까지 교통수단으로 활발히 이용되고 있습니다. 최근에는 이집트에서 나일강을 유람하는 관광객들에게 인기가 있습니다.

태국의 툭툭

바퀴가 세 개 달린 오토바이인 툭툭은 태국에서 택시로 많이 이용됩니다. 일반 택시와 달리 이용하기 전에 미리 운전사에게 목적지를 말하고 요금을 정한 후에 이용합니다.
최근에는 자율 주행이 가능한 툭툭이 개발되고 있으며, 공기 오염을 줄이기 위해 전기로 충전하는 툭툭도 만들어지고 있습니다.

필리핀의 지프니

지프니는 미국에서 군사용으로 개발한 소형 자동차인 지프의 뒷면을 늘려 여러 명의 승객이 탈 수 있는 자리를 만든 차량입니다. 자동차 전체에 화려한 색이 칠해져 있고, 자동차 앞에 다양한 장식을 해 꾸민 것이 특징입니다.
지프니는 필리핀의 대표적인 교통수단으로, 여전히 많은 사람들이 이용하고 있습니다.

탐구해요 우리 고장에는 어떤 교통수단이 있을까요?

1 교통수단의 변화에 따른 고장의 변화

옛날	오늘날
강화도는 섬이기 때문에 바다를 건너기 위해 배를 타고 이동했음.	강화 대교가 생긴 이후 자동차를 타고 쉽게 오갈 수 있게 됨. 보충 ❶

2 고장의 환경에 따른 교통수단의 모습 속 시원한 활동 풀이

고장의 환경	교통수단		특징
농사를 짓는 고장	경운기		사람이 이동하거나 ❶농작물을 옮길 때, 밭을 갈 때 이용함.
	사륜 오토바이		험한 길을 다닐 때나 간단한 짐을 실어 나를 때 이용함.
바다가 있는 고장	갯배		얕은 바다나 강을 건널 때 이용하는 배로, 강원도 속초에서 볼 수 있는 교통수단임. 보충 ❷
	뻘배		갯벌에서 일할 때 주로 이용하는 배로, 나무로 만든 작은 배 형태임. 보충 ❸
산이 많은 고장	산악용 궤도차		길이 없는 험한 산에서 이동할 때 이용함.
	모노레일		가파른 길을 오르내리거나 높은 언덕에 있는 농작물을 수확해 옮길 때 이용함.
도시	경사용 승강기		높은 계단을 오르내리기 어려운 사람들이 이용함.
	자전거 무인 대여		자전거를 타고 싶을 때 언제든지 자전거를 빌릴 수 있음.

우리 고장에서 볼 수 있는 교통수단이나 최근에 만들어진 교통 시설을 찾아봅시다.

예 우리 고장의 환경	예 고장의 교통수단 또는 교통 시설
산이 많습니다.	높은 산이 많고 길이 험하기 때문에 케이블카로 산을 오르내립니다.
대중교통을 이용하는 사람들이 많습니다.	2층 버스와 버스를 갈아탈 수 있는 환승 시설이 새로 생겼습니다.
다른 고장에서 많은 사람들이 방문합니다.	철도 위를 달릴 수 있는 자전거인 레일 바이크가 생겨 많은 관광객들이 이용하고 있습니다.

잠깐! 확인해요

고장의 ☐☐에 따라 다른 교통수단을 이용하기도 합니다.　　　　　(　　　환경　　　)

📍 정답과 해설 12쪽

1　바다가 있는 고장에서 이용하는 교통수단 중 얕은 바다나 강을 건널 때 이용하는 배가 무엇인지 쓰시오.

（　　　　　　　　　）

2　서로 관련 있는 내용끼리 바르게 선으로 연결하시오.

(1) 산이 많은 고장 ・　　　・㉠ 갯배, 뗏배, 여객선, 유람선 등

(2) 농사를 짓는 고장 ・　　　・㉡ 경운기, 사륜 오토바이, 트랙터 등

(3) 바다가 있는 고장 ・　　　・㉢ 산악용 궤도차, 모노레일, 케이블카 등

3　고장의 다양한 교통수단에 대한 설명으로 알맞지 않은 것을 보기 에서 골라 기호를 쓰시오.

보기

㉠ 고장의 환경에 따라 다양한 교통수단이 있습니다.
㉡ 다리는 육지와 섬을 연결해 주는 교통 시설입니다.
㉢ 경운기는 사람이 이동하거나 농작물을 옮길 때 이용합니다.
㉣ 산악용 궤도차는 논이나 밭과 같은 평평한 땅에서 이용하는 교통수단입니다.

（　　　　　　　　　）

미래의 교통수단을 상상해 볼까요?

❶ 미래의 교통수단 상상하기

(1) 오늘날 교통수단의 문제점과 개선해야 할 점

① 환경 오염을 줄일 수 있는 교통수단이 필요하다. 보충❶
② 교통사고를 ❶예방할 수 있는 교통수단이 필요하다.
③ 길이 막히는 문제를 해결할 수 있는 교통수단이 필요하다.
④ 몸이 불편한 사람들도 스스로 운전할 수 있는 교통수단이 필요하다.

(2) 우리에게 필요한 미래의 교통수단

날개 달린 자동차	로봇형 이동 수단

하늘을 자유롭게 다닐 수 있어 길이 막히는 문제를 해결할 수 있음.	몸이 불편한 사람이 편하게 걸을 수 있도록 도와줄 수 있음.
❷자율 주행 자동차	❸초고속 열차 보충❷

• 운전자가 목적지만 설정하면 스스로 움직여 편하게 도착할 수 있음. • 운전에 서툴거나 졸음운전으로 인해 생기는 사고를 막을 수 있음.	• 고속 열차와 비행기보다 더 빨라서 이동하는 시간을 줄일 수 있음. • 자동차 이용이 줄어들어 환경 오염을 줄일 수 있음.

❷ 미래의 교통수단 표현하기 _{속 시원한} 활동 풀이

❶ 새롭게 만들고 싶은 미래의 교통수단과 그 까닭을 생각한다.
❷ 교통수단의 좋은 점이 잘 드러나는 이름을 정한다.
❸ 교통수단의 모습을 그리거나, 모형으로 만든다.
❹ 상상한 교통수단에 대한 설명 글을 쓰고, 친구들에게 소개한다.

새롭게 만들고 싶은 미래의 교통수단	**예** 크기 조정 가능 자동차
만들고 싶은 까닭	**예** 자동차의 크기가 줄어들면 주차 공간 부족 문제를 해결할 수 있기 때문입니다.
미래의 교통수단 모습	**예** 
미래의 교통수단의 특징	**예** • 원하는 크기만큼 줄였다가 다시 원래 크기로 키울 수 있습니다. • 주차장에 주차를 하지 않고, 가방이나 주머니에 넣어 다닐 수 있습니다. • 스스로 운전을 해서 목적지까지 데려다줄 수 있습니다.

정답과 해설 12쪽

1 서로 관련 있는 내용끼리 바르게 선으로 연결하시오.

(1) 환경 오염 문제 •　　　　　• ㉠ 공기를 정화할 수 있는 자동차

(2) 길이 막히는 문제 •　　　　　• ㉡ 바다와 하늘을 동시에 다닐 수 있는 자동차

2 다음 내용에서 알맞은 말에 ○표 하시오.

미래의 교통수단으로 사람들의 생활은 더욱 (편리 / 불편)해 질 것입니다.

● '교통수단의 변화로 달라진 생활'에서 배운 내용을 떠올리며 아래 교통수단 중 두 가지를 골라 옛날과 오늘날의 교통수단을 비교하는 글을 써 봅시다.

예 옛날에는 신분이 높은 사람들만 가마를 탈 수 있었지만, 오늘날에는 누구나 자동차를 이용해서 가고 싶은 곳에 갈 수 있어요.

예 옛날에는 말을 타고 먼 거리를 이동했지만, 오늘날에는 비행기를 탑니다.

도움 내가 이용해 보았던 교통수단을 떠올리며 옛날의 교통수단과 비교해 보아요.

🍓 핵심 꿀꺽 질문 ❓

옛날의 교통수단 중 가장 기억에 남는 것은 무엇인가요?

옛날과 오늘날의 교통수단은 어떻게 다른가요?

교통수단의 변화로 달라진 생활 모습 중 가장 기억에 남는 것은 무엇인가요?

1 빈칸에 들어갈 알맞은 말을 쓰시오.

> 사람들이 ☐☐하거나 물건을 멀리 옮길 때 사용하는 것을 교통수단이라고 합니다.

_____

2 다음 대화에서 하빈이네 가족이 제주도에 가기 위해 이용한 교통수단을 순서대로 쓰시오.

> **아빠:** 집에서 공항까지는 직접 운전해서 (㉠)(으)로 이동해요.
> **하빈:** 그럼 공항에 가서 (㉡)(으)로 제주도까지 이동하는 건가요?
> **엄마:** 그렇단다. 돌아올 때는 항구에서 (㉢)을/를 타고 집으로 돌아올 계획이란다.

_____

중요

3 옛날의 교통수단에 대한 설명으로 알맞은 것은 어느 것입니까? ( )

① 속도가 아주 빠르다.
② 기계의 힘을 주로 이용한다.
③ 동물이나 자연의 힘을 주로 이용한다.
④ 많은 사람을 동시에 이동시킬 수 있다.
⑤ 정확한 시간에 맞춰 목적지까지 도착할 수 있다.

4 다음에서 설명하는 옛날의 교통수단이 무엇인지 쓰시오.

> 통나무를 엮어 만든 배로 주로 하천을 이동할 때 이용한 배입니다. 특히 강물의 흐름을 이용하면 이동이 편리했습니다.

_____

5 먼 거리를 이동하여 많은 짐을 옮기는 배로 알맞은 것은 어느 것입니까? ( )

① 군함
② 화물선
③ 여객선
④ 쾌속선
⑤ 유조선

6 가까운 동네의 영화관을 갈 때 사용하기에 알맞은 교통수단을 보기 에서 두 가지 골라 기호를 쓰시오.

> **보기**
> ㉠ 자전거 ㉡ 비행기
> ㉢ 자동차 ㉣ 고속 열차

7 빈칸에 들어갈 알맞은 말을 각각 쓰시오.

> 지민: 옛날보다 지금의 교통수단이 더욱 다양해지고 많아졌네요.
>
> 엄마: ☐☐와/과 ☐☐이/가 발전하면서 새로운 교통수단이 만들어졌기 때문이란다.

8 오늘날의 교통수단에 대해 알맞지 않은 설명을 한 학생을 찾고, 그 내용을 고치시오.

> 지현: 먼 곳을 빠르게 이동할 수 있어.
>
> 윤지: 한번에 많은 물건을 쉽게 옮길 수 있어.
>
> 철수: 오늘날에는 옛날보다 다양한 교통수단이 발달했어.
>
> 혜민: 돛단배를 타고 제주도에 더 빨리 갈 수 있게 되었어.

중요

9 교통수단의 변화로 달라진 생활 모습으로 알맞지 않은 것은 어느 것입니까? (   )

① 비행기를 타고 해외로 나갈 수 있다.

② 버스를 타고 체험 학습을 갈 수 있다.

③ 서울에서 부산까지 가는 시간이 줄었다.

④ 무겁고 많은 짐을 한꺼번에 배로 옮길 수 있게 되었다.

⑤ 사람들이 동물이나 자연의 힘을 이용하여 이동하게 되었다.

10 다음에서 설명하는 교통 시설이 무엇인지 쓰시오.

> 비행기를 타기 위해 가는 곳입니다. 비행기를 이용하는 사람들이 많아지면서 이곳에 가기 위한 전용 도로나 지하철이 생겨났습니다. 사람들은 이곳 주변에 생긴 많은 가게를 편리하게 이용하기도 합니다.

11 자동차와 관련된 교통 시설로 알맞지 않은 것은 어느 것입니까? (   )

① 도로　　　　　② 터널

③ 항구　　　　　④ 주유소

⑤ 휴게소

중요

12 바다가 있는 고장에서 주로 볼 수 있는 교통수단을 보기 에서 두 가지 골라 기호를 쓰시오.

> 보기
>
> ㉠ 갯벌에서 이용하는 뻘배
>
> ㉡ 얕은 바다나 강을 이동하는 갯배
>
> ㉢ 언덕 꼭대기에 오르기 위한 모노레일
>
> ㉣ 길이 없는 산을 가기 위한 산악용 궤도차

13 빈칸에 들어갈 미래의 교통수단으로 알맞은 것은 어느 것입니까? (   )

(   )은/는 사람이 운전하지 않아도 스스로 움직이는 자동차입니다. 운전이 서툴거나 졸음운전으로 인해 생기는 사고를 막을 수 있습니다.

① 수소 자동차　　　② 전기 자동차
③ 초고속 열차　　　④ 자율 주행 자동차
⑤ 하늘을 나는 사동차

14 다음 편지를 통해 알 수 있는 교통수단의 특징을 쓰시오.

준현이에게
준현아 건강히 잘 지내니? 나는 새롭게 이사간 고장에서 건강히 잘 지내고 있단다. 우리 고장에서는 이전에 내가 살던 도시와 다르게 경운기와 사륜 오토바이를 자주 볼 수 있어. 어른들께서 농작물이나 짐을 옮길 때 사용하신단다.   – 지우가 –

_____

_____

🌟중요

15 오늘날 발생하고 있는 교통수단의 문제점으로 알맞은 것은 어느 것입니까? (   )

① 자동차로 인해 환경이 많이 오염되었다.
② 동물의 힘을 이용해 무거운 짐을 옮긴다.
③ 기차는 신분이 높은 사람만 이용할 수 있다.
④ 다른 고장을 갈 때 이용할 교통수단이 적다.
⑤ 자동차나 배는 매연을 내뿜지 않아 환경이 오염되지 않는다.

워드 클라우드와 함께하는 **서술형 문제**

[16-17] 워드 클라우드의 단어를 이용하여 서술형 문제의 답을 쓰시오.

16 다음 직업들이 사라지게 된 이유를 서술하시오.

▲ 뱃사공　　　　　▲ 인력거꾼

_____

_____

17 다음 사진과 같이 교통수단의 발달로 달라진 생활 모습을 두 가지 서술하시오.

_____

_____

전국 무인 공공 자전거

자전거는 사람의 힘을 이용하여 움직이기 때문에 환경을 오염시키지 않고 운동도 되는 훌륭한 교통수단입니다. 최근 여러 고장에서 무인 공공 자전거 서비스를 실시하고 있습니다. 이 서비스는 2008년 경상남도 창원시에서 최초로 실시한 이후에 서울, 수원, 세종, 대전 등 전국적으로 크게 확대되었습니다. 사용 요금을 내면 일정한 시간 동안 자전거를 빌려서 탈 수 있고, 고장 곳곳에 있는 보관소에 반납할 수 있어서 매우 편리합니다.

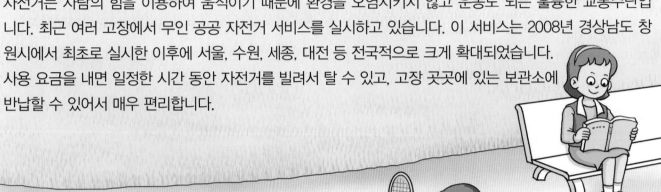

고양시 피프틴

서울 따릉이

안산시 페달로

수원시 반디클

대전시 타슈

세종시 어울링

거창시 그린씽

공주시 공공 자전거

영천시 별타고

동해 울릉도

광주시 타랑께

독도

양산시 공공 자전거

순천시 온누리 자전거

창원시 누비자

여수시 여수랑

0   100 km

▲ 전국 공공 자전거 지도

서울의 따릉이

자전거를 탈 때 울리는 벨 소리에서 이름을 따왔습니다. 따릉이 전용 애플리케이션으로 쉽고 편하게 이용할 수 있습니다.

대전의 타슈

충청도 고유의 사투리로 '타세요'라는 의미를 담아 자전거 이름을 지었습니다.

세종의 어울링

깨끗하고 행복한 세종에서 시민들이 어울려 타자는 의미로 이름을 지었습니다.

광주의 타랑께

전라도 사투리인 '타라니까'에서 따온 이름입니다.

창원의 누비자

자전거를 타고 창원의 여러 곳을 누비자는 의미로 이름을 지었습니다.

무엇으로 소식을 주고받나요?

❶ 통신수단의 의미와 특징

(1) 통신수단

① 사람들이 일상생활에서 소식을 주고받거나 정보를 전달할 때 사용하는 방법이나 도구들을 의미한다.

② 사람들은 필요에 따라 다양한 통신수단을 이용한다.

③ 휴대 전화, 편지, 전자 우편 등이 있다.

(2) 통신수단의 특징

① 한번에 많은 정보를 주고받을 수 있다.

② 여러 사람과 동시에 연락을 주고받을 수 있으며, ❶실시간으로 소식을 전하거나 정보를 ❷공유할 수 있다.

③ 오늘날에는 휴대 전화와 같은 통신 기계 하나로 소식을 주고받을 수 있다.

❷ 오늘날 사람들이 이용하는 통신수단 〔쏙 시원한 활동 풀이〕

휴대 전화
친구와 전화, 영상 통화, 문자 메시지 등을 주고받을 수 있음.

편지
편지를 직접 써서 전달하거나 우체국을 통해 보낼 수 있음. 보충 ❶

전자 우편
전자 우편을 이용해 편지, 사진, 영상 등을 전송할 수 있음.

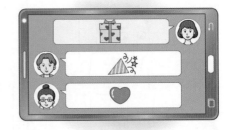

❸누리 소통망 서비스
여러 친구와 함께 대화를 하거나 정보를 주고받을 수 있음. 보충 ❷

 내용➕ 컴퓨터, 텔레비전, 내비게이션 등의 통신수단도 있다.

다음 사례들을 참고하여 우리는 소식을 전할 때 주로 무엇을 이용하는지 이야기해 봅시다.

수신자 부담 전화	누리 소통망 서비스	예 컴퓨터

휴대 전화를 집에 두고 왔을 때 주로 사용합니다.	여러 친구와 대화할 때 사용합니다.	예 온라인 강의를 하거나 들을 때 사용합니다.

 확인 톡! 톡!

○ 정답과 해설 13쪽

1 서로 관련 있는 내용끼리 바르게 선으로 연결하시오.

(1) 글로 전달하는 통신수단 •

(2) 소리로 전달하는 통신수단 •

(3) 영상을 보고 전달하는 통신수단 •

• ㉠ 영상 통화

• ㉡ 편지, 문자 메시지

• ㉢ 음성 전화, 음성 메시지

2 통신수단을 사용했던 경험에 대해 알맞지 <u>않은</u> 설명을 한 친구가 누구인지 쓰시오.

- 나연: 해외에 계신 할머니께 영상 통화를 걸었습니다.
- 주영: 저는 스마트폰을 사용해 온라인 수업을 들었습니다.
- 은아: 친구들과 누리 소통망 서비스를 이용해 소식을 주고받았습니다.
- 광균: 구청에 가서 다른 고장으로 이사를 간 친척에게 편지를 보냈습니다.

(   )

옛날에는 무엇으로 소식을 전했을까요?

보충 ❶

◉ **무선 호출기**
삐삐라고도 불렀으며, 무선 호출기에 번호를 남기면 소리나 진동으로 알려 주었다. 번호를 받은 사람은 그 번호를 보고 공중전화에 가서 연락했다. 휴대 전화가 생기면서 무선 호출기는 점차 사라졌다.

보충 ❷

◉ **전쟁 중에 사용한 통신수단**
신호 연, 봉수, 북은 주로 적이 쳐들어오거나 위급한 상황에서 사용한 통신수단이었다. 특히 봉수는 위급한 상황의 정도에 따라 연기나 횃불의 숫자가 달랐고, 먼 곳에서도 볼 수 있어 빠르게 소식을 전달할 수 있었다.

용어 사전

❶ **전보**: 전신을 이용한 통신이나 통보를 의미한다.
❷ **서찰**: 안부나 소식을 적어 보내는 글이다.
❸ **방**: 어떤 일을 널리 알리기 위해 사람들이 다니는 길거리나 많이 모이는 곳에 써 붙이는 글이다.
❹ **작전**: 어떤 일을 이루기 위해 사용하는 방법이다.

① **주변 어른들이 이용했던 통신수단** 속 시원한 활동 풀이

공중전화	**무선 호출기**	**팩스**	**전신기**
길거리에 있는 공중 전화를 이용함.	번호를 통해 연락을 주고받음. 보충❶	급한 문서를 보낼 때 주로 이용함.	먼 곳에 급한 ❶전보를 보낼 때 이용함.

내용➕ 주변 어른들도 휴대 전화를 사용했지만 지금보다 더 크고 무거웠다.

② **먼 옛날 사람들이 이용했던 통신수단**

파발	**❷서찰**	**❸방**
말을 타고 나라의 중요한 문서를 빠르게 전달함.	사람을 시켜 개인의 편지를 주고받음.	널리 알릴 내용을 담긴 글을 벽에 붙임.

신호 연	**봉수** 보충❷	**북**
하늘에 띄운 연의 무늬를 이용해 ❹작전을 지시함.	밤에는 횃불, 낮에는 연기를 피워 상황을 알림.	북소리를 이용해 사람들에게 정해진 신호를 보냄.

③ **옛날과 오늘날의 통신수단 비교**

(1) **공통점**: 생각이나 말 등의 소식을 전달한다.

(2) **차이점** 속 시원한 활동 풀이

① 옛날에는 주로 동물이나 자연을, 오늘날에는 전기를 이용한 통신수단이 많다.
② 오늘날의 통신수단이 더 많은 정보를 빠르고 쉽게 전달할 수 있다.

 스스로 활동

주변 어른들이 이용했던 옛날 통신수단을 조사하여 발표해 봅시다.

예 **옛날의 통신수단**	**통신수단을 사용했던 모습**
공중전화	놀이터에서 놀다가 엄마에게 전화를 하려고 공중전화를 이용했습니다.
무선 호출기	친구와의 약속에 늦을 것 같아 무선 호출기로 연락을 했습니다.
전보	먼 고장에서 일하고 계신 아빠가 집에 온다고 전보를 보내셨습니다.

 스스로 활동

옛날과 오늘날의 통신수단을 비교하여 무엇이 다른지 생각해 봅시다.

옛날	**오늘날**
예 • 사람이 직접 소식을 전하거나 동물, 자연을 이용한 통신수단을 사용했습니다. • 소식을 전하거나 정보를 주고받는 데 시간이 오래 걸렸습니다.	예 • 전기를 이용한 통신수단이 많습니다. • 한번에 많은 정보를 전달할 수 있습니다. • 여러 사람과 실시간으로 빠르게 소식을 주고받을 수 있습니다.

잠깐! 확인해요

먼 옛날에는 전기를 이용해 먼 곳까지 소식을 전달했습니다. (○ , ×)　　　　　　(×)

 **확인 톡! 톡!**

 정답과 해설 13쪽

1　먼 옛날의 통신수단 중 사람을 시켜 개인의 편지를 주고받은 통신수단은 무엇인지 쓰시오.

(　　　　　　　　　　)

2　서로 관련 있는 내용끼리 바르게 선으로 연결하시오.

(1) 전보 •　　　　　• ㉠ 하늘에 띄워 무늬로 신호를 보냄.

(2) 봉수 •　　　　　• ㉡ 낮에는 연기, 밤에는 횃불을 이용해 먼 곳까지 소식을 전함.

(3) 신호 연 •　　　　　• ㉢ 글자 수에 따라 요금을 내고, 먼 곳에 급한 소식을 전함.

통신수단의 변화로 달라진 생활은 무엇일까요?

① 통신수단의 변화로 달라진 생활 모습 속 시원한 활동 풀이

 **길 안내** 운전을 할 때 내비게이션을 사용해 정확한 길을 안내 받을 수 있음. 보충①	 **온라인 수업** 학교에 가지 못하는 상황에서 온라인으로 수업에 참여할 수 있음.
 **장 보기** 대형 할인점이나 시장에 직접 가지 않고도 필요한 물건을 집에서 인터넷으로 편하게 살 수 있음.	 **전시회 관람** 전시회를 관람할 때 ❶스마트폰으로 ❷큐아르(QR) 코드를 찍으면 그림에 대한 자세한 정보를 쉽게 확인할 수 있음.

내용⁺ 오늘날에는 스마트폰의 다양한 기능을 활용하여 어러 업무를 처리할 수 있다.

② 통신수단의 변화가 우리 생활에 미친 영향

(1) 통신수단의 변화로 가까워진 세상
① 다른 나라 사람들과 실시간으로 ❸화상 대화를 나눌 수 있다.
② 영상 공유 누리집에서 다른 나라 사람들이 올린 영상을 시청할 수 있다.
③ 세계 곳곳에서 일어나는 일들을 쉽고 빠르게 알 수 있다.
④ 다른 나라의 학교와 함께 수업할 수 있다.

(2) 통신수단의 변화에 영향을 받은 직업
① 새로운 통신수단의 등장으로 생겨난 직업: 인터넷 장비 설치 기사 등
② 새로운 통신수단의 등장으로 사라진 직업: 교환원 등

(3) 새로운 통신수단의 문제점 속 시원한 활동 풀이 보충②
① 오늘날 사람들은 컴퓨터와 스마트폰 등에 의존하는 경우가 많다.
② 안전하고 올바른 통신수단의 사용이 필요하다.

 속 시원한 **활동 풀이**

 **스스로** 활동

통신수단이 변하면서 달라진 사람들의 생활 모습을 이야기해 봅시다.

예 **이전 생활 모습**	예 **변화된 생활 모습**
박물관에 직접 가서 유물을 관람했습니다.	박물관에 직접 가지 않아도 인터넷을 이용해 유물의 모습과 설명을 볼 수 있습니다.
여러 사람이 만나야 할 때, 약속 시간과 장소를 정하기가 힘들었습니다.	화상 통화로 여러 사람이 동시에 얼굴을 보면서 이야기를 나눌 수 있기 때문에, 직접 만나지 않아도 됩니다.

다 함께 활동

그림에 나타난 문제점을 생각해 보고 스마트폰을 유익하게 사용하는 방법을 친구들과 이야기해 봅시다.

예
- 지하철과 같이 다른 사람과 함께 이용하는 공공장소에서는 스마트폰에서 큰 소리가 나지 않도록 주의합니다.
- 사람이 많은 곳에서는 스마트폰을 보지 않습니다.
- 거리를 걸으면서 스마트폰을 보지 않습니다.
- 정해진 시간에만 스마트폰을 사용합니다.

 **잠깐! 확인해요**

오늘날 새로운 통신수단으로 다른 나라 사람과 쉽게 소식을 주고받습니다. (○ , ✕)　　　　(○)

확인 톡! 톡!

정답과 해설 13쪽

1　다음 내용에서 알맞은 말에 ○표 하시오.

집에서 (무선 호출기 / 스마트폰)(으)로 학교에 가지 않고 온라인 수업에 참여할 수 있습니다.

2　내용이 맞으면 ○표, 틀리면 ✕표를 선택하시오.
(1) 통신수단의 발달로 전화 교환원은 더욱 늘어날 것입니다. (○ , ✕)
(2) 스마트폰의 발달로 다른 나라 사람들과 화상 대화를 나눌 수 있습니다. (○ , ✕)

세계에서 하나뿐인 휴대 전화 박물관

경기도 여주시에는 세계에서 단 하나뿐인 휴대 전화 박물관이 있습니다. 세계 최초의 전화기부터 세계 최초의 휴대 전화, 최초의 문자 메시지 수신 휴대 전화, 우리나라 최초의 휴대 전화에 이르기까지 다양한 유물이 전시되어 있습니다. 이제는 컴퓨터, 텔레비전, MP3, 카메라, 전자사전 등 다양한 기계의 기능이 결합되어 일상생활에서 빼놓을 수 없는 스마트폰의 역사도 만나 볼 수 있습니다.

▲ 여주 시립 폰 박물관(경기도 여주시) 내부

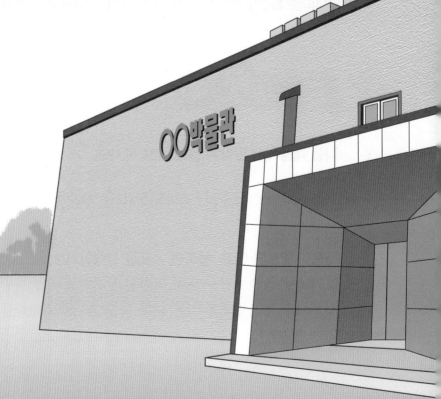

세계 최초의 전화기

1876년에 미국의 과학자인 벨이 발명한 전화기로, 세계 최초의 전화기입니다. 이후 미국 전역에 전화기가 보급되었습니다.

세계 최초의 휴대 전화

1983년에 세계 최초로 출시된 휴대 전화입니다. 세로 길이가 33cm, 무게가 800g이나 되어 벽돌폰이라고도 불렀습니다.

세계 최초의 문자 메시지 수신 휴대 전화

세계 최초의 문자 메시지를 수신한 휴대 전화입니다. 세계 최초 문자 메시지의 내용은 '메리 크리스마스'였습니다.

우리나라 최초의 휴대 전화

우리나라 최초의 휴대 전화로, 박물관장이 소장자를 7번이나 찾아가 설득한 끝에 전시될 수 있었습니다.

우리 고장 사람들은 어떤 통신수단을 이용하고 있을까요?

보충 ❶

◉ 마을 안내 방송 시스템

최근 농촌 지역에서는 휴대 전화를 이용해 무선으로 마을 안내 방송을 할 수 있는 시스템을 갖추고 있다.

보충 ❷

◉ 스마트 팜

농촌에서 여러 기술을 이용하여 농작물이 잘 자랄 수 있는 환경을 컴퓨터나 스마트폰 등으로 원격 제어하는 시스템이다. 스마트 팜을 통해 보다 효율적이고 편리하게 농사를 지을 수 있다.

보충 ❸

◉ 항공 경고등

항공 경고등은 항공기 운항에 위험을 줄 수 있는 높은 물체를 조종사가 미리 알 수 있도록 해 준다. 국제적으로 동일한 기준에 따라 지정된 색상을 가진 등으로 표시하고 있다.

용어 사전

❶ 원격 제어: 먼 곳에서 신호를 보내 기계를 조작하거나 조종하는 것을 뜻한다.

❷ 송전탑: 높은 압력의 전선을 걸기 위해 높이 세운 철탑이다.

---

1 고장의 환경과 통신수단

(1) 고장의 통신수단: 고장마다 다양한 통신수단을 이용하고 있다.

(2) 고장에 따라 통신수단을 이용하는 모습이 다른 이유: 고장의 환경이나 사람들이 하는 일이 다르기 때문이다.

2 고장의 환경에 따른 통신수단의 모습 (속 시원한 활동 풀이)

고장의 환경	통신수단		특징
농사를 짓는 고장	마을 안내 방송		농사일을 하는 사람들에게 마을 안내 방송으로 마을의 소식을 전함. 보충 ❶
	스마트폰 ❶원격 제어		스마트폰 원격 제어 기능을 이용하여 농작물에 물을 주는 시간과 온도를 조절함. 보충 ❷
바다가 있는 고장	등대		사람들이 밤에 고기잡이를 나갈 때 안전을 위해 등대로 길을 비춰 줌.
	수상 안전 요원 확성기		바닷가의 해수욕장에서 수상 안전 요원이 확성기로 안내 방송을 함.
도시	아파트 안내 방송		주민들에게 아파트 안내 방송으로 아파트 관련 소식을 전함.
	항공 경고등		도시의 높은 건물이나 ❷송전탑 등에 비행기가 부딪치지 않도록 경고등을 설치함. 보충 ❸

속 시원한 활동 풀이

스스로 활동

다음 사례들을 참고하여 우리 고장에서 볼 수 있는 통신수단으로 무엇이 있는지 생각해 봅시다.

예 우리 고장의 환경	논밭이 많고 사람들이 주로 농사를 짓습니다.	바닷가 근처에 위치하고 사람들이 주로 고기잡이를 합니다.	사람이 많이 모여 살고 높은 건물과 아파트가 많이 있습니다.
예 통신수단 이용 모습	스마트폰의 원격 제어를 활용한 온실에서 과일을 재배합니다.	해수욕장에서 수상 안전 요원이 안내 방송으로 위험을 알립니다.	아파트 안내 방송으로 소식을 전해 듣습니다.

잠깐! 확인해요

고장의 환경에 따라 통신수단의 종류와 쓰임이 조금씩 다릅니다. (○ , ✕)　　　　　　(○)

확인 톡! 톡!

정답과 해설 13쪽

1 바다에서 배의 안전을 위해 불을 밝혀 주는 통신수단이 무엇인지 쓰시오.　(　　　　　)

2 서로 관련 있는 내용끼리 바르게 선으로 연결하시오.

(1) 원격 제어　•　　　•⊙ 높은 빌딩에 비행기가 부딪치지 않도록 등을 담.

(2) 항공 경고등　•　　　•ⓛ 스마트폰으로 농작물에게 물을 주는 시간과 온도를 조절함.

3 빈칸에 들어갈 알맞은 말을 쓰시오.

각 고장에서 통신수단을 이용하는 모습이 조금씩 다른 이유는 고장마다 □□이/가 다르기 때문입니다.

(　　　　　)

미래의 통신수단을 상상해 볼까요?

함께 해요

◉ 반려동물 언어 해석기

반려동물 언어 해석기는 아직 개발되지 않았지만, 현재 개와 고양이의 몇 가지 의사를 해석하여 사람에게 전달해 주는 장치가 개발되고 있다.

보충 ❷

◉ 가상 현실(VR)

컴퓨터로 만들어 실제처럼 보이는 가상의 세계에서 사람이 실제와 같은 체험을 할 수 있는 최첨단 기술이다.

보충 ❸

◉ 무선 텔레파시

사람의 뇌에 무선 장치를 부착하여 다른 사람의 뇌로 직접 신호를 보내는 미래의 의사소통 수단이다.

용어 사전

❶ **홀로그램**: 3차원 영상으로 된 입체 사진으로, 점이나 선을 이용해 실물과 똑같이 입체적으로 보이게 하는 기술이다.

❷ **VR**: 현실이 아닌데도 실제처럼 생각하고 보이게 하는 현실을 뜻한다.

---

① 미래의 통신수단 상상하기

(1) 오늘날 통신수단의 불편한 점

① 휴대 전화가 잘 깨진다.

② 크기가 크고 무거워 들고 다니기 불편하다.

③ 배터리가 오래 가지 않아 충전을 자주 해야 한다.

(2) 미래에 등장할 수 있는 통신수단 보충 ❶

	**홀로그램 휴대 전화** ❶홀로그램 형태의 휴대 전화가 등장해 휴대 전화를 들고 다니지 않아도 되고, 깨질 위험도 적음.
	**VR 기기** 보충 ❷ ❷VR 기기가 등장해 집에서도 실제 경기 상황을 느낄 수 있고, 실제 전시회에 간 것처럼 그림을 볼 수도 있음.
	**텔레파시 전송 장치** 보충 ❸ 텔레파시 전송 장치가 등장해 말로 하지 않아도 내 생각을 상대방에게 정확하게 보낼 수 있음.
	**건강 상태 확인 장치** 건강 상태 확인 장치가 등장해 집에서 실시간으로 건강 상태를 확인하고, 가족과 의사 선생님께 알려 줄 수 있음.

내용➕ 미래의 통신수단으로 우리의 생활은 더욱 편리해질 것이다.

② 미래의 통신수단 표현하기 (교과서 속 시원한 활동 풀이)

❶ 새롭게 만들고 싶은 미래의 통신수단과 그 까닭을 함께 생각한다.

❷ 통신수단의 특징이 잘 드러나는 이름을 정한다.

❸ 통신수단의 모습을 그리거나, 모형으로 만든다.

❹ 상상한 통신수단에 대한 설명 글을 쓰고, 친구들에게 소개한다.

| 새롭게 만들고 싶은
미래의 통신수단 | 예 수어 번역기 |

| 만들고 싶은 까닭 | 예 수어를 모르는 사람도 청각 장애인과 수어로 대화할 수 있기 때문입니다. |

미래의 통신수단 모습과 특징

예
- 수어하는 모습을 촬영하면 글자나 음성으로 번역해 줍니다.
- 글자나 음성을 수어로 바꾸어서 보여 줍니다.
- 휴대하기 간편해 어디든지 가지고 다닐 수 있습니다.

미래의 통신수단으로
변화될 생활 모습

예 수어 번역기를 이용하면 수어를 하는 청각 장애인과 잘 대화할 수 있습니다. 따라서 청각 장애인의 일상생활이 더욱 편리해질 것입니다.

확인 톡! 톡!

📍 정답과 해설 13쪽

1 다음 내용에서 알맞은 말에 ○표 하시오.

현실이 아닌데도 실제처럼 생각하고 보이게 하는 현실을 (가상 / 상상) 현실(VR)이라고 합니다.

2 미래의 통신수단을 상상해 보는 방법을 순서대로 기호를 쓰시오.

㉠ 내가 상상한 통신수단의 이름을 정합니다.
㉡ 친구들에게 내가 상상한 통신수단을 발표합니다.
㉢ 미래의 통신수단을 그리고, 간단한 설명을 써 봅니다.
㉣ 새롭게 만들고 싶은 미래의 통신수단과 그 까닭을 생각합니다.

(   )

즐겁게 정리해요

‘통신수단의 변화로 달라진 생활’에서 배운 내용을 떠올리며 스무고개 놀이를 해 봅시다.

내가 고른 통신수단

예 스마트폰

예 • 질문: 가지고 다닐 수 있는 물건인가요?
• 대답: 예.

동물의 힘을 이용하나요?

오늘 사용했나요?

놀이 방법

❶ 한 사람이 문제로 내고 싶은 통신수단을 정해 공책에 적습니다.

❷ 다른 사람들은 정답에 대해 스무 번까지 질문할 수 있습니다.

❸ 문제를 내는 사람은 다른 사람들의 질문에 ‘예.’, ‘아니요.’로만 대답합니다.

❹ 정답을 알아낸 사람은 자신의 이름을 외친 후 말합니다.

도움 옛날과 오늘날의 통신수단을 기억해 문제를 내 보아요.

🍓 핵심 꿀꺽 질문 ?

옛날의 통신수단 중 가장 기억에 남는 것은 무엇인가요?

통신수단의 변화로 달라진 생활 모습 중 가장 기억에 남는 것은 무엇인가요?

우리 고장에서 이용하는 통신수단 중 자주 이용하는 것은 무엇인가요?

1 빈칸에 들어갈 알맞은 말을 쓰시오.

사람들은 가족 및 친구들과 정보를 전달하고 □□을/를 주고받기 위해 통신수단을 사용합니다.

2 다음에서 설명하는 통신수단이 무엇인지 쓰시오.

멀리 떨어진 친구에게 소식을 전할 수 있습니다. 실시간으로 채팅을 이용해 연락을 주고받기도 하고, 얼굴을 보며 화상 전화도 할 수 있습니다.

중요

3 소식을 전할 때 이용하는 통신수단에 대한 설명으로 알맞지 <u>않은</u> 것은 어느 것입니까?
( )

① 우체국에 가서 편지를 보낸다.
② 컴퓨터를 이용해 전자 우편을 보낸다.
③ 휴대 전화를 사용해 소식을 주고받는다.
④ 전보를 이용해 온라인 영상을 시청한다.
⑤ 학교에 가서 수신자 부담 전화를 이용해 연락을 한다.

4 빈칸에 들어갈 알맞은 말을 쓰시오.

휴대 전화가 없던 시설에는 친구나 가족에게 □□□□□(으)로 번호를 보내면, 그 번호로 전화를 했습니다.

5 다음 그림과 같은 통신수단으로 알맞은 것은 어느 것입니까? ( )

① 편지
② 파발
③ 팩스
④ 스마트폰
⑤ 텔레비전

중요

6 옛날의 통신수단으로 알맞은 것을 보기 에서 두 가지 골라 기호를 쓰시오.

보기
㉠ 하늘에 띄운 신호 연
㉡ 컴퓨터로 보내는 전자 우편
㉢ 중요한 문서를 전달하는 파발
㉣ 실시간 소통이 가능한 누리 소통망

7 빈칸에 들어갈 알맞은 말을 쓰시오.

> **은아:** 미국에서 살고 있는 사촌 동생 민주가 보고 싶어요.
> **엄마:** 미국에 살고 있어 얼굴을 본 지 오래되었구나. 그럼 민주에게 □□□□을/를 걸어 볼까?
> **은아:** 네. 좋아요!

8 먼 옛날의 통신수단 중 서찰과 파발의 차이점이 무엇인지 쓰시오.

_____

_____

중요

9 옛날과 오늘날의 통신수단의 차이점으로 알맞지 <u>않은</u> 것은 어느 것입니까? (   )

① 오늘날에는 전기를 이용한 통신수단을 이용한다.
② 옛날에는 주로 사람이 직접 가서 소식을 전달했다.
③ 옛날의 통신수단은 주로 동물이나 자연의 힘을 이용했다.
④ 오늘날의 통신수단이 더 빠르고 쉽게 정보를 전달할 수 있다.
⑤ 옛날의 통신수단은 오늘날보다 더 많은 사람과 동시에 연락할 수 있다.

10 다음 그림과 같이 밤에는 횃불, 낮에는 연기를 피워 위급한 상황을 알렸을 때 쓴 통신수단이 무엇인지 쓰시오.

11 바다가 있는 고장에서 주로 쓰는 통신수단으로 알맞은 것은 어느 것입니까? (   )

① 등대   ② 전보
③ 편지   ④ 송전탑
⑤ 항공 경고등

12 오늘날 통신수단을 이용하는 모습으로 알맞은 것을 [보기]에서 <u>두 가지</u> 골라 기호를 쓰시오.

> **보기**
> ㉠ 스마트폰을 이용해 정확한 길을 안내 받는다.
> ㉡ 집에서 컴퓨터를 이용해 온라인 수업을 듣는다.
> ㉢ 무선 호출기에 남겨진 번호로 친구에게 전화를 건다.
> ㉣ 전화를 거는 사람과 받는 사람을 연결해 주는 일을 하는 교환원에게 말을 한다.

13 서로 관련 있는 내용끼리 바르게 선으로 연결하시오.

(1) 고층 빌딩 •　　•㉠ 확성기

(2) 수상 안전 요원 •　　•㉡ 항공 경고등

14 다음 질문에 알맞은 답을 쓰시오.

통신수단의 발달로 전화를 연결해 주는 교환원은 없어졌지만 인터넷 장비를 설치하는 직업이 생겨나기도 하고, 스마트폰과 관련된 여러 직업이 생겨나고 있습니다. 이렇게 새로운 직업이 생기거나 예전에 있던 직업이 사라지는 이유는 무엇일까요?

_____

_____

중요

15 통신수단의 변화로 달라진 생활 모습으로 알맞지 <u>않은</u> 것은 어느 것입니까? (　　)

① 스마트폰으로 신문을 볼 수 있다.

② 서찰을 이용해 할머니께 소식을 전할 수 있다.

③ 집에서 맛있는 식당의 음식을 찾아 시켜먹을 수 있다.

④ 원격 제어 기술로 농사를 더욱 편리하게 지을 수 있다.

⑤ 영상 통화로 먼 곳에 떨어진 친구와 얼굴을 보며 대화할 수 있다.

워드 클라우드와 함께하는 **서술형 문제**

[16-17] 워드 클라우드의 단어를 이용하여 서술형 문제의 답을 쓰시오.

사람 등대 원격 제어 통신수단 스마트폰 텔레비전 파발 온라인 신호

16 다음 대화를 통해 알 수 있는 옛날 통신수단의 특징을 서술하시오.

장군: 적군이 나타났으니 봉화를 피워라!
병사: 한양으로 파발도 보내겠습니다.

_____

_____

17 다음 그림을 보고 통신수단의 발달로 달라진 학생들의 생활 모습을 서술하시오.

여러분 칠판을 볼까요?

온라인 수업을 시작하겠습니다.

_____

손으로 보내는 신호

말이나 글로 의사소통을 할 수 없을 때는 손으로 간단한 신호를 보내 정보를 전달하기도 합니다. 운전 중에는 모두 각자의 자동차 안에 있기 때문에 의사소통이 어렵습니다. 그래서 운전 중에 사용할 수 있는 수신호를 정해 놓았습니다. 또 수중 호흡기를 달고 잠수하여 물속에서 일하는 스쿠버 다이버들도 여러 수신호에 뜻을 정해 놓고 의사소통에 사용합니다.

"위험 지역이 있어요!"

앞에 위험 지역이 있다는 것을 나타내는 수신호입니다. 손을 살짝 오므리고 좌우로 가볍게 흔들어 줍니다.

"감사합니다!"

다른 운전자에게 양보를 받았을 때 감사를 표시하는 수신호입니다. 손을 펴고 귀 높이까지 들어 올립니다.

공사 중

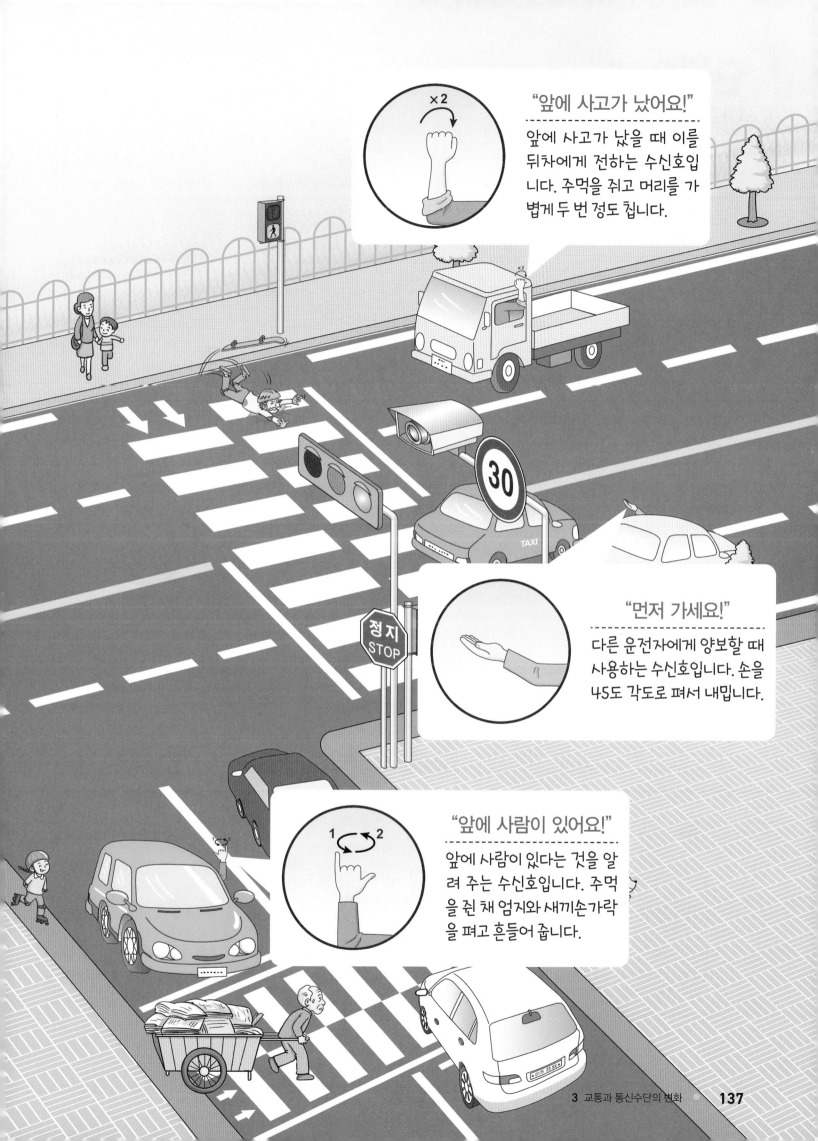

"앞에 사고가 났어요!"

앞에 사고가 났을 때 이를 뒤차에게 전하는 수신호입니다. 주먹을 쥐고 머리를 가볍게 두 번 정도 칩니다.

"먼저 가세요!"

다른 운전자에게 양보할 때 사용하는 수신호입니다. 손을 45도 각도로 펴서 내밉니다.

"앞에 사람이 있어요!"

앞에 사람이 있다는 것을 알려 주는 수신호입니다. 주먹을 쥔 채 엄지와 새끼손가락을 펴고 흔들어 줍니다.

정리 곡곡 이 단원에서 배운 내용을 글과 그림으로 정리해 봅시다.

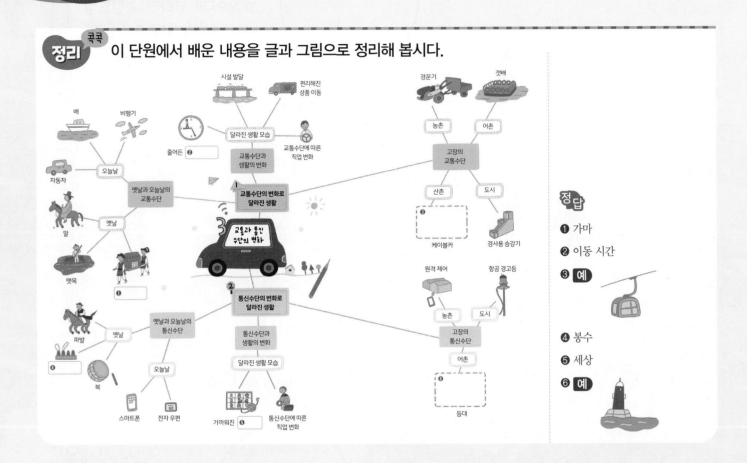

정답
❶ 가마
❷ 이동 시간
❸ 예
❹ 봉수
❺ 세상
❻ 예

창의 팡팡 오늘날의 교통과 통신수단을 옛날로 가져갔다고 상상하며 그림일기를 써 봅시다.

만드는 방법

❶ 옛날로 가져가고 싶은 교통과 통신수단을 친구들과 이야기합니다.

• 가져가고 싶은 교통과 통신수단: 킥보드
예 스마트폰

• 가져가고 싶은 까닭: 예 옛날 사람들의 모습을 사진으로 찍어 친구에게 보내 주고 싶습니다.

❷ 오늘날의 교통과 통신수단을 본 옛날 사람들의 반응을 상상합니다.

❸ 상상한 내용을 담아 그림일기를 씁니다.

오늘 킥보드를 타고 300년 전으로 여행을 갔다. 길이 조금 울퉁불퉁했지만, 빠르게 마을을 한 바퀴 돌 수 있었다. 아이들이 부러워해서 조금 우쭐해졌다.

예 오늘 스마트폰을 가지고 500년 전으로 여행을 갔다. 마을 곳곳을 돌아다니며 사진을 찍었다. 사람들이 신기해하며 내 주변으로 몰려들었다.

세상 속으로 전기, 석유 없이 사는 생활 안내서 만들기

1단계

문제점 생각하기

예 • 전기가 없다면 스마트폰이나 전화 등 전기를 활용하는 통신수단을 사용할 수 없어 소식을 전하기가 어렵습니다.
• 석유가 없다면 이를 연료로 사용하는 자동차나 비행기 등 교통수단을 이용할 수 없어 먼 곳으로 이동하기가 어렵습니다.

2단계

해결 방안 생각하기

예 • 연에 무늬를 그린 신호 연을 만들어 친구들과 연락할 수 있습니다.
• 바람이나 동물을 이용하는 자동차를 만들어야 합니다.

3단계

해결 방안을 담은 생활 안내서 만들기

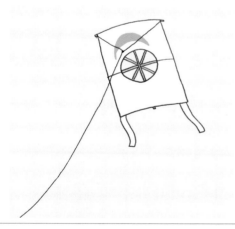

예 • 연에 무늬나 글을 적어 소식을 전하는 신호 연입니다. 하늘에 띄워서 이용합니다.
• 전기가 없어도 사용할 수 있습니다.
• 무늬나 글을 다르게 하여 다양한 소식을 전할 수 있습니다.

예 • 바람을 이용해 나아가는 자동차입니다. 바람이 없을 때는 동물을 이용할 수도 있습니다.
• 석유가 없어도 필요할 때 언제든지 사용할 수 있습니다.
• 물 위에서도 다닐 수 있습니다.

1  왼쪽 그림의 교통수단이 무엇인지 쓰시오.

(   )

2 옛날에 버스를 안전하게 타고 내리도록 도와주고, 버스 요금을 받기도 한 직업이 무엇인지 쓰시오.

(   )

3 (돛단배 / 가마)는 바람이나 물의 흐름을 이용했던 옛날의 교통수단입니다.

4 옛날과 오늘날의 교통수단의 공통점은 사람들이 다른 곳으로 (   )할 때 이용한다는 것입니다.

5 교통수단이 변화하면서 새로운 교통 시설도 많이 생겨났는데, 항구는 버스와 관련된 교통 시설입니다. (○ , ×)

6 왼쪽 사진의 통신수단이 무엇인지 쓰시오.

(   )

7 오늘날의 통신수단은 옛날의 통신수단보다 (많은 / 적은) 사람들에게 (빠르게 / 느리게) 소식과 정보를 전달할 수 있습니다.

8 도시의 아파트나 농촌 마을에서는 사람들이 많이 살기 때문에 (   )을/를 하여 중요한 소식이나 내용을 전달합니다.

9 새로운 통신수단의 등장으로 인터넷 장비 설치 기사, 스마트폰 애플리케이션 개발자와 같은 새로운 (   )이/가 생겨났습니다.

10 고장마다 통신수단을 이용하는 모습이 다른 까닭은 날씨가 다르기 때문입니다. (○ , ×)

1 다음에서 설명하는 옛날의 교통수단이 무엇인지 쓰시오.

> 동물의 힘을 이용하는 교통수단으로 무거운 짐을 싣고 나를 때 이용했습니다.

_____

2 다음 일기로 알 수 있는 생활 모습의 변화를 쓰시오.

> 20○○년 ○월 ○○일
> 오늘은 부산에 계신 할머니 댁에 갔다. 고속열차를 이용하여 부산에 가니 2시간 30분 만에 도착했다. 아빠께서는 버스를 이용하여 부산에 가면 5시간이 넘게 걸린다고 하셨다. 예전보다 부산에 빨리 도착하여 할머니를 오래 뵐 수 있어 좋았다.

_____

3 미래에 볼 수 있는 교통수단으로 알맞은 것을 보기 에서 두 가지 골라 기호를 쓰시오.

> 보기
> ㉠ 증기 기관차
> ㉡ 물의 흐름을 이용하는 뗏목
> ㉢ 바다와 육지를 다닐 수 있는 자동차
> ㉣ 개인이 타고 다닐 수 있는 1인용 비행기

_____

4 먼 옛날의 교통수단을 이용하는 모습으로 알맞은 것은 어느 것입니까?　(　　　)

① 무거운 짐을 옮기기 위한 버스
② 서찰을 전하기 위해 탄 지하철
③ 제주도로 가기 위해 탄 여객선
④ 시험을 보러 가기 위해 탄 비행기
⑤ 다른 마을로 이동하기 위해 탄 가마

5 다음 사진의 교통수단이 무엇인지 쓰시오.

_____

6 많은 사람이나 물건을 한꺼번에 실어 나를 수 있는 교통수단으로 알맞지 <u>않은</u> 것은 어느 것입니까?　(　　　)

① 기차　　　　② 여객선
③ 비행기　　　④ 화물선
⑤ 오토바이

7 빈칸에 들어갈 알맞은 말을 쓰시오.

> 할머니: 강화도는 예전에 육지와 떨어진 섬이었단다. 그래서 뱃사공들의 배를 타고 들어갈 수 있었지. 하지만 ▢▢이/가 생긴 이후부터는 자동차로 쉽게 강화도를 오갈 수 있게 되었단다.

8 고장에서 볼 수 있는 교통수단에 대해 알맞게 설명한 학생을 쓰시오.

> **승훈:** 내가 살고 있는 농촌에서는 경운기를 이용해 많은 농작물을 옮겨.
> **민철:** 논이나 밭에서 일할 때 어머니께서 뻘배를 자주 이용하셔.

_____

9 다음 그림의 미래 교통수단은 현재 교통수단의 어떤 문제점을 해결할 수 있을지 쓰시오.

공기 청정 자동차

_____

_____

10 교통수단의 변화로 달라진 생활 모습으로 알맞지 않은 것은 어느 것입니까? (   )

① 버스를 타고 현장 체험 학습을 간다.
② 항구, 공항 등 새로운 교통 시설이 생겼다.
③ 택배로 멀리서 음식을 쉽게 주문할 수 있다.
④ 뱃사공, 인력거꾼과 같은 새로운 직업이 생겨났다.
⑤ 화물선을 이용해 많은 짐을 한꺼번에 멀리 옮길 수 있다.

[11-12] 다음 그림을 보고 물음에 답하시오.

▲ 서찰

▲ 방

▲ 파발

▲ 북

11 전투에서 약속된 소리로 공격과 후퇴를 명령할 때 사용한 통신수단이 무엇인지 쓰시오.

_____

12 옛날의 통신수단에 대한 설명으로 알맞지 않은 것은 어느 것입니까? (   )

① 동물이나 자연을 이용해 소식을 전달했다.
② 글을 아는 사람이 방의 내용을 읽어 주었다.
③ 주로 사람이 직접 이동하여 소식을 전달했다.
④ 전하는 글자 수에 따라 요금이 달라 최대한 짧게 보냈다.
⑤ 오늘날보다 빠르고, 많은 정보를 전달하기에는 어려운 점이 있었다.

13 스마트폰의 발달로 변화된 생활 모습으로 알맞은 것을 보기에서 두 가지 골라 기호를 쓰시오.

> 보기
> ㉠ 친구와 사진을 찍어 주고받는다.
> ㉡ 외삼촌과 화상으로 통화할 수 있다.
> ㉢ 마트에 직접 가서 필요한 물건을 산다.
> ㉣ 손으로 쓴 편지를 보내기 위해 우체국에 간다.

14 빈칸에 들어갈 알맞은 말을 쓰시오.

> 오늘 아빠께서 나에게 무선 호출기를 사주셨다. 누군가가 연락해 나에게 번호가 찍히면 길거리를 가다가 □□□□을/를 이용해 연락할 수 있다.

15 다음 대화를 통해 통신수단의 발달로 변화된 생활 모습을 쓰시오.

> **민지:** 재우야, 너 우리 고장에 생긴 새로운 미술관에 가 보았니?
>
> **재우:** 아니, 가 보진 않았지만 미술관의 작품을 다 볼 수 있었어! 집에서 컴퓨터로 미술관 홈페이지에 접속해 보았거든.

16 전화를 거는 사람과 받는 사람을 연결해 주는 직업으로 알맞은 것은 어느 것입니까?

( )

① 교환원
② 버스 안내양
③ 송전탑 관리인
④ 인터넷 장비 설치 기사
⑤ 스마트폰 애플리케이션 개발자

17 통신수단을 이용해야 하는 상황으로 알맞은 것을 [보기]에서 골라 기호를 쓰시오.

> **보기**
> ㉠ 학교에서 배가 아파 부모님께 말해야 한다.
> ㉡ 전학 간 친구에게 내가 만든 생일 선물을 직접 전해야 한다.
> ㉢ 시골에 계신 할머니께서 우리 집으로 사과를 보내 주셔야 한다.

18 다음 그림을 보고 새로운 통신수단의 문제점을 쓰시오.

19 학교에서 볼 수 있는 통신수단으로 알맞지 <u>않은</u> 것은 어느 것입니까? ( )

① 먼 곳에 소식을 전하는 전보
② 시간을 알려 주는 안내 방송
③ 선생님이 운영하시는 누리 소통망
④ 온라인 수업에 사용하는 화상 카메라
⑤ 학급의 중요한 내용을 알려 주는 알림판

20 미래 통신수단으로 변화될 생활 모습을 쓰시오.

[1-3] 다운이가 할아버지, 아버지와 나눈 대화를 보고 물음에 답하시오.

> **할아버지:** 요즘 보면 진짜 세상이 좋아진 것 같구나. 너희들이 ㉠ 고속 열차를 타고 이렇게 빨리 부산에 도착하니 말이다.
>
> **아 버 지:** 네. 다운이와 함께 이렇게 빨리 부산에 오니 정말 기분이 좋네요.
>
> **할아버지:** 네가 어렸을 때 살았던 동네가 혹시 기억나니? 최근에 가 보니 ㉡ 모노레일과 케이블카가 생겼더구나.
>
> **아 버 지:** 나중에 저도 꼭 한번 가보고 싶네요.
>
> **다   운:** 아빠! 할아버지 댁에서 가까운 바닷가에 ㉢ 돛단배와 여객선이 보여요.
>
> **아 버 지:** 그렇구나! 두 배가 나란히 서 있구나.

1 ㉠과 같은 교통수단의 발달로 변화된 사람들의 생활 모습을 서술하시오.

_____

_____

2 ㉡과 같은 교통수단으로 보아 아버지가 어릴 적 살았던 동네는 어떤 특징이 있을지 서술하시오.

_____

_____

3 ㉢의 공통점과 차이점을 각각 서술하시오.

_____

[4-6] 옛날과 오늘날의 통신수단을 보고 물음에 답하시오.

㉠ 무선 호출기

㉡ (   )

㉢ 스마트폰

㉣ 서찰

4 ㉡이 무엇인지 쓰고, 이를 어떻게 활용하여 소식이나 정보를 주고받는지 서술하시오.

_____

_____

5 ㉠~㉣ 중 여러 사람과 동시에 글을 주고받을 수 있는 통신수단이 무엇인지 서술하시오.

_____

_____

6 ㉢의 발달로 변화된 우리의 생활 모습을 <u>두 가지</u> 서술하시오.

_____

3-1
초등 사회
평가문제집

문제

톡 톡

금성 초등
교과서
완전 정복!

학교 시험 완벽 대비!!

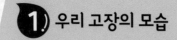

(1) 우리가 생각하는 고장의 모습

❶ 우리 고장의 장소 떠올리기

(1) 고장에 있는 다양한 장소

고장	사람들이 모여 사는 곳
(❶　　　)	고장에는 사람들의 생활과 관련된 다양한 곳이 있음.

(2) 고장에 있는 다양한 장소를 떠올리는 방법: 고장의 장소와 관련한 경험을 떠올리고, 장소에 대한 생각과 느낌을 이야기합니다.

❷ 우리 고장의 모습 그리기

(1) 상상 속의 장소가 아니라 고장에 실제로 있는 장소를 중심으로 그립니다.
(2) 장소의 모양과 위치를 생각하며 그리고, 장소들을 연결하는 길을 그립니다.
(3) 장소와 어울리는 색을 칠하고, 장소의 이름을 적습니다.
(4) 장소를 떠올렸을 때 드는 느낌을 (❷　　　)(으)로 나타냅니다.

❸ 우리 고장의 모습을 그린 그림 비교하기

(1) 나와 친구가 그린 고장의 모습을 비교하는 방법

공통점 찾기	차이점 찾기
• 같은 장소 찾기 • 모양과 위치가 비슷한 장소 찾기	• 어느 한 그림에만 있는 장소 찾기 • 같은 장소이지만 모양, 위치가 다른 장소 찾기

(2) 나와 친구가 그린 고장의 모습에 공통점과 차이점이 있는 까닭: 고장의 여러 장소와 관련한 각자의 (❸　　　)이/가 다르기 때문입니다.

❹ 고장에 대한 생각과 느낌 이야기하기

(1) 친구가 그린 그림에 대한 설명을 듣고, 궁금한 점을 묻고 답합니다.
(2) 고장에 대한 생각과 느낌은 각자의 경험에 따라 다를 수 있기 때문에 서로 다른 생각과 느낌을 이해하고 존중해야 합니다.

(2) 고장의 실제 모습

❶ 고장의 실제 모습을 알 수 있는 방법

(1) 고장의 실제 모습을 알아보기 위해 높은 곳에 올라가 내려다보거나 직접 돌아다니며 살펴볼 수 있습니다.
(2) 고장의 실제 모습을 알 수 있는 방법의 장단점

	장점	단점
높은 곳에 올라가 내려다보기	넓은 고장의 모습을 한눈에 살펴볼 수 있음.	고장의 모습을 자세히 살피기 어렵고 시간이 오래 걸림.
직접 돌아다니기	고장의 모습을 생생히 살펴볼 수 있음.	한눈에 살펴보기 힘들고 시간이 오래 걸림.

❷ 디지털 영상 지도

(1) (❹　　　)(이)나 항공기에서 찍은 사진을 이용하여 만든 디지털 영상 지도는 고장의 실제 모습을 쉽고 정확하게 파악할 수 있습니다.
(2) 디지털 영상 지도의 특징
　① 고장의 여러 장소를 한눈에 볼 수 있습니다.
　② 고장의 전체적인 모습과 자세한 모습을 함께 확인할 수 있습니다.
　③ 직접 가 보지 않아도 장소의 위치와 모습을 알 수 있어 시간을 절약할 수 있습니다.

❸ 우리 고장의 주요 장소

(1) 우리 고장에는 자연과 관련 있는 곳, 다른 고장으로 이동할 때 이용하는 곳, 생활을 편리하게 하는 곳 등 다양한 주제의 장소들이 있습니다.
(2) 우리 고장의 주요 장소를 찾아볼 때 디지털 영상 지도, 우리 고장 누리집의 (❺　　　), 우리 고장의 모습을 표현한 그림 등을 활용할 수 있습니다.

❹ 우리 고장의 주요 장소를 소개하는 자료

(1) 고장의 주요 장소의 위치를 확인하고, 붙임쪽지를 활용하여 백지도에 표시합니다.
(2) 주요 장소에 관한 정보를 (❻　　　)에 표현하고 장소 카드를 백지도에 붙여 우리 고장의 주요 장소를 소개하는 자료를 만듭니다.

🧩 가로 문제와 세로 문제를 읽고, 퍼즐을 풀어 보시오.

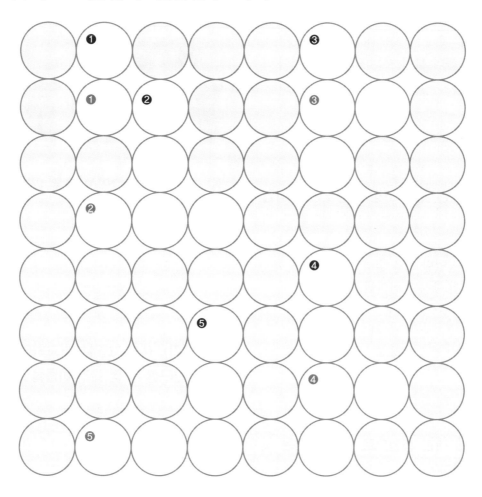

가로 문제

❶ □□은/는 어떤 일이 이루어지거나 일어나는 곳으로, 우리 고장에는 다양한 □□이/가 있습니다.

❷ 우리 고장의 □□□에 방문하면 책을 읽거나 빌릴 수 있습니다.

❸ 우리 고장의 시장에서는 다양한 □□와/과 음식을 사고파는 모습을 볼 수 있습니다.

❹ 우리 고장의 주요 장소의 □□을/를 설명할 때, 큰 건물이나 큰길을 기준으로 설명할 수 있습니다.

❺ □□□은/는 산, 강, 큰길 등의 밑그림만 그려져 있는 지도입니다.

세로 문제

❶ □□은/는 사람들이 모여 사는 곳을 말합니다.

❷ 화재가 발생하여 사람들이 위기에 처하면 □□□에서 대원들이 출동하여 불을 끕니다.

❸ □□□은/는 교육이나 연구에 도움이 될 수 있도록 오래된 작품이나 유물들을 모아 놓은 장소입니다.

❹ 디지털 영상 지도는 □□□□에서 찍은 사진을 이용하여 만든 지도입니다.

❺ 우리 고장의 주요 장소를 찾을 때 디지털 영상 지도와 우리 고장 누리집의 고장 □□□을/를 활용할 수 있습니다.

1 빈칸에 들어갈 알맞은 말을 쓰시오.

> 학교, 도서관, 공원, 우체국과 같은 여러 장소가 있어 사람들이 모여 사는 곳을 ☐☐(이)라고 합니다.

2 다음 설명과 관련 있는 고장의 장소는 어디입니까? ( )

> 평소에 읽고 싶었던 책을 빌리고, 친구들과 함께 책과 관련한 행사에 참여했습니다.

① 산　　　　　② 시장
③ 공원　　　　④ 도서관
⑤ 경찰서

중요

3 고장의 장소에 대한 설명으로 알맞지 <u>않은</u> 것은 어느 것입니까? ( )

① 학교: 교실에서 공부를 한다.
② 시장: 다양한 물건을 살 수 있다.
③ 공원: 가족들과 함께 휴식할 수 있다.
④ 산: 산에 있는 계곡에서 물놀이를 할 수 있다.
⑤ 우체국: 다른 고장에 가기 위해 버스를 탈 수 있다.

4 그리고 싶은 우리 고장의 장소를 떠올릴 때 떠올릴 장소로 알맞지 <u>않은</u> 것은 어느 것입니까? ( )

① 내가 좋아하는 장소
② 내가 자주 가는 장소
③ 좋은 추억이 남아 있는 장소
④ 다른 사람에게 알리고 싶은 장소
⑤ 우리 고장에 생겼으면 좋겠다고 생각한 장소

[5-6] 다음 그림을 보고, 물음에 답하시오.

(가)　　　　　　　(나)

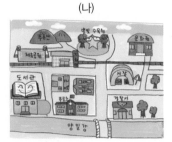

5 (가), (나) 그림에 모두 나타난 장소가 <u>아닌</u> 것은 어느 것입니까? ( )

① 학교　　　　　② 시장
③ 편의점　　　　④ 기차역
⑤ 경찰서

6 (가), (나) 그림을 비교하여 알맞은 설명을 한 친구를 <u>두 명</u> 골라 이름을 쓰시오.

> **진수:** 애견 미용실은 (가) 그림에만 있어.
> **기영:** (나) 그림에는 버스 터미널이 있어.
> **미현:** 두 그림 모두 경찰서가 있지만 위치가 달라.
> **경민:** 두 그림 모두 양일강을 똑같은 모습으로 그렸어.

7 친구가 그린 고장의 모습을 보고 할 수 있는 질문으로 알맞지 <u>않은</u> 것은 어느 것입니까? ( )

① 장소와 관련된 경험을 물어본다.
② 친구가 그리지 않은 장소에 대해 물어본다.
③ 특별히 소개하고 싶은 장소가 있는지 물어본다.
④ 장소에 관해 어떤 생각이나 느낌이 드는지 물어본다.
⑤ 내가 잘 모르는 장소가 있다면 그 장소에 관해 물어본다.

◈ 서술형

8 나와 친구가 그린 고장 그림의 공통점을 비교하는 방법을 서술하시오.

_____

_____

9 우리 고장 그림을 그릴 때 표현할 내용으로 알맞지 <u>않은</u> 것은 어느 것입니까? (   )

① 장소의 이름   ② 장소의 모양
③ 장소의 위치   ④ 장소에 모인 사람
⑤ 장소에 대한 생각

10 고장에 대한 생각과 느낌이 사람마다 서로 다른 까닭은 무엇입니까? (   )

① 경험이 다르기 때문이다.
② 관심사가 비슷하기 때문이다.
③ 좋아하는 장소가 똑같기 때문이다.
④ 자주 가는 장소가 똑같기 때문이다.
⑤ 고장에 새로운 장소가 생기지 않기 때문이다.

◈ 서술형

11 사회 수업 시간에 학생들이 나눈 대화를 통해 알 수 있는 사실을 서술하시오.

> 세인: 우리 고장의 장소를 표현한 그림에 공원을 그려 넣으면 어떨까?
> 정준: 좋아! 나도 고장 사람들이 산책을 즐길 수 있는 공원을 표현하고 싶어!
> 지수: 그래? 나는 요즘 공원에 함부로 버려진 쓰레기들 때문에 눈살이 찌푸려지더라.
> 정현: 지수 말도 맞아. 하지만 나는 마을 행사도 열리고 고장의 가운데 있는 공원을 표현하는 것에는 찬성해.

_____

12 고장의 실제 모습을 알 수 있는 방법으로 알맞은 것을 <u>보기</u>에서 <u>두 가지</u> 골라 기호를 쓰시오.

> **보기**
> ㉠ 직접 돌아다니며 살펴본다.
> ㉡ 고장의 종이 지도를 살펴본다.
> ㉢ 높은 곳에 올라가 내려다본다.
> ㉣ 고장에 오래 사신 어르신을 찾아가 이야기를 듣는다.

_____

◈ 서술형

13 다음 사진 속 장치를 활용하여 찍은 사진의 특징을 서술하시오.

_____

_____

⭐중요

14 디지털 영상 지도를 통해 고장을 살펴볼 때의 장점으로 알맞지 <u>않은</u> 것은 어느 것입니까? (   )

① 여러 장소의 위치를 쉽게 알 수 있다.
② 고장의 여러 장소를 한눈에 볼 수 있다.
③ 고장의 전체적인 모습을 살펴볼 수 있다.
④ 특정 장소를 확대하여 자세하게 확인할 수 있다.
⑤ 어떤 장소에 사람들이 가장 많이 방문하는지 알 수 있다.

15 컴퓨터로 디지털 영상 지도를 이용할 때 그림과 관련 있는 기능으로 알맞은 것은 어느 것입니까? (   )

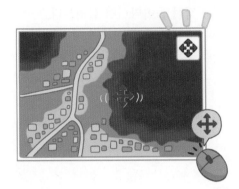

① 검색하기
② 확대 및 축소하기
③ 이동 단추 이용하기
④ 디지털 영상 지도 선택하기
⑤ 지도 서비스 누리집에 접속하기

중요

16 디지털 영상 지도의 다양한 기능에 대한 설명으로 알맞지 <u>않은</u> 것은 어느 것입니까?
(   )

① 지도를 확대할 수 있다.
② 지도를 축소할 수 있다.
③ 지도 위에 그림을 그릴 수 있다.
④ 찾고자 하는 장소의 위치를 찾을 수 있다.
⑤ 지도를 움직여 원하는 위치의 모습을 볼 수 있다.

17 다음 주제에 알맞은 고장의 장소를 **보기**에서 <u>두 가지</u> 골라 기호를 쓰시오.

다른 고장으로 이동할 때 이용하는 곳입니다.

┌─ **보기** ─────────────────┐
│ ㉠ 광주역   ㉡ 광주호   │
│ ㉢ 광주광역시청   ㉣ 광주 버스 터미널 │
└──────────────────────────┘

◈ 서술형

18 디지털 영상 지도와 비교했을 때 백지도의 장점이 무엇인지 서술하시오.

19 양평의 주요 장소 중 장소 카드에 다음과 같은 설명이 들어갈 장소는 어디입니까? (   )

친환경 농산물을 구입할 수 있고, 양평 해장국도 맛볼 수 있습니다.

① 양평 미술관
② 양평동초등학교
③ 양평 버스 터미널
④ 남한강 자전거 길
⑤ 양평 물 맑은 시장

20 우리 고장 소개 자료를 만드는 과정에서 나눈 대화 중 알맞지 <u>않은</u> 설명을 한 학생을 골라 기호를 쓰시오.

㉠ **호동:** 우리 고장을 소개하기 위한 장소로 고장에서 역사적으로 의미가 있는 곳을 선정하면 좋겠어.
㉡ **재석:** 그래 좋아. 우리 고장의 역사적인 장소에 대해 알아보기 위해 고장의 누리집에서 조사하면 될 것 같아.
㉢ **동엽:** 그러면 나는 고장의 역사적인 장소를 누리집에서 조사하다가 궁금한 점이 생기면 이웃 고장에 계신 친척 어른께 여쭈어볼게.
㉣ **성주:** 우리 고장의 역사적인 의미가 있는 장소를 백지도에 표현해서 우리 고장 역사 안내도를 만들어도 좋을 것 같아.
㉤ **현무:** 맞아. 역사 안내도와 고장을 홍보하는 포스터를 만들어 사람들이 볼 수 있도록 전시할 수도 있어.

1 고장의 장소 중 공원에서 할 수 있는 경험으로 알맞은 것은 어느 것입니까? (   )

① 친구들과 자전거를 탄다.
② 갖고 싶었던 장난감을 산다.
③ 몸이 아플 때 치료를 받는다.
④ 교실에서 친구들과 함께 공부를 한다.
⑤ 기차를 타고 다른 고장으로 이동한다.

2 다음 내용에서 알맞은 말에 ○표 하시오.

같은 장소여도 각자의 경험에 따라 (같은 / 다른) 생각과 느낌을 가질 수 있습니다.

3 우리 고장의 모습을 그릴 때 가장 마지막에 하는 일을 보기에서 골라 기호를 쓰시오.

보기
㉠ 장소에 대한 느낌을 표현한다.
㉡ 머릿속에 떠오르는 장소들을 그린다.
㉢ 그 밖에 떠오르는 장소와 길을 그린다.
㉣ 그리고 싶은 우리 고장의 장소를 떠올려 본다.

---

4 고장의 장소를 그릴 때 주의할 점으로 알맞은 것은 어느 것입니까? (   )

① 장소의 이름은 쓰지 않는다.
② 떠오르는 장소를 모두 그린다.
③ 고장에 실제로 있는 장소를 그린다.
④ 고장에 새로 생겼으면 하는 장소를 그린다.
⑤ 장소의 실제 위치와 상관없이 그리고 싶은 위치에 그린다.

중요

5 다음 고장의 모습을 그린 그림에 대한 설명으로 알맞지 <u>않은</u> 것은 어느 것입니까? (   )

① 경찰서, 병원을 그렸다.
② 장소마다 이름을 저어 놓았다.
③ 박물관, 체육공원, 우체국이 있다.
④ 초등학교 앞에 학생들의 모습이 있다.
⑤ 강을 그리고 강과 어울리는 색으로 칠했다.

6 친구들이 그린 고장 그림에 대해 설명하는 것을 보고 알 수 있는 점으로 알맞은 것은 어느 것입니까? (   )

주연: 내가 좋아하는 강가 산책로를 그렸어.
영우: 다른 고장 사람에게 소개하고 싶은 박물관을 그렸어.
민지: 나는 도서관에 자주 가기 때문에 도서관을 크게 그렸어.

① 고장에서 자주 가는 장소가 모두 같다.
② 사람마다 고장을 그린 모습이 비슷하다.
③ 사람들이 좋아하는 장소는 정해져 있다.
④ 고장에 대한 생각과 느낌이 사람마다 다르다.
⑤ 다른 고장 사람에게 알리고 싶은 장소가 모두 같다.

서술형

7 고장을 그린 그림을 설명하는 작가와의 만남 활동을 할 때 작가인 친구에게 할 수 있는 질문을 서술하시오.

중요

8 나와 친구가 그린 고장의 그림을 비교할 때의 방법으로 알맞지 <u>않은</u> 것은 어느 것입니까?

( )

① 두 그림 중 한 그림에만 있는 장소를 찾아본다.

② 두 그림에서 공통으로 등장하는 장소를 찾아본다.

③ 다른 장소인데 다른 모양으로 그려진 것을 찾아본다.

④ 같은 장소인데 다른 모양으로 그려진 것을 찾아본다.

⑤ 같은 장소인데 다른 위치에 그려진 것이 있는지 찾아본다.

9 직접 돌아다니며 고장의 실제 모습을 알아볼 때의 단점을 **보기**에서 모두 골라 기호를 쓰시오.

보기

㉠ 시간이 오래 걸린다.

㉡ 날씨가 좋지 않으면 돌아다니기 힘들다.

㉢ 고장의 실제 모습을 자세하게 확인하기 어렵다.

㉣ 어두울 때에는 고장의 모습을 알아보기 어렵다.

_____

10 고장에 대한 서로 다른 생각과 느낌에 대해 가져야 할 태도로 알맞은 것을 **보기**에서 <u>두 가지</u> 골라 기호를 쓰시오.

보기

㉠ 무시	㉡ 비난	㉢ 이해
㉣ 존중	㉤ 비판	㉥ 무관심

_____

11 고장의 주요 장소에 대해 알맞은 설명을 한 학생 두 명은 누구입니까? (,)

① 지혜: 고장에 있는 모든 장소입니다.

② 민지: 고장 사람들이 잘 모르는 장소입니다.

③ 연주: 고장 사람들이 자주 찾는 장소입니다.

④ 민창: 고장의 유명한 관광지가 있는 장소입니다.

⑤ 사라: 고장에서 나와 친구에게만 특별한 추억이 있는 장소입니다.

12 디지털 영상 지도의 기능 중 지도를 움직여 원하는 위치의 모습을 볼 수 있게 해 주는 기능은 어느 것입니까? ( )

① 확대 기능   ② 이동 기능

③ 축소 기능   ④ 검색 기능

⑤ 거리 재기 기능

13 스마트폰이나 태블릿 컴퓨터로 디지털 영상 지도를 이용할 때 ㉠ 기능에 대한 설명으로 알맞은 것은 어느 것입니까? ( )

① 지도를 확대할 수 있다.

② 실제 거리를 잴 수 있다.

③ 지도의 종류를 선택할 수 있다.

④ 현재 나의 위치를 지도에 표시해 준다.

⑤ 찾고자 하는 장소의 위치를 검색할 수 있다.

◈ 서술형

14 다음은 우리 고장의 모습을 살펴볼 수 있는 지도에 대한 설명입니다. 지도 2를 활용하여 고장의 모습을 살펴볼 때, 지도 1보다 편리한 점을 서술하시오.

- 지도 1은 인공위성에서 찍은 사진을 이용하여 만든 지도입니다.
- 지도 2는 산과 강, 큰길 등의 밑그림만 그려져 있는 지도입니다.

_____

_____

15 디지털 영상 지도에서 찾아볼 만한 우리 고장의 장소로 알맞지 <u>않은</u> 것은 어느 것입니까?

( )

① 내가 좋아하는 장소
② 사람들이 자주 찾는 장소
③ 고장 안내도에 소개된 장소
④ 평소에 가 보고 싶었던 장소
⑤ 다른 고장에서 관광지로 유명한 장소

중요

16 다음 ㉠, ㉡에 들어갈 말을 알맞게 짝지은 것은 어느 것입니까? ( )

산, 강, 큰길 등의 밑그림만 그려져 있는 지도를 (㉠)(이)라고 합니다. (㉠)에 우리 고장의 (㉡)을/를 붙여 우리 고장 소개 자료를 만들 수 있습니다.

	㉠	㉡
①	약도	사진
②	약도	그림
③	백지도	장소 카드
④	디지털 영상 지도	장소 카드
⑤	디지털 영상 지도	사진

17 각 주제와 관련된 광주의 주요 장소가 바르게 연결된 것은 어느 것입니까? ( )

① 즐거움을 주는 곳 – 광주역
② 유명한 관광지가 있는 곳 – 소방서
③ 자연과 관련 있는 곳 – 광주 버스 터미널
④ 생활을 편리하게 도와주는 곳 – 광주시청
⑤ 다른 고장으로 이동할 때 이용하는 곳 – 광주 예술의 거리

18 고장의 주요 장소의 특징이 잘 드러나도록 그림으로 표현한 학생을 보기에서 골라 기호를 쓰시오.

보기
㉠ 기우: 비닐하우스에 빵 모양을 그렸다.
㉡ 민석: 버스 터미널에 자전거 타는 사람을 그렸다.
㉢ 지호: 도서관에 책 모양을 그려 사람들이 쉽게 알아볼 수 있도록 나타냈다.

◈ 서술형

19 고장의 소개할 만한 장소에 대한 정보를 조사하는 방법을 서술하시오.

_____

_____

20 고장의 장소를 소개하는 장소 카드에 들어갈 내용으로 알맞지 <u>않은</u> 것은 어느 것입니까?

( )

① 장소의 사진
② 장소의 위치
③ 나의 가족 관계
④ 장소에 대한 설명
⑤ 장소를 추천하는 까닭

1 다음 고장의 장소를 보고, 물음에 답하시오.

(가)   (나)

 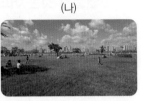

(1) (가), (나) 장소의 이름을 각각 쓰시오.

_____

(2) (가) 장소에서 할 수 있는 경험을 쓰시오.

_____

_____

> **평가 실마리**
> • **관련 내용** 교과서 12~15쪽, 개념 톡톡 12쪽
> • **출제 의도** 고장의 여러 장소 알아보기
> • **선생님의 한마디**
> "고장에는 사람들의 생활과 관련된 여러 장소가 있어!"

2 다음과 같이 우리 고장의 모습을 그릴 때 장소에 대한 느낌을 표현할 수 있는 방법을 서술하시오.

_____

_____

> **평가 실마리**
> • **관련 내용** 교과서 19쪽, 개념 톡톡 14쪽
> • **출제 의도** 고장의 모습 그려 보는 방법 알아보기
> • **선생님의 한마디**
> "고장의 모습을 그릴 때 장소에 대한 느낌을 여러 방법으로 표현할 수 있어."

3 고장의 모습을 그린 두 그림의 공통점과 차이점을 서술하시오.

구분	수민이의 그림	성훈이의 그림
자연 환경	○○강을 위쪽에 그렸음.	△△산을 위쪽에 그리고, ○○강을 아래쪽에 그렸음.
주요 장소	학교, 집, 도서관, 시장, 경찰서 등	학교, 집, 문화원, 도서관, 미술관 등

(1) 두 그림의 공통점

_____

_____

(2) 두 그림의 차이점

_____

_____

> **평가 실마리**
> • **관련 내용** 교과서 21~23쪽, 개념 톡톡 16쪽
> • **출제 의도** 우리 고장의 모습을 그린 그림 비교해 보기
> • **선생님의 한마디**
> "고장의 모습을 그린 그림에는 공통점과 차이점이 있어."

4 다음과 같이 고장에 대한 서로 다른 생각과 느낌에 대해 가져야 할 태도는 무엇인지 서술하시오.

지수: 다른 고장 사람에게 우리 고장의 별빛 수목원과 강가 산책로를 알리고 싶어.

영훈: 우리 고장에 있는 미술관에 다른 고장 사람들이 많이 방문했으면 좋겠어.

_____

_____

> **평가 실마리**
> • **관련 내용** 교과서 25쪽, 개념 톡톡 18쪽
> • **출제 의도** 서로 다른 우리 고장의 장소에 대한 생각과 느낌에 대해 가져야 할 태도 알아보기
> • **선생님의 한마디**
> "고장에 대한 생각과 느낌은 다양할 수 있어!"

5 다음과 같은 방법으로 고장의 실제 모습을 알아볼 때의 단점을 서술하시오.

▲ 높은 곳에 올라가 내려다보기

_____

_____

> 평가 실마리
> - **관련 내용** 교과서 29쪽, 개념 톡톡 26쪽
> - **출제 의도** 높은 곳에 올라가 내려다볼 때의 단점 알아보기
> - **선생님의 한마디**
>   "높은 곳에서 고장의 모습을 살펴볼 때의 단점을 생각해 봐!"

6 다음 그림에 나타난 디지털 영상 지도의 기능은 무엇인지 쓰고, 그 기능을 활용하여 고장의 모습을 살펴볼 때의 장점은 무엇인지 서술하시오.

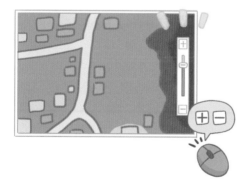

(1) 기능: _____

(2) 장점: _____

> 평가 실마리
> - **관련 내용** 교과서 33쪽, 개념 톡톡 28쪽
> - **출제 의도** 디지털 영상 지도의 기능 알아보기
> - **선생님의 한마디**
>   "디지털 영상 지도에는 다양한 기능이 있어!"

7 다음은 어떤 지도를 활용하여 고장의 모습을 나타낸 것인지 쓰고, 그 지도의 뜻을 서술하시오.

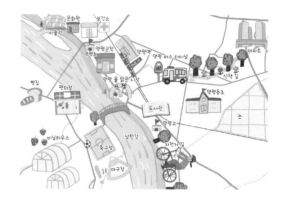

(1) 지도의 이름: _____

(2) 뜻: _____

_____

> 평가 실마리
> - **관련 내용** 교과서 40~43쪽, 개념 톡톡 32쪽
> - **출제 의도** 고장의 주요 장소를 나타내는 방법 알아보기
> - **선생님의 한마디**
>   "이 지도에 장소 카드를 붙여 우리 고장 소개 자료를 만들 수 있어."

8 다음 장소 카드에 들어갈 장소의 특징을 서술하시오.

> 평가 실마리
> - **관련 내용** 교과서 44~45쪽, 개념 톡톡 34쪽
> - **출제 의도** 백지도에 장소 카드를 붙여 고장 소개 자료 만들어 보기
> - **선생님의 한마디**
>   "장소 카드에는 장소의 특징을 간략하게 적을 수 있어."

(1) 우리 고장의 옛이야기

❶ 고장의 옛 모습을 알려 주는 것

(1) 지하철역이나 버스 정류장 이름에는 고장의 옛날 모습을 알 수 있는 (❶   )이/가 담겨 있습니다.

(2) 고장의 옛이야기는 고장 이름뿐만 아니라 도로, 건축물, 고장 축제 등에서도 찾아볼 수 있습니다.

❷ 고장의 지명에 담겨 있는 옛이야기

(1) 고장마다 마을, 산, 들 등을 가리키는 지명이 있습니다.

(2) 지명에 담긴 옛이야기로 당시의 자연환경, 생활 모습, 살았던 인물, 일어났던 일을 알 수 있습니다.

고장의 (❷)와/과 관련된 지명	두물머리, 마이산 등
고장의 옛날 생활 모습과 관련된 지명	조치원, 마포, 사기막골 등
고장에 살았던 인물이나 일어났던 일과 관련된 지명	탄금대, 사임당로 등

❸ 고장에 전해 오는 다양한 옛이야기

(1) 옛이야기의 종류에는 민요, 전설과 민담, 고사성어 등이 있습니다.

(2) 옛이야기로 옛날 고장 사람들의 (❸   )와/과 고장의 역사를 알 수 있습니다.

❹ 고장의 옛이야기 조사와 소개

(1) 주제를 정하고 여러 가지 방법으로 조사합니다.

(2) 조사 방법으로는 누리집 검색하기, 옛이야기 모음집 찾아보기, 문화원 견학하기 등이 있습니다.

(3) 우리 고장의 옛이야기 소개
  ① 그림책에 담을 우리 고장의 옛이야기를 선택합니다.
  ② 표현하려는 내용에 알맞은 제목과 차례를 정합니다.
  ③ 옛이야기와 관련된 그림을 그리고, 글을 씁니다.
  ④ 완성한 그림책을 친구들에게 소개하고, 고장에 대해 알게 된 점을 말합니다.

(2) 우리 고장의 문화유산

❶ 문화유산의 의미와 종류

(1) (❹   ): 옛날부터 전해지는 것 중에서 잘 보존해 다음 세대에 물려줄 만한 가치가 있는 것을 말합니다.

(2) 문화유산의 종류: 형태가 있는 유형 문화유산과 형태가 없는 (❺   )이/가 있습니다.

(3) 다양한 문화유산: 건축물, 공예품, 그림, 음악, 춤 등이 있습니다.

❷ 문화유산을 통해 알 수 있는 것

(1) 문화유산을 살펴보면 고장의 옛 모습과 옛날 사람들의 다양한 생활 모습을 알 수 있습니다.

(2) 옛날 사람들의 슬기와 멋도 느낄 수 있습니다.

❸ 우리 고장의 문화유산 조사

(1) 고장 안내도에서 문화유산 위치 찾기, 누리집 검색하기 등의 방법이 있습니다.

(2) 문화유산이 만들어진 시기와 까닭, 문화유산과 관련된 이야기 등을 조사합니다.

❹ 우리 고장의 문화유산 답사

(1) 고장의 문화유산을 (❻   )하며 조금 더 생생하게 체험할 수 있습니다.

(2) 친구들과 계획을 세워 답사를 하고, 알게 된 점을 정리합니다.
  ① 답사 전에 미리 생각해야 하는 것들을 확인합니다.
  ② 문화유산을 답사하며 궁금한 점을 알아봅니다.

❺ 우리 고장의 문화유산 소개

(1) 문화유산 신문, 문화유산 달력, 문화유산 소개 영상 등 문화유산 홍보 자료를 만듭니다.

(2) 홍보 자료에는 문화유산의 특징과 가치, 문화유산에 대한 생각이나 느낌이 잘 드러나야 합니다.

(3) 고장의 문화유산을 소개하면서 문화유산의 가치를 알고 고장에 대한 자긍심을 기를 수 있습니다.

🧩 가로 문제와 세로 문제를 읽고, 퍼즐을 풀어 보시오.

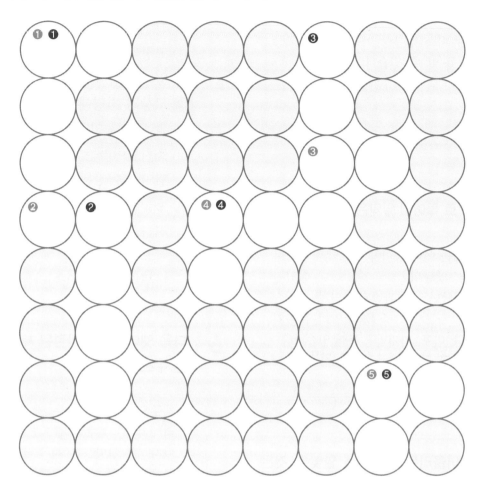

🧩 가로 문제

❶ 고장마다 마을, 산, 들, 강, 길 등의 이름을 나타내는 □□이/가 있습니다.

❷ 옛이야기를 통해 고장의 □□와/과 옛 고장 사람들이 어떤 활동을 했는지 알 수 있습니다.

❸ 경기도 안성시는 예로부터 □□(놋그릇)(으)로 유명한 고장입니다.

❹ 전라북도 진안군에는 두 개의 큰 산봉우리가 있는데, 말의 귀를 닮아 □□□(이)라고 불립니다.

❺ 옛이야기에는 입으로 전해 오는 전설과 □□이/가 있습니다.

🧩 세로 문제

❶ □□□□와/과 버스 정류장 이름에는 고장의 옛 모습을 알 수 있는 옛이야기가 담겨 있기도 합니다.

❷ 경기도 이천시에 있는 □□□□은/는 옛날부터 도자기를 만드는 고장으로 유명했습니다.

❸ 옛날부터 전해지는 것 중에서 잘 보존하여 다음 세대에 물려줄 가치가 있는 것을 □□□□(이)라고 합니다.

❹ 서울특별시 마포구의 □□은/는 한강에 있던 나루터에서 따온 이름입니다.

❺ 옛이야기에는 옛날 사람들이 즐겨 부른 □□이/가 있습니다.

1 빈칸에 들어갈 알맞은 말을 쓰시오.

> 지하철역이나 버스 정류장 이름을 통해 고장의 옛날 모습을 알 수 있습니다. 그 안에 □ □□□이/가 담겨 있기 때문입니다.

2 빈칸에 공통으로 들어갈 알맞은 말을 쓰시오.

> 고장의 지명에는 여러 옛이야기가 담겨 있습니다. 자연환경, 옛날의 □□ □□, 살았던 인물이나 일어났던 일과 관련된 지명 등이 있습니다. 옛날의 □□□□을/를 알려 주는 지명에는 조치원, 마포, 사기막골 등이 있습니다.

3 다음 고장에 어울리는 지명으로 알맞은 것은 어느 것입니까? ( )

① 마포
② 조치원
③ 마이산
④ 두물머리
⑤ 사임당로

4 다음 질문에 알맞은 답을 쓰시오.

> 고장마다 다양한 옛이야기가 전해 오고 있습니다. 다양한 종류의 옛이야기 중, 이것은 옛날 사람들이 즐겨 부른 노래입니다. 대표적인 것으로는 아우라지의 옛이야기가 담겨 있는 정선 아리랑이 있습니다. 이것은 무엇일까요?

중요

5 고장의 지명에 대한 설명으로 알맞지 않은 것은 어느 것입니까? ( )

① 고장의 지명에는 당시의 자연환경이 담겨 있기도 하다.
② 고장의 지명에 담긴 옛이야기로 당시의 생활 모습을 알 수 있다.
③ 조치원이라는 지명을 통해 옛날 병원이 있던 마을이라는 것을 알 수 있다.
④ 두물머리라는 지명을 통해 두 물줄기가 합쳐지는 자연환경이라는 것을 알 수 있다.
⑤ 마포라는 지명을 통해 옛날 마포나루라는 나루터가 있던 곳이라는 것을 알 수 있다.

6 다음 옛이야기와 관련된 제주도의 지명은 무엇인지 쓰시오.

> 제주도의 이곳에서는 세 사람이 나와 바다에 떠내려 온 공주와 결혼했다는 전설이 내려옵니다. 세 사람들은 씨를 뿌려 농사를 짓고 가축을 기르며 살았다고 합니다. 이를 통해 제주도가 아주 오래전부터 농사를 짓고 가축을 기르며 살았다는 것을 알 수 있습니다.

서술형

7 다음 이야기를 통해 알 수 있는 옛 고장 사람들의 생활 모습이나 고장의 특징을 서술하시오.

> '안성맞춤'은 고장의 특산물에서 생겨난 말입니다. 예로부터 안성에서 만든 유기(놋그릇)는 질이 좋아 여기저기 팔려나갔습니다. 안성 장인들의 솜씨는 널리 알려졌고, 사람들은 '안성'이라고 하면 유기를 떠올리게 되었습니다.

8 바르게 설명하고 있는 친구를 보기에서 **두 명** 골라 기호를 쓰시오.

> **보기**
> ㉠ 가희: 고장에는 옛날에 살았던 인물에 대한 옛이야기가 전해 오기도 해.
> ㉡ 나희: 고장의 전쟁과 관련된 역사는 심각한 내용이므로 축제로 이어질 수 없어.
> ㉢ 다희: 진주 남강 유등 축제는 조선이 일본군에 침략해 벌어진 전쟁에 대한 축제야.
> ㉣ 라희: 난계 국악 박물관을 보면 그 고장에서 유명했던 난계 박연의 이야기를 알 수 있어.

서술형

9 다음 방법으로 옛이야기를 조사할 때 주의해야 할 점을 서술하시오.

> 고장에는 지역의 문화재 및 지역 문화를 국내·외 관광객들에게 정확히 설명하고 안내하는 향토 문화 해설사가 있습니다. 이 분들에게 이야기를 들으며 고장의 옛이야기를 조사할 수 있습니다.

_____

_____

10 우리 고장의 옛이야기를 소개하는 그림책을 만들 때 고려해야 할 내용으로 알맞지 **않은** 것은 어느 것입니까? ( )

① 참고하지 말아야 할 그림책이 있을까?
② 한 면에 글과 그림을 얼마나 넣어야 할까?
③ 어떤 순서로 옛이야기를 소개해야 좋을까?
④ 특징을 재미있게 표현하는 제목은 무엇일까?
⑤ 표지를 어떻게 만들어야 주제가 잘 드러날까?

11 다음에서 설명하는 것이 무엇인지 쓰시오.

> 이것은 옛날부터 전해지는 것 중에서 잘 보존해 다음 세대에 물려줄 만한 가치가 있는 것을 말합니다.

중요

12 다음 중 문화유산의 종류가 **다른** 하나는 어느 것입니까? ( )

① 그림   ② 놀이
③ 공예품   ④ 효자비
⑤ 오래된 건축물

13 문화유산에 대한 설명으로 알맞지 **않은** 것은 어느 것입니까? ( )

① 고장의 문화유산으로 사람들의 다양한 생활 모습을 알 수 있다.
② 효자비를 통해 옛날 사람들은 효를 중요시하지 않았다는 것을 알 수 있다.
③ 성곽을 통해 옛날 사람들이 고장을 지키기 위해 성을 쌓았다는 것을 알 수 있다.
④ 돌다리를 통해 옛날 사람들은 돌다리를 사용하여 강을 건넜다는 것을 알 수 있다.
⑤ 기차역을 통해 그 지역이 다른 지역으로 이동하기 쉬운 곳이라는 것을 알 수 있다.

중요

14 문화유산을 조사할 때 찾아보아야 할 것을 보기에서 모두 골라 기호를 쓰시오.

> **보기**
> ㉠ 문화유산의 특징
> ㉡ 문화유산이 만들어진 시기
> ㉢ 문화유산과 관련된 기념품
> ㉣ 문화유산과 관련된 이야기

15 밑줄 친 '이것'이 무엇인지 쓰시오.

> 문화유산을 조사할 때는 <u>이것</u>을 활용할 수 있습니다. <u>이것</u>은 고장의 문화유산이 어디에 있는지 쉽게 알 수 있도록 만든 것입니다. <u>이것</u>을 활용하면 고장의 문화유산을 한눈에 파악할 수 있습니다.

◆ 서술형

16 다음 방법으로 문화유산을 조사할 때의 장점을 서술하시오.

> 문화유산을 조사할 때는 다양한 누리집을 활용할 수 있습니다. 지역의 문화원 누리집, 시·군·구청의 누리집 등에서 문화유산에 대한 내용을 소개하고 있습니다.

중요★

17 문화유산 답사에 대한 설명으로 알맞지 <u>않은</u> 것은 어느 것입니까? ( )

① 답사를 하기 전, 누구와 답사할지 의논해야 한다.
② 답사를 할 때는 생각나는 것들을 기록해 두어야 한다.
③ 답사를 하면 조금 더 생생하게 문화유산을 체험할 수 있다.
④ 고장의 문화유산을 직접 찾아가 보고 느끼는 것을 답사라고 한다.
⑤ 답사를 할 때는 문화유산이 손상되지 않도록 사진을 찍지 않도록 한다.

18 빈칸에 들어갈 알맞은 말을 쓰시오.

> 문화유산을 홍보하는 자료를 만들어 봅시다. 우리 고장의 문화유산을 보호하고, 널리 알리는 노력을 하면서 고장에 대한 ☐☐☐을/를 기를 수 있습니다.

◆ 서술형

19 다음 방법으로 문화유산을 홍보할 때의 주의할 점을 서술하시오.

> 문화유산을 홍보하기 위해서 영상을 만들 수 있습니다. 문화유산의 특징이 잘 드러나도록 소개 영상 대본을 만들고, 대본을 따라서 소개 영상을 촬영하여 완성합니다.

20 문화유산 홍보 자료 제작에 대한 설명으로 옳은 것을 보기 에서 <u>두 가지</u> 골라 기호를 쓰시오.

보기
㉠ 다른 친구들과 협력하지 않고 각자 맡은 역할에만 신경쓴다.
㉡ 문화유산 달력에 넣을 사진이나 그림에 대한 간단한 설명 글을 준비한다.
㉢ 문화유산 신문을 통해 문화유산에 대한 자세한 내용을 한눈에 보여 줄 수 있다.
㉣ 홍보 자료에 담을 내용은 정해져 있으므로 문화유산의 특징은 알아보지 않는다.

1 빈칸에 공통으로 들어갈 알맞은 말을 쓰시오.

> 고장의 옛이야기는 다양한 곳에서 확인할 수 있습니다. 버스 정류장이나 ☐☐☐☐ 이름에서 고장의 옛이야기를 찾아볼 수 있습니다. 옛이야기가 남아 있는 ☐☐☐☐(으)로 서빙고역, 왕십리역 등이 있습니다.

⟡ 서술형

2 다음에서 설명하는 지명을 통해 알 수 있는 옛날의 생활 모습을 서술하시오.

> 서울특별시 마포구의 마포는 한강에 있던 나루터인 마포나루에서 따온 이름입니다.

중요

3 고장의 옛이야기에 대한 설명으로 알맞은 것은 어느 것입니까? ( )

① 아우라지는 정선 아리랑이라는 민담과 관련된 지역이다.
② 쌍우물은 남편이 과거에 합격하기를 바라던 아내의 소원이 담긴 곳이다.
③ 제주도 삼성혈을 통해 제주도는 독특한 결혼 문화가 있었음을 알 수 있다.
④ 고장에 전해 오는 옛이야기를 통해 옛날 사람들의 슬기와 지혜를 엿볼 수 있다.
⑤ 안성맞춤이라는 말을 통해 안성이라는 사람이 문제를 잘 맞혔다는 것을 알 수 있다.

4 밑줄 친 '이 전쟁'이 무엇인지 쓰시오.

> 진주 남강 유등 축제는 이 전쟁과 관련된 축제입니다. 1592년, 일본군이 조선에 침략해 벌어진 이 전쟁은 당시 진주성 안팎의 군인들이 등을 띄워 신호를 주고 받았던 적이 있습니다. 이 풍습이 이어져 진주시에서는 해마다 진주 남강 유등 축제가 열립니다.

중요

5 빈칸에 공통으로 들어갈 알맞은 말을 쓰시오.

> 고장의 옛이야기를 통해 고장의 ☐☐와/과 옛날 사람들이 한 활동을 알 수 있습니다. 옛날에 고장을 빛냈던 인물이 다양한 방법으로 기억되고 있기도 하고, 고장 축제에서 고장의 ☐☐을/를 알리는 행사를 열기도 합니다.

---

6 고장의 옛이야기를 조사할 때 가장 먼저 할 일로 알맞은 것은 어느 것입니까? ( )

① 조사 방법 정하기
② 조사 주제 정하기
③ 조사할 때 주의할 점 알아보기
④ 누구와 함께 조사할지 의논하기
⑤ 조사한 내용 정리할 방법 정하기

7 옛이야기를 조사하는 방법을 **보기**에서 모두 골라 기호를 쓰시오.

> **보기**
> ㉠ 고장의 누리집 검색하기
> ㉡ 고장의 문화원 견학하기
> ㉢ 고장의 옛이야기 모음집 찾아보기
> ㉣ 디지털 영상 지도로 고장의 모습 살펴보기

8 빈칸에 들어갈 알맞은 말을 쓰시오.

고장의 옛이야기를 소개할 때는 ☐☐☐을/를 만들어 소개할 수 있습니다. 이 때 한 면에 글과 그림이 얼마나 들어가야 할지, 어떤 순서로 옛이야기를 소개해야 할지, 참고할 만한 책이 있는지 생각해 보아야 합니다.

_____

🔷 서술형

9 다음 사진을 보고 무엇을 알 수 있는지 서술하시오.

_____

⭐ 중요

10 문화유산에 대한 설명으로 알맞은 것은 어느 것입니까? ( )

① 노래, 춤 등은 유형 문화유산의 대표적인 예이다.
② 문화유산은 옛날부터 전해지는 모든 물건을 말한다.
③ 공예품, 그림 등은 무형 문화유산의 대표적인 예이다.
④ 문화유산은 형태가 있고 없음에 따라 유형과 무형 문화유산으로 나눌 수 있다.
⑤ 문화유산은 나라에서 보호하고 있으므로 개인이 보호하려는 노력은 하지 않아도 된다.

🔷 서술형

11 다음 질문에 알맞은 답을 서술하시오.

오래된 물건 중에서 미래 사람들에게 남길 만한 가치가 있는 것을 문화유산이라고 합니다. 이러한 문화유산을 남겨야 하는 이유는 무엇일까요?

_____

12 다음 중 종류가 다른 문화유산은 어느 것입니까? ( )

① 우물　　　　② 관아
③ 성곽　　　　④ 돌다리
⑤ 해녀 문화

13 다음에서 설명하는 문화유산은 무엇인지 쓰시오.

이것은 비석입니다. 고장에 이름난 효자가 있으면 이 비석을 세웠습니다. 이 비석을 통해 우리나라 사람들이 옛날부터 효를 중요하게 생각했다는 것을 알 수 있습니다.

_____

🔷 서술형

14 다음에서 설명하는 문화유산을 통해 알 수 있는 고장의 옛 모습을 서술하시오.

문화유산 중에서 철갑 옷이 전해지는 고장이 있습니다. 이 곳에서는 철을 사용하여 물건을 만드는 대장장이가 있었습니다. 대장장이의 철로 만드는 기술이 함께 전해집니다.

_____

15 빈칸에 들어갈 알맞은 말을 쓰시오.

여러 문화유산 중 ▢▢▢이/가 남아 있는 고장은 이 곳을 중심으로 고장이 발달했다는 것을 알 수 있습니다. 이 고장이 옛날부터 다른 지역으로 이동하거나 물건을 보낼 수 있는 편리한 장소였다는 것을 알 수 있습니다.

중요★

16 문화유산에 대한 설명으로 알맞은 것은 어느 것입니까? ( )

① 우물을 보면 옛날 사람들은 물을 사용하지 못했다는 것을 알 수 있다.
② 관아를 보면 옛날에는 시청 역할을 하는 곳이 따로 없었다는 것을 알 수 있다.
③ 돌다리를 보면 옛날 사람들이 강을 건널 때 돌다리를 사용했다는 것을 알 수 있다.
④ 해녀 문화를 보면 바닷가에 살던 여자들은 모두 해녀로 일했다는 것을 알 수 있다.
⑤ 대장장이를 보면 철을 다루는 기술은 더 이상 전해지지 않는다는 것을 알 수 있다.

중요★

17 고장의 문화유산을 조사하는 방법으로 가장 알맞지 <u>않은</u> 것은 어느 것입니까? ( )

① 문화유산을 조사할 때는 미리 계획을 세울 필요가 없다.
② 누리집을 이용할 때는 신뢰할 수 있는 출처의 자료인지 확인해야 한다.
③ 시·군·구청 누리집 외에도 고장의 문화원 누리집을 활용할 수도 있다.
④ 문화유산을 조사할 때는 문화유산의 특징, 만들어진 시기 등을 찾아봐야 한다.
⑤ 문화유산을 만든 까닭이나 관련된 이야기를 통해 문화유산을 더 잘 알 수 있다.

18 빈칸에 들어갈 알맞은 말을 쓰시오.

▢▢▢을/를 활용하여 문화유산을 조사하면, 문화유산과 관련된 자료를 편리하게 찾을 수 있다는 장점이 있습니다. 하지만 신뢰할 수 있는 출처의 자료인지 반드시 확인하고 사용해야 합니다.

19 문화유산 홍보 신문을 만드는 과정을 순서대로 기호를 쓰시오.

㉠ 신문의 주제를 정한다.
㉡ 문화유산을 홍보하는 기사를 쓴다.
㉢ 어떤 문화유산을 홍보할지 결정한다.
㉣ 신문의 주제에 맞는 사진과 그림을 수집한다.

20 문화유산 홍보 자료를 만드는 방법에 대해 바르게 설명한 것을 **보기**에서 <u>두 가지</u> 골라 기호를 쓰시오.

보기

㉠ 홍보 영상을 만들 때는 계획을 대략적으로만 세워야 한다.
㉡ 홍보 신문을 만들 때는 그림이나 사진을 넣지 않도록 한다.
㉢ 문화유산 달력을 만들 때는 간단한 설명글을 함께 준비해야 한다.
㉣ 홍보 자료를 만들 때는 모둠원들의 생각이 잘 반영되도록 해야 한다.

서술형 팡팡 문제

1 다음 사진을 보고 물음에 답하시오.

(가)

▲ 두물머리

(나)

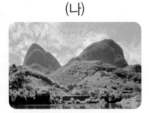
▲ 마이산

⑴ (가), (나) 중 두 물줄기가 만나는 곳이라 해서 붙은 지명을 골라 기호를 쓰시오.

_____

⑵ (가), (나)의 지명으로 알 수 있는 사실을 각각 쓰시오.

_____

_____

> **평가 실마리**
> • **관련 내용** 교과서 58쪽, 개념 톡톡 56쪽
> • **출제 의도** 지명으로 고장의 특징 알아보기
> • **선생님의 한마디**
> "지명에는 고장의 옛이야기가 담겨 있어!"

2 다음 대화에서 종현이의 대답으로 알맞은 내용을 서술하시오.

> **선생님:** 우리 고장의 각 장소에 어울리는 지명을 생각해 봤나요?
> **민 현:** 네. 저는 우리 고장에 밤나무가 많아 밤나무골이라는 지명을 지었습니다.
> **종 현:** 저는 우리 고장의 산에 쌍둥이산이라는 지명을 지었습니다.
> **선생님:** 종현이는 왜 그 산에 쌍둥이산이라는 이름을 지었나요?

_____

_____

> **평가 실마리**
> • **관련 내용** 교과서 60쪽, 개념 톡톡 56쪽
> • **출제 의도** 지명으로 고장의 특징 알아보기
> • **선생님의 한마디**
> "지명으로 고장의 유래와 특징을 알 수 있어!"

3 다음 지명과 관련된 옛이야기를 통해 알 수 있는 옛날 사람들의 생활 모습을 서술하시오.

> 제주도에는 첫 조상이 태어났다는 전설이 내려오는 삼성혈이 있습니다. 세 개의 구멍을 뜻하는 삼성혈에서 어느 날 세 사람이 나왔습니다. 세 사람은 바다에 떠내려 온 상자 속 공주와 결혼하여 씨를 뿌려 농사를 짓고 가축을 기르며 살았다고 합니다.

_____

> **평가 실마리**
> • **관련 내용** 교과서 63쪽, 개념 톡톡 58쪽
> • **출제 의도** 고장의 옛이야기로 옛날 사람들의 생활 모습 알아보기
> • **선생님의 한마디**
> "고장에 전해 내려오는 옛이야기에는 옛날 사람들의 생활 모습이 담겨 있어!"

4 다음 옛이야기에 담긴 역사가 무엇인지 서술하시오.

> 충청북도 영동군에는 난계 국악 박물관이라는 곳이 있어요. '난계'는 영동에서 태어나 국악을 발전시킨 박연이라는 사람의 호입니다. 그는 어려서부터 피리를 잘 불었습니다. 어느 날 박연이 부모님의 산소를 지키며 피리를 불고 있었습니다. 피리 소리를 듣고 온 호랑이는 그의 피리 연주를 좋아해 잡아먹지 않고 함께 산소를 지켜 주었다는 이야기가 전해 오고 있습니다.

_____

> **평가 실마리**
> • **관련 내용** 교과서 66쪽, 개념 톡톡 60쪽
> • **출제 의도** 옛이야기에 담긴 고장의 역사 알기
> • **선생님의 한마디**
> "고장을 빛냈던 인물은 다양한 방법으로 기억되고 있어!"

5 다음 두 문화유산의 차이점이 무엇인지 서술하시오.

평가 실마리
- **관련 내용** 교과서 76쪽, 개념 톡톡 74쪽
- **출제 의도** 문화유산의 종류 알아보기
- **선생님의 한마디**
"문화유산은 형태의 있고 없음에 따라 나눌 수 있어!"

6 다음과 같은 고장의 문화유산을 통해 알 수 있는 점은 무엇인지 각각 서술하시오.

(가)   (나)

▲ 관아   ▲ 해녀 문화

평가 실마리
- **관련 내용** 교과서 79쪽, 개념 톡톡 76쪽
- **출제 의도** 문화유산으로 알 수 있는 점 알기
- **선생님의 한마디**
"문화유산을 살펴보면 옛날 사람들의 생활 모습을 알 수 있어!"

7 다음 학생의 질문에 대한 대답으로 알맞은 내용을 <u>두 가지</u> 서술하시오.

학생: 우리 고장에 이렇게 많은 문화유산이 있는지 몰랐어. 우리 고장에 있는 문화유산에 대해 조사해 보고 싶은데, 어떤 방법으로 조사해야 할까?

평가 실마리
- **관련 내용** 교과서 82쪽, 개념 톡톡 78쪽
- **출제 의도** 문화유산 조사 방법 알아보기
- **선생님의 한마디**
"문화유산을 조사할 때, 고장의 안내도나 누리집을 활용할 수 있어!"

8 다음은 고장의 문화유산 답사 계획서입니다. ㉠에 들어갈 알맞은 내용을 <u>한 가지</u> 서술하시오.

답사 목적	고장의 문화유산 알아보기
답사 장소	석굴암(경상북도 경주시 불국로 873–243)
답사할 사람	은지, 한나, 은지 어머니(보호자)
답사 내용	석굴암은 왜 여기 세워졌을까?
답사 방법	관찰하기, 향토 문화 해설사의 설명 듣기
준비물	필기도구, 사진기, 휴대 전화
주의할 점	㉠

평가 실마리
- **관련 내용** 교과서 84쪽, 개념 톡톡 80쪽
- **출제 의도** 문화유산 답사의 유의점 알아보기
- **선생님의 한마디**
"문화유산을 답사할 때 답사 방법에 따라 주의할 점이 있어!"

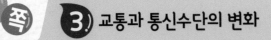
(1) 교통수단의 변화로 달라진 생활

❶ 교통수단의 의미와 종류
(1) 사람들이 이동하거나 물건을 멀리 옮길 때 사용하는 것을 (❶   )(이)라고 합니다.
(2) 오늘날에는 자동차, 비행기, 버스, 지하철, 고속 열차, 배, 자전거 등의 교통수단을 이용합니다.

❷ 옛날에 이용했던 교통수단
(1) 주변 어른들은 어릴 때 전차, 증기 기관차, 자동차, 버스 등의 교통수단을 이용했습니다.
(2) 먼 옛날에는 자연과 동물의 힘을 이용하거나, 사람이 직접 들어서 이동하는 교통수단이 있었습니다.

자연의 힘을 이용한 교통수단	돛단배, 뗏목
동물의 힘을 이용한 교통수단	말, 소달구지
사람의 힘을 이용한 교통수단	(❷), 지게

❸ 교통수단의 변화로 달라진 생활 모습
(1) 교통수단의 발달로 서울에서 부산까지 이동하는 시간이 줄어들었습니다.
(2) 교통수단의 발달로 고속 도로, 철도, 터널, 공항과 같은 (❸   )이/가 만들어졌고, 새로운 직업이 생겨났습니다.

❹ 우리 고장에서 이용하는 교통수단
(1) 교통수단의 발달로 고장의 모습이 변화합니다.
(2) 고장의 환경에 따라 교통수단은 다릅니다.

농사를 짓는 고장	경운기, 사륜 오토바이
바다나 섬이 있는 고장	갯배, 뻘배
산이 많은 고장	산악용 궤도차, 모노레일, 케이블카

❺ 미래의 교통수단
(1) 오늘날 교통수단은 환경을 오염시키는 문제가 있습니다.
(2) 미래에는 환경을 보호하며 더욱 안전하고 빠른 교통수단이 생겨날 것입니다.

(2) 통신수단의 변화로 달라진 생활

❶ 통신수단의 의미와 종류
(1) 사람들이 일상생활에서 다양한 방법으로 소식과 정보를 전달할 때 사용하는 것을 (❹   )(이)라고 합니다.
(2) 오늘날에는 휴대 전화, 전자 우편, 편지, 누리 소통망 등을 통신수단으로 이용합니다.

❷ 옛날에 이용했던 통신수단
(1) 주변 어른들은 어릴 때 공중전화, 무선 호출기, 팩스, 전신기 등의 통신수단을 이용했습니다.
(2) 먼 옛날에는 소리나 신호를 이용하거나, 사람이 직접 전달하는 통신수단이 있었습니다.

사람이 직접 이동한 통신수단	파발, 서찰
소리를 이용한 통신수단	북
신호를 이용한 통신수단	봉수, 신호 연

❸ 통신수단의 변화로 달라진 생활 모습
(1) 통신수단의 발달로 우리의 생활은 아주 편리해졌습니다.
(2) 통신수단의 변화로 전화를 거는 사람과 받는 사람을 연결해 주는 (❺   )이/가 없어졌지만, 새로운 직업도 많이 생겨났습니다.

❹ 우리 고장에서 이용하는 통신수단
(1) 고장의 (❻   )와/과 사람들이 하는 일에 따라 다른 통신수단을 이용합니다.

고장의 환경에 따른 통신수단	스마트 팜, 등대, 항공 경고 등
사람이 하는 일에 따라 다른 통신수단	아파트 안내 방송, 안전 요원의 확성기, 온라인 수업 도구

❺ 미래의 통신수단
(1) 미래에는 더욱 편리한 기능의 통신수단이 생겨날 것입니다.
(2) 홀로그램 휴대 전화, VR 가상 통신기 등이 미래의 통신수단입니다.

가로 톡! 세로 톡! 퍼즐

③ 교통과 통신수단의 변화

📍 정답과 해설 27쪽

🧩 가로 문제와 세로 문제를 읽고, 퍼즐을 풀어 보시오.

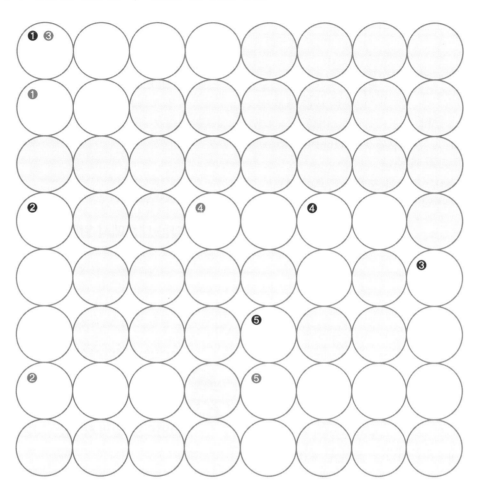

가로 문제

❶ □□은/는 배를 탈 때 볼 수 있는 교통 시설입니다.

❷ □□□은/는 도시 내에서 빠르고 정확한 시간에 도착할 수 있으며 지하로 다니는 교통수단입니다.

❸ 휴대 전화가 없던 시절 길거리에서 □□□□을/를 찾아 긴급하게 연락했습니다.

❹ 사람들이 장소에 상관없이 언제 어디서든 편리하게 통화할 수 있게 된 것은 □□ □□의 발달 덕분입니다.

❺ □□□□은/는 복잡한 도로에서 경찰들이 신호를 보낼 때 불어서 사용합니다.

세로 문제

❶ 우리가 비행기를 타러 가기 위해서는 □□에 가야 합니다.

❷ 옛날의 교통수단 중 동물의 힘을 이용해 무거운 짐을 싣고 옮겼던 것은 □□□□입니다.

❸ 농촌에서는 수확한 농작물을 옮기거나 밭을 갈 때 주로 □□□을/를 이용합니다.

❹ 지금은 없어졌지만 50~70년 전에는 서울의 도심을 다니는 교통수단인 □□이/가 있었습니다.

❺ 옛날의 통신수단 중 □□ □은/는 하늘에 띄워 무늬를 이용해 중요한 사항을 알렸습니다.

1 교통수단에 대한 설명으로 알맞지 <u>않은</u> 것을 **보기**에서 골라 기호를 쓰시오.

> **보기**
> ⊙ 지하철은 땅 아래로 다니는 교통수단이다.
> ⓒ 이동하는 목적에 상관없이 항상 같은 교통수단을 이용한다.
> ⓒ 비행기는 안전하고 빠르게 다른 나라에 도착할 수 있도록 해 준다.
> ② 짐을 옮길 때도 물건의 크기와 종류에 따라 다양한 교통수단을 이용한다.

2 빈칸에 들어갈 알맞은 말을 쓰시오.

> □□ □□은/는 다른 도시로 멀리 이동할 때 사용하는 교통수단입니다. 역을 통해 이동하며 교통 체증 없이 빠른 속도로 정확한 시간에 목적지까지 이동시켜 줍니다.

◈ 서술형

3 다음 두 교통수단의 공통점과 차이점을 서술하시오.

▲ 지하철

▲ 고속 열차

4 다음에서 설명하는 교통수단이 무엇인지 쓰시오.

> **주영:** 가까운 거리를 이동할 때 주로 사용해.
> **은아:** 사람의 힘으로 움직이는 교통수단이지.
> **석하:** 요즘에는 동네의 가까운 곳에서 잠깐 빌려서 사용하고 반납할 수도 있어.

5 다음 내용에서 알맞은 말에 ○표 하시오.

> 옛날 교통수단 중 소달구지는 (1) (동물 / 식물)의 힘을 이용했고, 돛단배는 (2) (사람 / 자연)의 힘을 이용한 교통수단입니다.

중요

6 교통수단의 변화로 달라진 생활 모습에 대한 설명으로 알맞지 <u>않은</u> 것은 어느 것입니까?

(   )

① 다른 고장으로 가는 시간이 짧아졌다.
② 예전에 가기 어려웠던 곳을 쉽게 간다.
③ 교통수단의 변화로 새로운 직업이 생겼다.
④ 다른 나라의 물건을 구하기가 어려워졌다.
⑤ 바닷가에서 잡힌 싱싱한 생선을 택배로 배달해 먹을 수 있다.

7 섬에 다리가 생겨 변화한 고장의 모습으로 알맞지 <u>않은</u> 것은 어느 것입니까? (   )

① 뱃사공이 필요 없어졌다.
② 섬을 오가는 여행객들이 늘어났다.
③ 자동차로 섬을 쉽게 오갈 수 있게 되었다.
④ 육지와 섬을 오가는 여객선의 수가 늘었다.
⑤ 필요한 물건이나 음식을 육지에서 빠르게 배달할 수 있다.

8 다음 교통수단을 볼 수 있는 고장으로 알맞은 것은 어느 것입니까?   (   )

▲ 갯배

① 산이 많은 고장
② 농사를 짓는 고장
③ 바다가 있는 고장
④ 높은 언덕이 많은 고장
⑤ 대중교통 이용객이 많은 고장

◈ 서술형

9 밑줄 친 '이 교통수단'이 무엇인지 쓰고, 좋은 점을 서술하시오.

"이전에는 과수원까지 올라가려면 언덕을 올라가야 했단다. 너무 힘들었지. 하지만 이 교통수단이 생기고 나서는 언덕 꼭대기까지 쉽게 올라갈 수 있고, 수확한 과일도 가져오기 편리해졌단다."

중요

10 미래에 사용하게 될 교통수단으로 알맞은 것을 보기에서 **두 가지** 골라 기호를 쓰시오.

보기
㉠ 날개가 달린 자동차
㉡ 빠르게 달리는 고속 열차
㉢ 산 정상으로 쉽게 올라가는 케이블카
㉣ 목적지까지 도착하는 자율 주행 자동차

중요

11 오늘날 통신수단의 특징으로 알맞은 것은 어느 것입니까?   (   )

① 동물이나 자연의 힘을 이용한다.
② 주로 신호를 이용해 내용을 알린다.
③ 위급한 상황에서는 봉수로 소식을 알린다.
④ 많은 사람에게 동시에 소식을 전달하기 힘들다.
⑤ 집에서 편리하게 장을 보거나 물건을 구매할 수 있다.

12 빈칸에 공통으로 들어갈 알맞은 말을 쓰시오.

아빠: 우리 수연이는 친구와 누리 소통망을 이용해 소식을 주고받는구나. 아빠가 어렸을 때는 멀리 이사 간 친구와 ☐☐을/를 주고받았는데, 우체국 아저씨께서 오실 때 많이 반가웠단다.
수연: 친구와 ☐☐을/를 주고받으면 시간이 지금보다는 더 오래 걸렸겠어요!

13 주변 어른들이 사용했던 옛날의 통신수단을 보기에서 **두 가지** 골라 기호를 쓰시오.

보기
㉠ 친구에게 전보를 부치셨던 할아버지
㉡ 화상 전화로 친구와 통화하셨던 할머니
㉢ 무선 호출기에 찍힌 번호로 전화를 걸었던 이모
㉣ 스마트폰으로 사진과 영상을 찍어 친구에게 보낸 외삼촌

◈ 서술형

14 먼 옛날의 통신수단을 보고, 어떻게 소식이나 정보를 전달했는지 서술하시오.

_____

_____

15 통신수단의 발달을 순서대로 기호를 쓰시오.

> ㉠ 영상 통화를 쉽게 할 수 있는 스마트폰
> ㉡ 번호를 남기면 연락을 주는 무선 호출기
> ㉢ 사람을 시켜 중요한 내용을 전달하는 서찰
> ㉣ 글자 수에 따라 요금을 받아 전달하는 전보

_____

◈ 서술형

16 다음 대화를 통해 통신수단의 발달이 우리의 삶에 어떤 영향을 주었는지 서술하시오.

> **엄마:** 엄마가 어렸을 때는 길거리에 공중전화가 많았단다. 그래서 공중전화를 수리하거나 설치하는 분들이 아주 많았지.
> **나윤:** 요즘엔 길에서 공중전화를 보기 힘든 것 같아요. 다들 휴대 전화를 가지고 다녀서 휴대 전화가 고장 나면 휴대 전화를 고쳐 주는 사람이 많이 생겼어요.

_____

17 인터넷 사용이 늘면서 새롭게 생긴 직업으로 알맞은 것은 어느 것입니까? ( )

① 교환원
② 집배원
③ 휴대폰 판매원
④ 스마트폰 개발자
⑤ 인터넷 장비 설치 기사

18 다음 사진과 같이 통신수단을 사용하는 고장은 어디인지 쓰시오.

▲ 스마트폰 원격 제어

◈ 서술형

19 다음 상황에서 통신수단을 사용하는 모습이 다른 까닭이 무엇인지 서술하시오.

> • 수상 안전 요원이 사용하는 확성기
> • 아파트에서 안내 방송을 하기 위한 스피커

_____

_____

중요
20 오늘날 통신수단을 미래에 개선해야 할 이유로 알맞지 <u>않은</u> 것은 어느 것입니까? ( )

① 더욱 편리한 기능이 추가되어야 한다.
② 휴대 전화가 잘 깨지지 않고 튼튼하다.
③ 충전을 하지 않는 휴대 전화가 필요하다.
④ 몸이 불편한 사람이 집에서 원격 진료를 받을 수 있어야 한다.
⑤ VR 가상 통신 기술이 발달하여 생생한 현장을 느끼는 통신수단이 개발되어야 한다.

단원 팡팡 문제 2회

1 빈칸에 들어갈 알맞은 말을 각각 쓰시오.

> 은아네 가족은 지난 명절에 부산 할머니댁을 가기 위해 공항으로 이동하여 (㉠)을/를 탔습니다. 할머니 댁에서 즐거운 시간을 보낸 후, 서울로 돌아올 때는 삼촌께서 자동차를 이용해 부산역까지 데려다 주셨고, (㉡)을/를 타고 돌아왔습니다.

중요

2 교통수단을 이용한 경험으로 알맞지 **않은** 것은 어느 것입니까? ( )

① 친척 집에 갈 때 고속 열차를 탔다.
② 지하철을 타고 도서관에 가 보았다.
③ 공항에서 배를 타고 미국을 다녀왔다.
④ 버스를 타고 엄마와 함께 박물관에 갔다.
⑤ 자동차를 타고 아빠와 함께 백화점에 갔다.

3 땅으로 다니는 교통수단으로 알맞지 **않은** 것은 어느 것입니까? ( )

① 버스   ② 자전거
③ 지하철   ④ 화물선
⑤ 킥보드

4 빈칸에 들어갈 알맞은 말을 쓰시오.

> "지금은 고속 열차나 기차 등이 아주 많이 발달했단다. 소리도 거의 내지 않고 아주 빠른 속도로 다니지. 하지만 할머니가 어렸을 때 탔던 □□ □□□은/는 큰 소리를 내고 연기를 내뿜으며 이동했단다."

5 교통수단의 발달을 순서대로 기호를 쓰시오.

> ㉠ 전차   ㉡ 지하철
> ㉢ 고속 열차   ㉣ 소달구지

중요

6 새로운 교통수단과 시설의 발달로 변화된 생활 모습으로 알맞지 **않은** 것은 어느 것입니까?
( )

① 새로운 교통 시설을 중심으로 가게가 생겼다.
② 먼 거리에 있는 물건도 하루면 받을 수 있다.
③ 교통 시설이 발달한 장소에 큰 도시가 만들어졌다.
④ 언제든지 원하는 곳으로 빠르게 이동할 수 있게 되었다.
⑤ 다른 지역으로 이동하기 위해 선택할 수 있는 교통수단의 종류가 줄어들었다.

7 다음의 교통 시설이 무엇인지 쓰시오.

> 여객선 터미널에서 배를 타기 위한 곳이고, 많은 화물선이 물건을 싣기 위해 있는 곳이기도 합니다.

8 교통수단의 영향을 받아 새롭게 생긴 직업을 보기에서 **두 가지** 골라 기호를 쓰시오.

> **보기**
> ㉠ 지하철을 운전하는 기관사
> ㉡ 버스를 운전하는 버스 기사
> ㉢ 수레로 사람을 태워 주는 인력거꾼
> ㉣ 나루터에서 배를 조종해 움직인 뱃사공

◈ 서술형

9 다음과 같은 교통수단은 어떤 고장에서 주로 이용하는지 서술하시오.

▲ 산악용 궤도차   ▲ 경사용 승강기

◈ 서술형

10 다음과 같은 미래의 교통수단이 어떤 문제점을 해결해 줄 수 있는지 서술하시오.

공기 청정 자동차

11 다음에서 설명하는 통신수단이 무엇인지 쓰시오.

> 친구의 메일 주소를 물어본 후, 현장 체험 학습을 다녀온 사진을 첨부하여 보냈습니다.

---

12 먼 옛날에 사용했던 통신수단으로 알맞지 <u>않은</u> 것은 어느 것입니까? (   )

① 파발   ② 서찰
③ 봉수   ④ 신호 연
⑤ 수신자 부담 전화

중요

13 옛날 사람들이 위급한 상황에서 소식을 전했던 방법으로 알맞지 <u>않은</u> 것은 어느 것입니까?
(   )

① 불을 피워서 알린다.
② 항공 경고등으로 신호를 보낸다.
③ 장구나 꽹과리 등을 쳐서 알린다.
④ 사람이 뛰어가서 서찰을 전달한다.
⑤ 여러 신호가 담긴 연을 하늘에 띄운다.

---

14 스마트폰의 발달로 달라진 생활 모습으로 알맞은 것을 보기에서 **두 가지** 골라 기호를 쓰시오.

> **보기**
> ㉠ 화상 회의를 하는 아버지
> ㉡ 미술관에 직접 가서 관람하는 어머니
> ㉢ 내비게이션으로 길 안내를 받는 외삼촌
> ㉣ 숙제가 무엇인지 친구를 찾아가 묻는 학생

15 전화기의 발달과 관련된 설명으로 알맞은 것을 보기에서 **두 가지** 골라 기호를 쓰시오.

> **보기**
> ㉠ 스마트폰의 발달로 화상 전화를 할 수 있다.
> ㉡ 휴대 전화의 발달로 공중전화가 없어지고 있다.
> ㉢ 오늘날 전화를 하려면 교환원을 거쳐 상대에게 전화할 수 있다.

⬥ 서술형

16 다음 글을 읽고 올바른 스마트폰 사용이 필요한 이유가 무엇인지 서술하시오.

> 오늘 다른 나라 사람들이 올린 영상을 보다 보니 재미있었지만, 오랫동안 봐서 목도 아프고 눈이 많이 따가웠다. 엄마께서는 사용 시간을 줄이라고 하셨지만, 스마트폰을 사용하는 것이 너무 재미있어서 줄이는 것이 힘들다.

17 통신수단의 변화로 달라진 학생들의 생활 모습으로 알맞은 것은 어느 것입니까? (   )

① 전보를 이용해 할머니께 안부를 전한다.
② 집에서도 컴퓨터로 온라인 수업을 듣는다.
③ 무선 호출기를 보고 친구에게 전화를 건다.
④ 봉수를 이용해 위급한 상황을 부모님에게 알린다.
⑤ 모르는 숙제를 물어보기 위해 친구 집을 직접 찾아간다.

18 다음 설명에서 통신수단의 변화가 미친 영향이 무엇인지 쓰시오.

> 예전에는 전화를 거는 사람과 받는 사람을 연결해 주는 교환원이 존재했지만 지금은 없어졌고, 인터넷 장비를 설치해 주거나 스마트폰 애플리케이션을 개발하는 사람들이 새로 생겨났습니다.

⬥ 서술형

19 다음 사진의 두 고장에서 소식이나 중요한 내용을 전달할 때 사용하는 통신수단의 차이점이 무엇인지 서술하시오.

▲ 농촌

▲ 도시

20 빈칸에 들어갈 알맞은 말을 쓰시오.

> 미래의 통신수단은 지금과 같이 통신 장비를 들고 다니지 않고, 가상의 신호나 화상의 ☐ ☐☐☐ 형태로 이용할 수 있을 것입니다.

서술형 팡팡 문제

1 다음 그래프를 보고 물음에 답하시오.

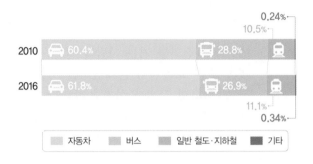

| 2010 | 🚗 60.4% | 🚌 28.8% | 🚆 |
| 2016 | 🚗 61.8% | 🚌 26.9% | 🚆 |

0.24%
10.5%

11.1%
0.34%

⬜ 자동차　⬜ 버스　⬜ 일반 철도·지하철　⬛ 기타

(1) 그래프에서 사람들이 가장 많이 이용하는 교통수단이 무엇인지 쓰시오.

(2) 그래프와 같이 사람들이 다양한 교통수단을 이용하는 이유를 서술하시오.

> **평가실마리**
> • **관련 내용** 교과서 100~101쪽, 개념 톡톡 102쪽
> • **출제 의도** 다양한 교통수단 알기
> • **선생님의 한마디**
> "교통수단의 발달로 다른 지역으로 이동이 아주 편해졌어!"

2 다음 옛날의 교통수단을 보고 오늘날 교통수단과의 차이점을 서술하시오.

▲ 소달구지　　　▲ 가마

> **평가실마리**
> • **관련 내용** 교과서 105쪽, 개념 톡톡 104쪽
> • **출제 의도** 옛날과 오늘날의 교통수단 차이점 알기
> • **선생님의 한마디**
> "옛날 교통수단의 특징을 떠올려 봐!"

3 다음은 가족들과 제주도에 가기 위해 들렸던 장소들이다. 이 장소들을 보고 어떤 교통수단을 이용했는지 순서대로 서술하시오.

지하철역 ➡ 공항 ➡ 도로 ➡ 여객선 터미널

> **평가실마리**
> • **관련 내용** 교과서 108~109쪽, 개념 톡톡 106쪽
> • **출제 의도** 오늘날의 교통수단과 교통 시설 알기
> • **선생님의 한마디**
> "교통수단과 관련된 다양한 교통 시설이 있어!"

4 다음 질문에 알맞은 답을 서술하시오.

> **선생님:** 자동차나 배는 기름을 넣어야 움직이는데, 무엇이 나오는지 아나요?
> **은 아:** 매연이나 환경 오염 물질이 나온다고 배웠어요.
> **선생님:** 네 맞아요, 환경이 오염되는 물질이 나와서 전기나 수소로 움직이는 자동차를 개발 중이에요.
> **은 아:** 전기나 수소 자동차는 환경 오염이 안 되나요?
> **선생님:** 네 맞아요. 그 외에도 다양한 친환경 자동차를 개발하는 이유는 무엇일까요?

> **평가실마리**
> • **관련 내용** 교과서 117쪽, 개념 톡톡 112쪽
> • **출제 의도** 오늘날 교통수단의 문제 및 개선점 알기
> • **선생님의 한마디**
> "오늘날의 교통수단이 편리한 점도 있지만 문제점도 있어!"

5 다음 옛날의 통신수단의 차이점이 무엇인지 서술하시오.

▲ 파발

▲ 봉수

평가 실마리
- **관련 내용** 교과서 124~125쪽, 개념 톡톡 122쪽
- **출제 의도** 옛날 통신수단의 특징 알기
- **선생님의 한마디**
  "옛날의 통신수단도 차이점이 있어!"

6 다음 일기를 읽고 물음에 답하시오.

오늘 엄마와 드라마를 보았다. 드라마는 1990년대 배경의 내용이었는데, 주인공이 가지고 있는 (㉠)이/가 울리자, 공중전화로 가서 친구에게 전화를 했다. 엄마께서는 드라마를 보시며 추억에 잠긴다고 말씀하셨다.

(1) ㉠의 통신수단이 무엇인지 쓰시오.

(2) 통신수단의 발달로 우리의 생활 모습이 어떻게 변화되었는지 서술하시오.

평가 실마리
- **관련 내용** 교과서 126~127쪽, 개념 톡톡 124쪽
- **출제 의도** 통신수단의 변화로 달라진 생활 모습 알기
- **선생님의 한마디**
  "통신수단의 변화로 우리 생활은 많이 편리해졌어!"

7 다음 질문에 알맞은 답을 <u>두 가지</u> 서술하시오.

민아: 할아버지께서는 어릴 때 전보를 이용해 소식을 전하셨고, 엄마는 공중전화를 사용하셨구나! 오늘날 사람들은 스마트폰을 사용하여 소식을 전하는데, 또 어떻게 사용하고 있을까?

평가 실마리
- **관련 내용** 교과서 127쪽, 개념 톡톡 124쪽
- **출제 의도** 스마트폰의 다양한 사용 용도 알기
- **선생님의 한마디**
  "스마트폰은 전화기 용도뿐만 아니라 다양한 통신수단으로 활용되고 있어!"

8 다음과 같은 통신수단을 사용하는 고장은 어떤 특징이 있을지 서술하시오.

▲ 마을 안내 방송

▲ 등대

평가 실마리
- **관련 내용** 교과서 130~131쪽, 개념 톡톡 128쪽
- **출제 의도** 고장 사람들이 사용하는 통신수단 알아보기
- **선생님의 한마디**
  "고장의 환경에 따라 다른 통신수단을 사용하기도 해!"

MEMO

초등 사회
자습서&평가문제집 **3-1**

정답

금성출판사

푸르넷

학교 성적에 날개를 달아 주는
완전 학습 프로그램

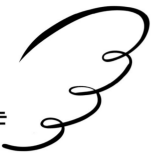

푸르넷 본교재
교과 내용을 철저히 분석하여 핵심
내용을 체계적으로 학습할 수 있는,
학교 내신 대비에 최적화된 교재

푸르넷 공부방 맞춤형 지도
'두 번째 담임 선생님'으로 불리는
풍부한 경험과 노하우를 갖춘 선생님의
전문적인 지도. 개별 밀착 지도로
체계적인 맞춤 지도가 가능!

푸르넷 아이스쿨
동영상 강의와 다양한 멀티미디어
학습 자료, 문제 은행을 지원하는
학습 평가 인증 시스템

**초등
푸르넷
학습 시스템**

온라인 보충 학습 콘텐츠
과목별 멀티미디어, 독서·논술,
영어 문법 및 내신 대비 등
다양한 보충 학습 자료로
학습과 재미를 동시에!

푸르넷 주간학습
본교재와 함께하는 주간별 자기 주도 학습.
온라인 강의와 수학 수준별 문제 제공!

우리학교 시험대비
기출문제를 분석하여 출제율 높은 문제로
엄선하여 구성한 학교 시험 대비 교재

전 과목 학습지 초등 푸르넷

본교재
개념 – 유형 – 서술형 – 단원 마무리까지
체계적인 학습
• 1~6학년 국어, 수학, 사회, 과학(월 1권)

주간 평가 교재
주간별 실력 점검으로 만점 대비
• 1~6학년 국어, 수학, 사회, 과학(월 1권)

보충 학습 교재
과목별 배경지식과 사고력 향상
• 1~6학년 푸르넷 프렌즈(월 1권)

온라인 강의
쉽고 재밌는 동영상 강의와 멀티미디어 학습
• 푸르넷 아이스쿨, 영어 보충 학습실

부록
• 1~6학년 우리학교 시험대비(학기별 1권)
• 3~6학년 사회·과학 알짜 핵심 노트(학기별 1권)

초등 사회
자습서&평가문제집 **3-1**

정답 톡톡

개념 톡톡 **정답과 해설**

문제 톡톡 **정답과 해설**

금성출판사

차례

개념 📖 정답과 해설

문제 📖 정답과 해설

사 회를
이 해하고
다 함께
탐구하자!

1 우리 고장의 모습

1 우리가 생각하는 고장의 모습

13쪽 1 예 학교, 우체국, 시장 2 (1) ㉢ (2) ㉡ (3) ㉠
15쪽 1 (1) ○ (2) ○ 2 지수
17쪽 1 (1) × (2) ○
19쪽 1 이해

21~23쪽

1 고장 2 예 도서관은 책을 읽거나 빌릴 수 있는 장소입니다. 3 ① 4 학교 5 ③ 6 ㉢, ㉣ 7 장소 8 ㉡, 예 상상 속의 장소가 아니라 고장에 실제로 있는 장소를 중심으로 그립니다. 9 ③ 10 그림말 11 ⑤ 12 존중 13 ㉣-㉡-㉢-㉠ 14 경험 15 ㉣, 예 차이점을 찾기 위해 같은 장소를 다른 위치에 그린 것이 있는지 확인합니다. 16 ⑤ 17 예 공통점은 성국이와 민지 모두 학교와 문구점을 표현했다는 것입니다. 차이점은 성국이는 우체국과 주유소를 표현했지만, 민지는 시장을 표현했다는 것입니다. 18 예 우리 고장의 모습을 서로 다르게 표현했더라도 그림에 담긴 생각과 느낌을 서로 존중합니다.

---

1 사람들이 모여 사는 곳을 고장이라고 하며, 고장에는 사람들의 생활과 관련된 여러 장소가 있습니다. 고장에는 친구들과 함께 공부할 수 있는 학교, 친구나 가족과 함께 산책하며 휴식할 수 있는 공원 등 여러 장소가 있습니다.

2 고장에는 각기 다른 역할을 하는 장소들이 있습니다.

> **[채점 기준]** 각 장소별로 아래 채점 기준에 맞추어 채점한다.
> • 학교: '친구들과 함께 공부할 수 있는 곳이다', '뛰어놀 수 있는 운동장이 있는 곳이다', '매일 등교하는 곳이다' 등의 내용을 포함하여 바르게 썼다.
> • 시장: '다양한 물건을 구매할 수 있는 곳이다', '맛있는 음식과 간식을 사서 먹을 수 있다', '우리 고장에서 만들지 않는 물건을 구경할 수 있다' 등의 내용을 포함하여 바르게 썼다.
> • 공원: '친구들과 함께 놀 수 있는 곳이다', '운동을 할 수 있는 곳이다', '가족과 휴식할 수 있는 곳이다' 등의 내용을 포함하여 바르게 썼다.

> • 도서관: '책을 읽거나 빌릴 수 있는 곳이다', '책과 관련한 다양한 행사에 참여할 수 있는 곳이다', '조용히 공부할 수 있는 곳이다' 등의 내용을 포함하여 바르게 썼다.
> • 우체국: '다른 고장에 있는 친구에게 편지나 물건을 보낼 수 있는 곳이다', '여러 종류의 이동 수단을 이용하여 편지나 물건을 전달하는 일을 하는 곳이다' 등의 내용을 포함하여 바르게 썼다.

3 시장의 종류로는 정해진 날짜에만 열리는 정기 시장과 매일 열리는 상설 시장이 있습니다. 사람이 많이 모여 살고 교통이 발달한 고장에는 주로 상설 시장이 많고, 모여 사는 사람의 수가 적은 고장에는 주로 정기 시장이 열립니다.

4 학교에는 친구들과 수업을 듣는 교실, 책을 읽을 수 있는 도서실, 공을 차며 운동할 수 있는 운동장이 있습니다.

5 여러 종류의 이동 수단을 이용하여 편지나 물건을 전달하는 일을 하는 장소는 우체국입니다.

6 ㉠ 맛있는 음식을 주문하여 먹는 장소는 음식점, ㉡ 아픈 사람을 위해 도움을 요청할 수 있는 장소는 병원입니다.

7 장소란 어떤 일이 일어나는 곳 모두를 뜻합니다. 고장에는 다양한 장소가 있고, 떠오르는 장소들을 중심으로 고장의 모습을 직접 표현할 수 있습니다.

8 우리 고장의 모습을 그릴 때 상상 속에 있는 장소를 표현하면 안 되고, 고장에 실제로 있는 장소를 표현해야 합니다.

> **[채점 기준]** '㉡'이라고 바르게 쓰고, '고장에 실제로 있는 장소를 표현한다', '고장에 없는 장소를 상상하여 그리면 안 된다', '현실에 존재하는 장소를 표현한다', '상상 속의 장소가 아니라 실제로 있는 장소를 그린다' 등의 내용을 포함하여 바르게 썼다.

9 우리 고장 그리기 활동에서 좋아하는 장소, 알리고 싶은 장소, 자주 가는 장소, 방문하는 사람이 많은 장소 등은 표현할 수 있지만, 고장의 모든 장소를 그리기는 어렵습니다.

10 우리 고장의 여러 장소를 표현하면서 장소와 어울리는 색으로 꾸밀 수도 있고, 장소를 떠올렸을 때 드는 느낌을 그림말로 표현할 수도 있습니다. 그림말은 글 대신 간단한 그림으로 나타낸 표시를 말합니다.

11 우리 고장의 그림 속에서 장소와 관련해서 장소의 이름, 모양, 위치, 장소에 대한 나의 느낌을 표현할 수 있지만, 장소에 방문한 시간은 쓰지 않습니다.

12 고장의 장소에 대한 생각과 느낌은 각자의 경험에

따라 다양할 수 있습니다. 따라서 고장과 장소에 대한 서로 다른 생각을 이해하고 존중하는 태도가 중요합니다.

13 우리 고장의 모습을 표현할 때, 먼저 그리고 싶은 고장의 장소를 머릿속으로 떠올리고 그립니다. 그리고 나서 그 밖에 떠오르는 장소와 길을 그리고 색깔 칠하기와 그림말 등으로 장소에 대한 느낌을 표현할 수 있습니다.

14 나와 친구가 그린 우리 고장의 모습에는 공통점과 차이점이 있는데, 이는 각자의 경험에 따라 고장의 모습을 다양하게 표현하기 때문입니다.

15 친구들과 우리 고장의 그림을 그릴 때 같은 장소라고 하더라도 서로 모양이나 위치를 다르게 표현할 수 있습니다.

> **[채점 기준]** 'ⓔ'이라고 바르게 쓰고, '차이점을 찾기 위해 같은 장소를 다른 위치에 그린 것이 있는지 확인한다', '차이점을 찾기 위해 같은 장소의 모양이나 위치가 다르게 그려진 것이 있는지 확인한다', '차이점을 찾기 위해 같은 장소를 다른 모양으로 그린 것이 있는지 확인한다' 등의 내용을 포함하여 바르게 썼다.

16 우리 고장을 그린 그림에서 나와 친구가 같은 장소를 표현했더라도 경험에 따라 장소에 대한 생각과 느낌이 다를 수 있습니다.

17 성국이와 민지가 표현한 그림을 비교할 때, 어느 한 학생의 그림에만 있거나 같은 장소이지만 모양이나 위치가 다른 것이 있는지 확인합니다.

> **[채점 기준]** 각 항목별로 아래 채점 기준에 맞추어 채점한다.
> • 공통점: '양쪽 그림 모두 학교를 그렸다', '양쪽 그림 모두 문구점을 그렸다', '양쪽 그림 모두 학교와 문구점을 그렸다', '양쪽 그림 모두 학교와 문구점을 이웃하여 그렸다' 등의 내용을 포함하여 바르게 썼다.
> • 차이점: '성국이만 우체국과 주유소를 그렸다', '민지만 시장을 그렸다', '성국이는 학교 건너편에 우체국을 그렸다', '민지는 학교 옆에 시장을 그렸다' 등의 내용을 포함하여 바르게 썼다.

18 우리 고장의 그림을 감상하는 대화 속에서 형석이가 주영이의 그림을 무시하는 태도를 보이고 있습니다. 고장과 장소에 대한 각자의 경험이 다르기 때문에 그림에 담긴 생각과 느낌도 다를 수 있습니다. 이것을 서로 이해하고 존중하는 태도가 필요합니다.

> **[채점 기준]** '생각과 느낌이 서로 다른 점을 이해한다', '생각과 느낌이 서로 다른 점을 존중한다', '생각과 느낌이 다르더라도 서로 무시하지 않는다', '경험이 달라서 생각과 느낌이 다를 수 있음을 인정한다' 등의 내용을 포함하여 바르게 썼다.

2 고장의 실제 모습

확인

27쪽 **1** (1) ○ (2) × **2** 인공위성 **3** ⓔ 디지털 영상 지도는 종이 지도보다 많은 정보를 나타낼 수 있습니다.
29쪽 **1** 검색 **2** ⓔ
31쪽 **1** 자연 **2** ⓔ
33쪽 **1** (1) × (2) ○ **2** ⓔ 디지털 영상 지도의 확대 기능을 이용하여 각 장소가 어디에 있는지 살펴보거나 산, 강 등을 중심으로 장소의 위치를 살펴봅니다.
35쪽 **1** ⓒ-㉠-ⓔ-ⓛ

주제 톡톡 문제

37~39쪽

1 디지털 영상 지도 **2** ⓔ 고장의 실제 모습을 더 정확하고 편리하게 살펴볼 수 있습니다. **3** ③ **4** 애플리케이션 **5** ② **6** ⓛ-㉠-ⓒ-ⓔ **7** 고장 안내도 **8** ⓔ 이동하면서 디지털 영상 지도를 활용하거나 다양한 지도 애플리케이션을 이용할 수 있습니다. **9** ⑤ **10** ① **11** ⑤ **12** 백지도 **13** ⓛ-㉠-ⓔ-ⓒ **14** ⓔ 장소의 특징이 드러나는 그림을 그리거나 장소에 대한 생각과 느낌을 담아 꾸밀 수 있습니다. **15** ⓒ, ⓔ 백지도에 붙인 붙임쪽지의 위치가 잘못된 경우 떼어서 다시 붙이는 방식으로 고칠 수 있습니다. **16** ① **17** ⓔ 인공위성에서 찍은 사진을 이용하면 고장의 더 넓은 곳을 살펴볼 수 있고 위치를 더 쉽게 알 수 있습니다. **18** ⓔ 백지도에서 산이나 강, 큰 건물이나 큰길을 기준으로 위치를 설명합니다.

---

1 인공위성에서 찍은 사진을 이용하여 만든 지도를 디지털 영상 지도라고 합니다.

한눈에 쏙쏙 디지털 영상 지도의 특징

특징	• 고장의 여러 장소를 한눈에 볼 수 있음. • 고장의 전체적인 모습과 자세한 모습을 함께 확인할 수 있음. • 직접 가 보지 않아도 스마트폰이나 컴퓨터로 장소의 위치와 모습을 볼 수 있기 때문에 편리하고, 시간을 절약할 수 있음.

2 사람들은 로켓을 이용하여 쏘아 올린 장치인 인공위성을 통해 위치, 날씨 등을 파악하고, 인공위성에서 찍은 사진을 이용하여 디지털 영상 지도를 만듭니다. 이러한 디지털 영상 지도를 통해 고장의 실제 모습을 더 정확하고 편리하게 살펴볼 수 있습니다.

3 인공위성에서 찍은 사진을 이용하여 만드는 디지털 영상 지도는 매우 높은 곳에서 내려다본 모습을 보여 줍니다. 스마트폰과 컴퓨터 등으로 디지털 영상 지도를 활용하면 직접 가 보지 않은 장소도 자세히 살펴볼 수 있습니다.

4 애플리케이션이란 스마트폰이나 태블릿 컴퓨터에서 사용자의 편의를 위해 개발된 다양한 응용 프로그램입니다. 스마트폰이나 태블릿 컴퓨터로 다양한 지도 애플리케이션을 이용할 수 있습니다.

5 디지털 영상 지도의 이동 기능은 지도를 움직여 원하는 위치의 모습을 볼 수 있는 기능입니다.

6 컴퓨터로 디지털 영상 지도를 활용할 때, 먼저 지도 서비스 누리집에 접속하여 디지털 영상 지도를 선택합니다. 다음으로 검색창에서 찾고 싶은 장소를 입력하여 검색하고, 이동 단추와 확대 및 축소 단추를 활용하여 고장의 실제 모습을 자세하게 살펴봅니다.

7 고장 안내도는 고장을 안내하는 내용을 담은 지도로 고장의 주요 장소를 찾을 때 활용할 수 있습니다.

8 스마트폰이나 태블릿 컴퓨터를 활용하면 이동하면서 디지털 영상 지도를 살펴볼 수 있습니다. 그리고 다양한 지도 애플리케이션을 내려받아 이용할 수 있습니다.

9 고장의 주요 장소를 찾을 때 종이 지도, 디지털 영상 지도, 고장 안내도, 수업 중 직접 표현한 그림지도 등을 활용할 수 있습니다. 집으로부터 거리가 가깝다고 하여 고장의 주요 장소라고 할 수 없습니다.

10 시장, 시청, 백화점, 버스 터미널 등은 생활을 편리하게 하는 장소이고, 강은 자연과 관련 있는 장소입니다.

11 디지털 영상 지도, 고장 안내도 등을 이용하여 고장의 주요 장소를 찾아볼 때 고장에 얼마나 많은 사람이 살고 있는지는 알 수 없습니다.

12 산, 강, 큰길 등의 밑그림만 그려져 있는 지도는 백지도이며, 이러한 백지도에 우리 고장의 주요 장소를 표현하여 우리 고장 지도를 만들 수 있습니다.

13 백지도에 우리 고장의 주요 장소를 나타낼 때, 먼저

표시하고 싶은 주요 장소를 선택하여 붙임쪽지에 쓰고 백지도에서 알맞은 위치를 찾아 붙입니다. 다음으로 디지털 영상 지도 등을 활용하여 붙임쪽지를 정확한 위치에 붙였는지 확인하고 잘못된 위치에 붙인 경우에는 정확한 위치에 다시 붙입니다. 이후 붙임쪽지를 떼어 내며 그 자리에 그림이나 글씨로 주요 장소를 표현합니다.

14 백지도에 장소의 특징이 드러나도록 표시하기 위해서 장소의 특징이 드러나는 그림을 그리거나 장소에 대한 생각과 느낌을 담아 꾸밀 수 있습니다.

15 백지도에 우리 고장의 주요 장소를 나타낼 때, 주요 장소를 쓴 붙임쪽지를 잘못된 위치에 붙였다면 다시 떼어서 정확한 위치에 붙이는 방식으로 수정할 수 있습니다.

16 우리 고장을 소개하는 장소 카드에는 장소를 찍은 사진, 장소를 표현한 그림, 장소에 대한 간단한 설명, 장소를 추천하는 까닭 등의 내용이 들어갑니다.

17 매우 높은 곳에 있는 인공위성에서 찍은 사진을 이용하여 고장의 실제 모습을 살펴보면 높은 곳에 올라가서 내려다보거나 직접 돌아다니며 보는 방법보다 더 넓은 곳을 볼 수 있고 훨씬 편하고 쉽게 고장의 모습을 파악할 수 있습니다.

18 지도에서 장소의 위치를 알기 위해서는 기준이 필요합니다. 백지도에서 기준 역할을 하는 것들로는 산이나 강, 큰 건물이나 큰길 등이 있습니다.

 쪽지 시험 44쪽

1 × 2 고장 3 장소 4 그림말 5 ○ 6 경험 7 존중 8 디지털 영상 지도 9 × 10 백지도

1 박물관　**2** 예 학교는 친구들과 함께 생활하며 공부하는 장소입니다.　**3** ㉡, ㉣　**4** 경험　**5** ④, ⑤　**6** ②　**7** ⑤　**8** 고장　**9** ㉣, 예 디지털 영상 지도는 일반 컴퓨터뿐만 아니라 스마트폰과 태블릿 컴퓨터에서도 살펴볼 수 있습니다.　**10** 예 우리 고장의 모습을 서로 다르게 표현했더라도 그림에 담긴 생각과 느낌을 서로 존중합니다.　**11** 인공위성　**12** ①　**13** ③　**14** 장소 카드　**15** 예 고장의 주요 장소의 위치를 쉽게 파악할 수 있습니다.　**16** 확대, 축소　**17** ②　**18** 백지도　**19** ㉢, ㉣　**20** ㉢

---

1 박물관에는 다양하고 역사가 오래된 유물이나 미술품들이 전시되어 있으며 여러 가지 재미있는 공연도 열립니다.

2 고장에는 각기 다른 역할을 하는 여러 장소가 있습니다.

> **[채점 기준]** 각 장소별로 아래 채점 기준에 맞추어 채점한다.
> • 공원: '산책하며 휴식을 취할 수 있는 곳이다', '다양한 종류의 풀과 나무가 심겨 있다' 등의 내용을 포함하여 바르게 썼다.
> • 학교: '학교는 친구들과 함께 생활하는 곳이다', '학교 안에는 도서실, 급식실 등 다양한 시설이 있다' 등의 내용을 포함하여 바르게 썼다.
> • 시장: '다양한 물건을 구매할 수 있는 곳이다', '맛있는 음식과 간식을 사서 먹을 수 있다', '우리 고장에서 만들지 않는 물건을 구경할 수 있다' 등의 내용을 포함하여 바르게 썼다.
> • 우체국: '서로 다른 고장에 있는 사람들과 소식을 주고 받을 수 있도록 도와주는 곳이다', '다양한 교통수단을 타며 일하는 집배원이 있다' 등의 내용을 포함하여 바르게 썼다.
> • 도서관: '책을 읽고 빌릴 수 있는 곳이다', '책과 관련한 다양한 행사가 열리는 곳이다' 등의 내용을 포함하여 바르게 썼다.

3 고장에 있는 여러 장소 중 ㉠ 읽고 싶은 책을 빌리거나 자료실에서 다양한 시청각 자료를 감상할 수 있는 장소는 도서관, ㉢ 직접 쓴 편지를 부칠 수 있는 장소는 우체국입니다.

4 나와 친구가 그린 우리 고장의 모습에는 공통점과 차이점이 있는데, 이는 각자의 경험에 따라 고장의 모습을 다양하게 표현하기 때문입니다.

5 우리 고장의 모습을 그릴 때 고장에 없는 장소를 상상하여 그리는 것이 아니라 고장에 실제로 있는 장소를 표현해야 합니다. 그리고 고장의 여러 장소와 함께 각각의 장소를 연결하는 길도 그려야 합니다.

6 책과 관련 있는 고장의 장소로는 도서관과 서점이 있습니다. 도서관에서는 책을 빌려 볼 수 있고, 서점에서는 책을 구입하여 읽을 수 있습니다.

7 우리 고장의 모습을 표현할 때, 먼저 그리고 싶은 고장의 장소를 머릿속으로 떠올려 그리고 그 밖에 떠오르는 장소와 길을 그립니다. 색깔 칠하기와 그림말 등으로 장소에 대한 느낌을 표현할 수 있습니다. 고장의 모든 장소를 다 그리지 않아도 됩니다.

8 고장에는 다양한 장소가 있고, 머릿속에 떠오르는 장소들을 중심으로 우리 고장의 모습을 직접 표현할 수 있습니다.

9 디지털 영상 지도는 일반 컴퓨터, 스마트폰, 태블릿 컴퓨터 등 다양한 기기를 활용하여 살펴볼 수 있습니다.

> **[채점 기준]** '㉣'이라고 바르게 쓰고, '디지털 영상 지도는 컴퓨터뿐만 아니라 스마트폰 등 다양한 기기를 이용하여 살펴볼 수 있다'의 내용을 포함하여 바르게 썼다.

10 고장 그림을 감상하는 대화 속에서 한 학생이 다른 학생의 그림을 무시하는 태도를 보이고 있습니다. 고장과 장소에 대한 각자의 경험이 다르기 때문에 그림에 담긴 생각과 느낌도 다를 수 있습니다. 이것을 서로 이해하고 존중하는 태도가 필요합니다.

> **[채점 기준]** '경험이 달라서 생각과 느낌이 다를 수 있다'의 내용을 포함하여 바르게 썼다.

11 인공위성에서 찍은 사진을 이용하여 만든 지도를 디지털 영상 지도라고 하며, 디지털 영상 지도를 활용하면 실제 고장의 모습을 쉽고 정확하게 파악할 수 있습니다.

12 시청, 도서관, 우체국, 버스 터미널 등은 생활을 편리하게 하는 장소이고, 산은 자연과 관련 있는 장소입니다.

13 디지털 영상 지도에는 장소 검색, 이동, 지도의 확대 및 축소, 거리 재기 등과 같은 다양한 기능이 있습니다.

14 우리 고장을 소개하는 장소 알림판이나 고장 안내도 등을 만들 때 장소를 소개하는 장소 카드를 만들어 붙일 수 있습니다.

15 백지도에 우리 고장의 모습을 표현하면 고장의 주요 장소의 위치를 쉽게 파악할 수 있습니다.

> **[채점 기준]** '고장의 주요 장소의 위치를 쉽게 파악할 수 있다', '고장의 모습을 한눈에 살펴볼 수 있다' 등의 내용을 포함하여 바르게 썼다.

16 디지털 영상 지도에는 확대 및 축소 기능이 있는데, +단추를 클릭하면 보이는 화면을 확대할 수 있고,

－단추를 클릭하면 화면을 축소할 수 있습니다.

17 지도를 이용하여 고장의 모습을 살펴보고 주요 장소를 찾아볼 때 우리 고장에 얼마나 많은 사람이 살고 있는지는 알 수 없습니다.

18 산, 강, 큰길 등의 밑그림만 그려져 있는 지도를 백지도라고 합니다. 이러한 백지도에 우리 고장의 주요 장소를 표현하여 우리 고장 지도를 만들 수 있습니다.

19 우리 고장의 주요 장소를 알아보는 방법으로는 시청 누리집에 접속하여 조사하기, 고장의 안내 책자나 안내도 살펴보기 등이 있습니다. 또한 다른 고장이 아니라 같은 고장에 살고 계신 어른께 여쭈어보면 고장의 주요 장소를 알 수 있습니다. 세계 여러 나라가 표시된 지구본으로는 우리 고장의 주요 장소를 알아보기 어렵습니다.

20 우리 고장을 소개하기 위해 만든 장소 카드에는 장소를 찍은 사진, 장소를 표현한 그림, 장소에 대한 간단한 설명, 장소를 추천하는 까닭 등의 내용이 들어갑니다.

한눈에 쏙쏙 고장의 주요 장소를 소개하는 다양한 방법

사진첩	주요 장소의 사진이나 그림과 함께 장소에 대한 다양한 정보, 나의 경험, 감정을 나타내는 문구를 달아 소개할 수 있음.
카드 뉴스	그림이나 사진에 간단하지만 핵심적인 내용의 설명을 더해 만드는 형태의 뉴스임.
버스 노선도	버스 노선도에 버스 정거장 주변에서 볼 수 있는 박물관, 유적지 등 주요 장소의 정보를 담아 소개할 수 있음.

서술형 톡톡 문제

48쪽

1 (1) 예 두 모둠 모두 학교를 표현했습니다. (2) 예 1모둠은 경찰서를 표현했고, 2모둠은 시장과 문구점을 표현했습니다. **2** 예 우리 고장의 그림에서 차이점이 나타나는 이유는 각자의 경험이 다르기 때문입니다. **3** (1) 인공위성 (2) 예 고장의 실제 모습을 더 정확하고 편리하게 살펴볼 수 있습니다. **4** (1) 디지털 영상 지도 (2) 예 디지털 영상 지도는 종이 지도보다 많은 정보를 나타낼 수 있습니다. **5** 예 이동하면서 디지털 영상 지도를 활용하거나 다양한 지도 애플리케이션을 이용할 수 있습니다.

1 1모둠과 2모둠이 표현한 그림을 비교할 때 한쪽에만 있거나 위치가 다른 것이 있는지 확인합니다.

[채점 기준] (1) 공통점: '1모둠과 2모둠의 그림에 모두 학교가 그려져 있다', '1모둠과 2모둠은 모두 학교를 표현했다', '1모둠과 2모둠의 그림의 왼쪽에 학교가 나타나 있다' 등의 내용을 포함하여 바르게 썼다.
(2) 차이점: '1모둠만 경찰서를 그렸다', '2모둠만 시장과 문구점을 그렸다', '1모둠은 학교 건너편에 경찰서를 표현했다', '2모둠은 학교 건너편에 시장과 문구점을 표현했다' 등의 내용을 포함하여 바르게 썼다.

2 1모둠과 2모둠이 표현한 고장의 그림에는 공통점과 차이점이 있는데, 이는 각자의 경험에 따라 고장의 모습을 다양하게 표현하기 때문입니다.

[채점 기준] '우리 고장의 그림에서 차이점이 나타나는 이유는 각자의 경험이 다르기 때문이다', '고장과 장소에 대한 경험이 다르면 고장의 그림을 그릴 때 차이점이 나타난다' 등의 내용을 포함하여 바르게 썼다.

3 인공위성에서 찍은 사진을 이용하여 고장의 실제 모습을 살펴보면 높은 곳에 올라가서 내려다보거나 직접 돌아다니며 본 방법보다 더 넓은 곳을 살펴볼 수 있고 훨씬 편하고 쉽게 고장의 모습을 파악할 수 있습니다.

[채점 기준] (1) '인공위성'이라고 바르게 쓰고, (2) '더 넓은 곳을 살펴볼 수 있다', '고장의 모습을 훨씬 편하게 파악할 수 있다', '고장의 모습을 쉽게 확인할 수 있다', '다른 방법보다 시간과 비용이 적게 든다' 등의 내용을 포함하여 바르게 썼다.

4 인공위성에서 찍은 사진을 이용하여 만든 지도를 '디지털 영상 지도'라고 하며, 이러한 '디지털 영상 지도'는 종이 지도보다 많은 양의 정보를 담을 수 있습니다.

[채점 기준] (1) '디지털 영상 지도'라고 바르게 쓰고, (2) '디지털 영상 지도는 종이 지도보다 많은 정보를 나타낸다', '디지털 영상 지도는 종이 지도와 달리 다양한 기능을 이용할 수 있다', '디지털 영상 지도는 종이 지도보다 더 넓은 지역을 보여 준다', '디지털 영상 지도는 종이 지도보다 더 정확한 내용을 나타낸다' 등의 내용을 포함하여 바르게 썼다.

5 스마트폰이나 태블릿 컴퓨터를 활용하면 이동하면서 디지털 영상 지도를 살펴볼 수 있습니다. 그리고 다양한 지도 애플리케이션을 내려받아 이용할 수 있습니다.

[채점 기준] '이동하면서 디지털 영상 지도를 사용할 수 있다', '디지털 영상 지도를 볼 때 조작하기 쉽다', '지도 애플리케이션을 이용할 수 있다', '디지털 영상 지도의 기능을 손가락으로 쉽게 사용할 수 있다' 등의 내용을 포함하여 바르게 썼다.

❷ 우리가 알아보는 고장 이야기

1 우리 고장의 옛이야기

주제 톡톡 문제

67~69쪽

1 옛이야기 2 ⓔ 서빙고역 근처에는 옛날에 얼음 창고가 있었습니다. 3 ② 4 지명 5 ③, ⑤ 6 ⓛ, ㉣ 7 민요 8 ⓔ 이 고장에서 국악을 발전시킨 인물인 난계 박연이 태어나서 자랐습니다. 9 ⑤ 10 누리집 11 ① 12 ⓒ—㉠—ⓛ 13 관심 14 제목 15 ③ 16 ⓔ 아우라지 주변 고장의 사람들은 비가 많이 오면 강을 건너기 힘들었습니다. 17 안성맞춤, ⓔ 안성 지역은 유기로 유명한 지역입니다.

---

1 고장의 옛날 모습을 알려 주는 옛이야기는 고장의 곳곳에서 찾아볼 수 있습니다. 지하철역, 버스 정류장뿐 아니라 고장의 이름, 도로, 건축물, 고장의 축제 등에도 고장의 옛이야기가 담겨 있기도 합니다.

2 서빙고역 근처는 옛날에 얼음 창고가 있던 지역입니다.

[채점 기준] '얼음 창고가 있던 곳'의 내용을 포함하여 바르게 썼다.

3 세종특별자치시에 있는 조치원읍은 옛날에 관리나 상인, 여행자들이 하룻밤 묵어가던 마을이었습니다. '원'이 들어간 고장은 주로 여행 중에 쉬어 갈 수 있는 곳입니다.
① 경기도 이천시에 있는 사기막골은 옛날부터 도자기를 만드는 고장으로 유명했습니다. ③ 전라북도 진안군에는 두 개의 큰 산봉우리가 있는데, 말의 귀를 닮아 마이산이라고 불립니다. ④ 서울특별시 마포구의 마포는 한강에 있던 나루터인 마포나루에서 따온 이름입니다. ⑤ 경기도 양평군에 있는 두물머리는 북한강과 남한강 두 물줄기가 만나는 곳이라서 붙은 이름입니다.

4 고장의 지명에는 여러 옛이야기가 담겨 있습니다. 자연환경, 옛날의 생활 모습, 살았던 인물이나 일어났던 일과 관련된 지명 등이 있습니다.

5 '탄금'은 거문고나 가야금을 탄다는 뜻으로, 충청북도 충주시에 옛날에 우륵이 가야금을 탄 곳으로 전해지는 탄금대가 있습니다. 사임당로는 옛날 시인이자 화가인 신사임당의 이름을 딴 것입니다.

6 ㉠ 정선 아리랑을 통해 아우라지 주변 고장 사람들이 비가 많이 오면 강 건너편으로 가기 어려웠다는 사실을 알 수 있습니다. ⓒ '안성맞춤'이라는 고사성어를 통해 옛날부터 안성 지역이 유기로 유명했다는 것을 알 수 있습니다.

7 민요는 옛날부터 사람들이 부르던 전통적인 노래를 이르는 말입니다. 특정한 작자가 없으며, 사람들의 생활 모습이 노래 안에 담겨 있습니다. 대표적인 민요로 정선 아리랑이 있습니다.

한눈에 쏙쏙 고장에 전해 오는 다양한 옛이야기

민요	옛날부터 사람들이 부르던 전통적인 노래임.
전설	옛날부터 입에서 입으로 전해 오는 이야기임. 주로 구체적인 증거물이 있고 비범한 인물이 등장하는 이야기들로 이루어져 있음.
민담	옛날부터 입에서 입으로 전해 오는 이야기임. 증거물이 없고 주로 평범한 인물이 등장하는 이야기들로 이루어져 있음.
고사성어	옛날에 있었던 일을 바탕으로 관용적인 뜻으로 굳어져 쓰이는 글귀를 말함.

8 난계 박연은 국악을 발전시킨 인물로 유명한 사람입니다. 그가 태어나서 자란 충청북도 영동군에는 난계 국악 박물관이 있습니다.

[채점 기준] '박연은 국악을 발전시킨 인물이다', '우리 고장에서 박연이 태어나서 자랐다' 등의 내용을 포함하여 바르게 썼다.

9 임진왜란이 일어났을 때, 진주성 안팎의 군인들은 신호를 주고받기 위해 남강에 등을 띄워 일본군의 침입을 막아 내기도 했습니다. 전쟁이 끝난 후 죽은 사람들을 기리기 위해 강물에 등을 띄우기도 했습니다.

10 누리집을 활용하여 고장의 옛이야기를 조사하면 직접 견학을 가지 않아도 다양한 정보를 얻을 수 있습니다. 누리집을 사용할 때는 믿을 수 있는 누리집을 사용해야 합니다.

11 고장의 옛이야기를 조사할 때는 문화유산의 특징, 문화유산이 만들어진 시기와 까닭, 문화유산과 관련

된 이야기 등을 알아봐야 합니다. 이때 고장 안내도에서 위치 찾기, 고장 누리집 검색하기, 향토 문화 해설사의 설명 듣기, 관련 장소 직접 방문하기 등의 방법을 사용할 수 있습니다.

12 우리 고장의 옛이야기를 조사할 때는 먼저 어떤 옛이야기를 조사할지 조사 주제를 정합니다. 그리고 조사 방법을 정합니다. 마지막으로 조사 방법의 주의할 점을 알고, 실제 조사를 합니다.

13 우리 고장의 옛이야기를 직접 조사하고 친구들에게 소개하는 과정을 통해 우리 고장에 대한 관심과 친밀감을 높일 수 있습니다.

14 조사한 고장의 옛이야기를 그림책으로 만들어 소개하려고 할 때는 우리 고장의 특징을 재미있게 표현하는 제목을 고민해 보아야 합니다.

한눈에 쏙쏙 그림책 만들기를 할 때 생각해야 할 점

1	어떤 옛이야기가 고장의 특징을 잘 보여 주는지
2	참고할 만한 그림책이 있는지
3	어떤 순서로 옛이야기를 소개해야 좋은지
4	고장의 특징을 재미있게 표현하는 제목은 무엇인지
5	한 면에 들어갈 글과 그림의 양은 얼마만큼인지
6	주제가 잘 드러나는 책 표지가 무엇인지

15 우리 고장의 옛이야기를 조사하여 소개하는 과정이므로 고장의 시장의 위치는 확인하지 않아도 됩니다.

16 비가 많이 온 다음날에 서로 만나지 못했다는 이야기를 통해 비가 많이 오면 강을 건너기 어려웠던 옛날 사람들의 생활 모습을 알 수 있습니다.

> **[채점 기준]** '비가 많이 오면 강을 건너기 힘들었다', '비가 많이 오면 다리를 사용할 수 없었다' 등의 내용을 포함하여 바르게 썼다.

17 경기도 안성시는 예로부터 유기(놋그릇)로 유명한 고장입니다. 안성에서 만들어진 유기가 질이 좋아 여기저기로 팔려나가면서 사람들은 '안성'이라고 하면 유기를 떠올리기 시작했습니다. 이후 안성이라는 지명과 맞춤이라는 말이 합쳐져 '안성맞춤'이라는 말이 생겼습니다.

> **[채점 기준]** '안성맞춤'이라고 바르게 쓰고, '안성 지역이 유기로 유명했다'의 내용을 포함하여 바르게 썼다.

2 우리 고장의 문화유산

 확인

73쪽 **1** 문화유산 **2** (1) ㉢ (2) ㉠ (3) ㉡ **3** (1) × (2) ○
75쪽 **1** 유형 문화유산 **2** (1) 유 (2) 무 (3) 유 **3** (1) × (2) ○
77쪽 **1** 생활 모습 **2** (1) ㉢ (2) ㉠ (3) ㉡ **3** 해녀 문화
79쪽 **1** ㉠, ㉢, ㉣ **2** (1) ㉡ (2) ㉠ **3** (1) × (2) ○
81쪽 **1** 기록 **2** (1) ○ (2) ×
83쪽 **1** 자긍심

주제 톡톡 문제
85~87쪽

1 문화유산 **2** ⒲ 초등학교를 옛날에 국민학교라고 불렀다는 사실을 알 수 있기 때문입니다. **3** ② **4** 유형 문화유산 **5** ⑤ **6** ㉠, ㉡ **7** 모습 **8** ⒲ 옛날 사람들은 마을 우물에서 물을 길어다가 마셨습니다. **9** ⑤ **10** 누리집 **11** ③ **12** ㉠, ㉡ **13** ⒲ 문화유산을 조금 더 생생하게 체험할 수 있습니다. **14** ⒲ 생각나는 내용을 기록하면서 답사해야 합니다. **15** 자긍심 **16** ④ **17** ⒲ 우리나라 사람들은 옛날부터 효를 중요하게 생각했습니다. **18** 대장장이, ⒲ 주로 철로 된 물건을 만들었습니다.

1 옛날부터 전해지는 것 중에서 잘 보존하여 다음 세대에 물려줄 만한 가치가 있는 것을 문화유산이라고 합니다.

한눈에 쏙쏙 문화유산의 종류

유형 문화유산	형태가 있는 문화유산 ⒲ 건축물, 공예품, 그림 등
무형 문화유산	형태가 없는 문화유산 ⒲ 음악, 춤, 놀이, 기술 등

2 오래된 생활 통지표를 통해 옛날에는 초등학교를 국민학교라고 불렀다는 사실과 옛날 학생들의 학교생활을 알 수 있습니다. 지금은 쉽게 볼 수 없는 물건이나 달라진 고장의 모습이 남아 있는 물건은 미래 사람들에게 남길 만한 가치가 있습니다.

> **[채점 기준]** '옛날 학생들의 학교생활을 알 수 있다', '옛날에는 초등학교를 국민학교라고 불렀다는 사실을 알 수 있다' 등의 내용을 포함하여 바르게 썼다.

3 줄다리기와 같은 전통 놀이는 형태가 없는 무형 문화유산입니다. 도자기, 안경, 그림, 건축물 등 형태가 있는 것은 유형 문화유산입니다.

4 「부산포 초량 화관 지도」는 옛날의 모습을 그린 지도

로 형태가 있는 유형 문화유산입니다.

5 제주도에는 해녀들과 관련된 기술, 노래, 작업 도구와 옷 등 독특한 해녀 문화가 전해 오고 있습니다.

6 ⓒ 옛날에는 전기가 필요 없는 숯다리미가 있어서 숯의 열기로 옷을 다려 입었습니다. ② 우리나라에는 독자적인 건축 기술이 있었습니다. 최초의 서양식 성당 건축물을 통해 우리나라에 서양 문화가 어떻게 영향을 끼쳤는지 알 수 있습니다.

7 고장에는 여러 종류의 문화유산이 남아 있습니다. 문화유산을 살펴보면 고장의 옛 모습과 옛날 사람들의 다양한 생활 모습을 알 수 있습니다.

8 고장에 있었던 우물을 통해 사람들이 마을 우물에서 물을 길어다가 마셨다는 사실을 알 수 있습니다.

[채점 기준] '우물에서 물을 길어다가 사용했다', '생활에서 필요한 물을 우물에서 얻어서 사용했다' 등의 내용을 포함하여 바르게 썼다.

9 관아는 옛날 관리들이 고을을 다스리던 곳으로, 고장에서 일어난 많은 일을 이곳에서 해결했습니다. 관아는 주로 고장의 중심에 위치했습니다.

10 우리 고장의 문화유산을 조사할 때 누리집을 활용하면 다양한 자료를 편리하게 찾을 수 있습니다.

한눈에 쏙쏙 고장의 문화유산 조사 방법에 따른 장점

고장 안내도	고장의 문화유산을 한눈에 파악할 수 있음.
누리집	관련 자료를 편리하게 찾을 수 있음.

11 문화유산을 조사할 때는 문화유산의 특징, 문화유산을 만든 까닭, 만들어진 시기, 관련된 이야기 등을 알아보아야 합니다.

12 문화유산을 답사하기 전에는 '어떤 문화유산을 답사할 것인가?', '이 문화유산에 대해 이미 알고 있는 점은 무엇인가?', '더 알고 싶은 내용은 무엇인가?', '누구와 함께 답사할 것인가?', '답사한 내용은 어떻게 정리할 것인가?' 등을 먼저 생각해 보아야 합니다.

13 답사를 하면 문화유산을 조금 더 생생하게 체험할 수 있습니다.

[채점 기준] '조금 더 생생하게 체험할 수 있다', '실감나게 체험할 수 있다' 등의 내용을 포함하여 바르게 썼다.

14 문화유산을 답사할 때는 답사하면서 생각나는 것들을 기록해 두어야 합니다.

[채점 기준] '답사할 때는 내용을 기록하면서 답사하여야 한다'의 내용을 포함하여 바르게 썼다.

한눈에 쏙쏙 답사할 때 유의할 점

유의점	• 방문한 문화유산을 꼼꼼히 살펴보아야 함. • 답사하면서 생각나는 것들을 기록해 두어야 함.

15 우리 고장의 문화유산을 소개하면서 문화유산의 소중함과 가치를 알 수 있습니다. 이렇게 우리 고장의 문화유산을 보호하고, 널리 알리는 노력을 하면 고장에 대한 자긍심을 기를 수 있습니다. 자긍심이란, 스스로 긍지를 가지는 마음을 말합니다.

16 문화유산 홍보 자료를 만들 때는 각자 맡은 역할에 최선을 다하며 협력해야 합니다.

한눈에 쏙쏙 문화유산 홍보 자료의 종류와 제작 방법

문화유산 신문 만들기	1. 어떤 주제로 신문을 만들지 친구들과 의논하고, 신문의 특징을 잘 보여주는 제목을 정함. 2. 신문 주제에 적합한 고장의 문화유산을 정하고, 필요한 사진과 그림을 수집함. 3. 문화유산을 소개하는 신문 기사를 쓰고, 신문을 꾸밈.
문화유산 달력 만들기	1. 종이에 월, 일을 적음. 2. 월별로 소개하고 싶은 문화유산을 고름. 3. 문화유산 사진을 붙이거나, 그림을 그려 달력을 꾸밈.
문화유산 소개 영상 만들기	1. 문화유산의 특징이 잘 드러나도록 소개 영상 대본을 만듦. 2. 문화유산 소개 영상을 촬영함.

17 우리나라 사람들은 옛날부터 효를 중요하게 생각했습니다. 그래서 이름난 효자가 있는 고장에는 효자비를 세웠습니다.

[채점 기준] '우리나라 사람들은 예로부터 효를 중요시 했다'의 내용을 포함하여 바르게 썼다.

18 철로 만든 물건들이 많이 남아 있는 고장에는 철을 다루던 대장장이와 대장장이가 만든 철갑 옷 등의 물건, 그리고 철을 다루는 기술 등이 전해지고 있습니다.

[채점 기준] '대장장이'라고 바르게 쓰고, '철로 만든 물건', '철갑 옷' 등 철로 만들었다는 내용을 포함하여 바르게 썼다.

쪽지 시험 92쪽

1 지명 2 마이산 3 사기막골 4 ○ 5 민요 6 안성맞춤 7 문화유산 8 유형 9 모습 10 ×

1 옛이야기   2 예 서빙고 지역에는 얼음을 저장하는 창고가 있었습니다.   3 ㉢, ㉣   4 ①   5 나루터   6 ④   7 ㉠, ㉡   8 역사   9 예 경상남도 진주시는 임진왜란 때 일본군과 치열한 전투가 벌어졌던 곳입니다.   10 ㉡-㉠-㉣-㉢   11 ①   12 ②   13 문화유산   14 ㉢, ㉣   15 ④   16 예 신뢰할 수 있는 기관의 누리집을 활용해야 합니다.   17 ⑤   18 예 답사를 하면 문화유산을 조금 더 생생하게 체험할 수 있습니다.   19 자긍심   20 ③

---

1 지하철역이나 버스 정류장 이름을 통해 고장의 옛날 모습을 알 수 있습니다. 그 안에 옛이야기가 담겨 있기 때문입니다.

2 서빙고를 통해 조선 시대에도 얼음을 사용했고, 이 지역에 얼음을 저장하는 창고가 있었다는 것을 알 수 있습니다.

> [채점 기준] '얼음을 사용했다', '얼음을 저장하는 창고가 있었다' 등의 내용을 포함하여 바르게 썼다.

3 우리 고장의 옛이야기를 조사하는 방법에는 누리집 검색하기, 고장의 옛이야기 모음집 찾아보기, 문화원 견학하기, 관련된 장소에 찾아가기, 향토 문화 해설사에게 이야기 듣기 등의 방법을 사용할 수 있습니다.

4 고장의 옛이야기를 조사할 때는 가장 먼저 조사할 주제를 정해야 합니다.

5 나루터는 배가 드나들던 곳입니다. 지명에 '나루'라는 말이 들어간 곳은 대부분 배가 드나드는 나루터가 있었습니다.

6 경기도 양평군 두물머리의 지명은 북한강과 남한강 두 물줄기가 만나는 곳이라서 붙은 이름입니다.

7 고장마다 전해 오는 옛이야기의 종류에는 민요, 민담, 전설, 고사성어 등이 있습니다.

8 고장에는 옛날에 살았던 인물이나 일어났던 일과 관련된 옛이야기들도 전해 옵니다. 옛이야기를 통해 고장의 역사와 옛 고장 사람들이 어떤 활동을 했는지 알 수 있습니다.

9 경상남도 진주시에는 일본군이 조선에 침략해 벌어진 전쟁인 임진왜란과 관련된 이야기가 전해 오고 있습니다. 전쟁 당시 신호를 주고받기 위해 군인들이 남강에 등을 띄워 일본군의 침입을 막아내기도

했습니다. 전쟁이 끝난 후 죽은 사람들을 기리기 위해 강물에 등을 띄우기도 했습니다. 이 풍습이 이어져 진주시에서는 해마다 진주 남강 유등 축제를 열고 있습니다.

> [채점 기준] '치열한 전투가 벌어졌다'의 내용을 포함하여 바르게 썼다.

10 고장의 옛이야기를 조사할 때는 먼저 조사할 주제를 정합니다. 그리고 주제에 맞는 조사 방법을 정하고, 고장의 누리집이나 옛이야기 모음집 등을 활용하여 조사를 합니다. 마지막으로 조사한 내용을 정리하여 소개합니다.

11 놀이는 형태가 없는 무형 문화유산입니다. 불상, 성당, 그림, 공예품 등은 모두 형태가 있는 유형 문화유산입니다.

12 고장을 그린 그림은 고장의 옛 모습이나 사람들의 생활 모습 등을 알 수 있기 때문에 보존할 가치가 있습니다.

13 옛날부터 전해지는 것 중에서 잘 보존하여 다음 세대에 물려줄 만한 가치가 있는 것을 문화유산이라고 합니다. 문화유산은 형태가 있고 없음에 따라 유형과 무형 문화유산으로 나눌 수 있습니다.

14 ㉠ 불교가 전해지면서 곳곳에 절, 불상, 탑이 만들어졌습니다. 사람들은 절에 가서 자신의 소망을 빌었습니다. 불상을 통해 이러한 불교를 믿던 사람들의 생활 모습을 알 수 있습니다. ㉡ 우리나라 사람들은 옛날부터 효를 중요하게 생각했습니다. 그래서 이름난 효자가 있는 고장에는 효자비를 세웠습니다.

15 고장의 문화유산을 조사하려고 할 때는 문화유산의 특징, 문화유산이 만들어진 시기, 문화유산을 만든 까닭, 문화유산과 관련된 이야기 등을 찾아봐야 합니다.

16 누리집을 활용하여 문화유산을 조사할 때는 신뢰할 수 있는 기관의 누리집인지 확인해야 한다는 주의점이 있습니다.

> [채점 기준] '신뢰할 수 있는 누리집', '믿을 수 있는 누리집' 등의 내용을 포함하여 바르게 썼다.

17 문화유산을 직접 답사하려고 할 때는 답사할 문화유산 정하기, 이 문화유산에 대해 알고 있는 점 떠올리기, 더 알고 싶은 내용이 무엇인지 이야기하기, 누구와 함께 답사할지 의논하기, 답사한 내용을 어떻게 정리할지 생각하기 등을 미리 생각해 봐야 합니다.

18 문화유산을 답사하는 것은 문화유산을 조금 더 생생하게 체험할 수 있다는 장점이 있습니다.

[채점 기준] '생생하게 체험', '실감 나게 체험' 등의 내용을 포함하여 바르게 썼다.

 **문화유산 답사하기**

답사의 뜻	고장의 문화유산을 직접 찾아가 보고 느끼는 것
답사의 좋은 점	문화유산을 조금 더 생생하게 체험할 수 있음.

19 우리 고장의 문화유산을 홍보하는 자료를 만들면, 고장의 문화유산을 보호하고 널리 알리는 노력을 하면서 고장에 대한 자긍심을 기를 수 있습니다.

20 문화유산을 답사할 때는 문화유산에 대해 알고 있는 점과 더 알고 싶은 점을 미리 생각해야 합니다. ① 고장의 문화원 누리집 뿐만 아니라 시·군·구청의 누리집 등에서도 고장의 문화유산에 대한 설명을 찾을 수 있습니다. ② 답사하면서 생각나는 내용은 기록해야 합니다. ④ 문화유산 홍보 자료를 만들면서 고장에 대한 자긍심을 기를 수 있습니다. ⑤ 문화유산 소개 영상을 만들 때는 영상 촬영을 짧은 시간에 하기 어렵기 때문에 계획을 잘 세워야 합니다.

서술형 톡톡 문제   96쪽

1 예 옛날 선비들의 과거에 합격하고 싶어했던 마음을 알 수 있습니다. **2** 예 농사를 중시했습니다. 삼성혈에서 나온 세 사람이 옛날부터 농사를 짓고 살았다는 전설이 있기 때문입니다. **3** ⓒ, 예 옛날에 우륵이 가야금을 탄 곳으로 전해지는 곳입니다. **4** 유형 문화유산, 예 형태가 있는 문화유산이기 때문입니다. **5** 예 장승은 마을을 지켜 주는 수호신의 역할을 했습니다. **6** 예 고장의 문화유산을 통해 고장의 옛 모습과 옛날 사람들의 다양한 생활 모습을 알 수 있습니다.

1 쌍우물에 얽힌 이야기를 통해 과거 합격에 대한 선비들의 소망과 옛날 사람들이 공동 우물을 이용했다는 사실을 알 수 있습니다.

[채점 기준] '과거에 합격하고 싶은 소망', '공동 우물 이용' 등의 내용을 포함하여 바르게 썼다.

2 제주도에는 구멍에서 나온 세 사람이 공주와 결혼하여 씨를 뿌려 농사를 짓고 가축을 기르며 살았다는 이야기가 전해집니다. 삼성혈에 얽힌 전설을 통해 아주 오래전부터 농사를 짓고, 가축을 기르며 살았다는 것을 알 수 있습니다.

[채점 기준] '농경을 중시했다', '농사를 지으며 살았다', '가축을 기르며 살았다', '농사와 가축 기르기를 중시했다' 등의 내용을 포함하여 바르게 썼다.

3 탄금은 가야금 탄다는 뜻입니다. 충청북도 충주시에는 옛날에 우륵이라는 사람이 가야금을 탄 곳으로 전해지는 탄금대가 있습니다.

[채점 기준] ⓒ을 바르게 쓰고 '우륵이 가야금을 탄 곳', '가야금으로 유명한 인물' 등의 내용을 포함하여 바르게 썼다.

4 사진 속 장승은 형태가 있는 문화유산이므로, 유형 문화유산입니다. 형태가 있는 문화유산을 유형 문화유산, 형태가 없는 문화유산을 무형 문화유산이라고 합니다.

[채점 기준] 유형 문화유산을 바르게 쓰고, '형태가 있기 때문', '형태가 있는 문화유산' 등의 내용을 포함하여 바르게 썼다.

5 옛날에는 돌이나 나무로 만든 장승을 마을 입구에 세웠습니다. 장승은 마을을 지켜 주는 수호신 역할도 했습니다.

[채점 기준] '마을을 지킨다', '마을을 지켜 달라는 뜻으로 장승을 세웠다' 등의 내용을 포함하여 바르게 썼다.

한눈에 쏙쏙 고장의 문화유산으로 알 수 있는 생활 모습

돌다리	강을 건널 때 돌다리를 이용함.
장승	마을을 지켜 달라는 뜻으로 장승을 세움.
성곽	적의 침입을 막고 고장을 지키기 위해 만듦.
관아	지금의 시청이나 구청, 군청의 역할을 했음.
우물	옛날 사람들이 물을 얻어 사용하던 곳임.
효자비	효를 중요시 했음을 알 수 있음.
대장장이	철이 많이 생산되었던 고장임.
기차역	사람들이 오고 가기 쉬운 위치였음.

6 문화유산을 살펴보면 고장의 옛 모습과 옛날 사람들의 다양한 생활 모습을 알 수 있습니다. 옛날 사람들의 슬기와 멋도 느낄 수 있습니다.

[채점 기준] '고장의 옛 모습', '옛날 사람들의 생활 모습', '옛날 사람들의 슬기와 멋' 등의 내용을 포함하여 바르게 썼다.

❸ 교통과 통신수단의 변화

1 교통수단의 변화로 달라진 생활

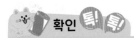

확인

103쪽 1 교통수단 2 (1) ㉢ (2) ㉡ (3) ㉠ 3 ㉠, ㉢
105쪽 1 (1) ㉡ (2) ㉠ 2 (1) ◯ (2) ◯
107쪽 1 교통 시설 2 (1) ◯ (2) ◯ (3) ×
111쪽 1 갯배 2 (1) ㉢ (2) ㉡ (3) ㉠ 3 ㉣
113쪽 1 (1) ㉠ (2) ㉡ 2 편리

주제 톡톡 문제 115~117쪽

1 이동 2 ㉠ 자동차 ㉡ 비행기 ㉢ 배 3 ③ 4 뗏목 5 ②
6 ㉠, ㉢ 7 과학, 기술 8 혜민, 📝 오늘날에는 비행기나 여
객선을 타고 제주도로 빠르게 갈 수 있습니다. 9 ⑤ 10 공
항 11 ③ 12 ㉠, ㉡ 13 ④ 14 📝 고장의 환경에 따라 사
용하는 교통수단이 다릅니다. 15 ① 16 📝 교통수단이 발
달하면서 옛날 교통수단이 사라졌기 때문입니다. 17 📝 신
선한 식품을 집에서 배송해 먹을 수 있습니다, 멀리 사는 친
구에게 택배로 선물을 보낼 수 있습니다.

1 교통수단은 사람들이 이동하거나 물건을 옮길 때 사
용하는 것으로 자동차, 버스, 지하철, 비행기, 배 등
이 있습니다. 우리는 이동하는 거리와 목적에 따라
다양한 교통수단을 이용할 수 있습니다.

2 ㉠은 자동차, ㉡은 비행기, ㉢은 배입니다. 직접 운
전해서 도로로 이동하는 것은 자동차이고, 공항에
서 하늘길로 이동하는 교통수단은 비행기입니다. 제
주도는 바다를 지나야 하기 때문에 비행기와 배로만
다닐 수 있으며, 항구에서 이동하는 교통수단은 배
입니다.

3 ① 옛날 교통수단은 오늘날의 교통수단에 비해 느린
편입니다. ② 옛날의 교통수단은 기계의 힘이 아닌
자연이나 동물의 힘을 이용하여 이동했습니다. ④
옛날에는 오늘날보다 많은 사람을 동시에 이동시키
기 힘들었습니다. ⑤ 자연과 동물의 힘을 이용하기
때문에 정확한 시간에 도착하기 어렵습니다.

4 뗏목은 통나무를 엮어 만든 배로 하천을 이동할 때
사용했던 교통수단입니다. 주로 강물의 흐름을 이용
해 물이 내려가는 방향에 따라 이동했습니다.

5 먼 거리를 이동하여 많은 짐을 실어 옮기는 배를 화
물선이라고 합니다. ① 군함은 군대에서 사용하는
배, ③ 여객선은 사람을 태우고 이동하는 배, ④ 쾌
속선은 빠르게 달리는 배, ⑤ 유조선은 석유나 천연
가스를 실어서 옮기는 배입니다.

6 동네에서 가까운 거리를 이동할 때 사용할 수 있는
교통수단은 자전거와 자동차입니다. ㉡ 비행기나 ㉣
고속 열차는 주로 다른 고장이나 다른 나라처럼 먼
거리를 갈 때 이용하는 교통수단입니다.

7 오늘날 과학과 기술이 발전하면서 새로운 교통수단
이 만들어졌습니다. 예를 들어 100년 전에는 증기
기관차가 있었지만, 현재는 고속 열차가 다니고 있
습니다. 또한 오늘날 교통수단은 더욱 빨라지고 안
전해졌습니다.

8 제주도를 갈 때는 육지에서 바다로 이동하는 것이기
때문에 비행기나 배로 이동할 수 있습니다.

> **[채점 기준]** '혜민'이라고 바르게 쓰고, '비행기나 배 또는 여객선으
> 로 제주도로 이동할 수 있다'는 내용을 포함하여 바르게 썼다.

9 오늘날의 교통수단은 동물이나 자연의 힘을 이용하
는 것이 아닌 주로 기계의 힘을 이용합니다. 기계를
움직이기 위해서 석유, 가스 등 다양한 에너지원이
사용되고 있는데, 최근에는 과학과 기술이 발전하면
서 전기, 수소 등의 새로운 에너지원이 사용되고 있
습니다.

10 비행기가 뜨고 내리는 곳은 공항입니다. 우리는 공
항에 가서 비행기를 이용할 수 있으며 공항을 오가
는 전용 교통수단과 시설이 생겨났습니다. 그리고
공항 주변에 상점이 발달하여 사람들이 편리하게 이
용할 수 있습니다.

11 항구는 배와 관련된 교통 시설로, 배가 이동할 수 있
는 바다 근처에서 볼 수 있습니다. 자동차와 관련된
교통 시설로 도로, 터널, 다리, 고속 도로에서 쉴 수
있는 휴게소, 기름을 넣을 수 있는 주유소 등이 있습
니다.

12 ㉢ 모노레일은 산촌이나 언덕이 많은 고장에서 볼
수 있는 교통수단이며, ㉣ 산악용 궤도차는 길이 없
는 험한 산지에서 이동하거나 작업을 할 때 사용하
는 교통수단입니다.

13 자율 주행 자동차는 사람이 운전하지 않아도 스스로
움직이는 자동차로, 운전이 서툴거나 졸음운전으로
인해 생기는 사고를 막을 수 있습니다.

14 고장의 환경에 따라 다양한 교통수단을 볼 수 있습니다. 농촌, 언덕이 많은 산촌, 바다가 있는 어촌 등에서 사용하는 교통수단은 환경에 따라 다릅니다.

[채점 기준] '고장의 환경에 따라 사용하는 교통수단이 다르다'는 내용을 포함하여 바르게 썼다.

 **한눈에 쏙쏙** **고장마다 다르게 볼 수 있는 교통수단**

농촌	농사를 짓는 고장에서는 경운기, 사륜 오토바이 등을 볼 수 있음. 농촌은 도로의 폭이 좁은 편이어서 경운기나 사륜 오토바이를 이용하면 잘 지나다닐 수 있음.
어촌이나 바닷가 마을	바닷가 근처 마을에서는 갯배와 뻘배 등을 볼 수 있음. 얕은 바다를 이동하기에 편리하며 물 위를 다녀야 하기 때문에 다양한 종류의 배를 볼 수 있음.
산촌이나 언덕이 많은 고장	산이나 언덕이 많은 고장에서는 쉽게 오르내릴 수 있는 모노레일, 케이블카 등을 볼 수 있음. 특히 산 아래와 정상으로 무거운 물건을 옮겨야 할 때 쉽게 이동할 수 있는 교통수단이 생기면 매우 편리함.

15 ② 동물의 힘을 이용해 무거운 짐을 옮기는 것은 오늘날이 아닌 옛날의 교통수단입니다. ③ 기차는 사용 요금만 내면 누구나 이용할 수 있는 교통수단입니다. ④ 다른 고장을 갈 때 이용할 수 있는 교통수단은 버스, 고속 열차, 비행기 등 다양합니다. ⑤ 오늘날의 교통수단에 대한 설명이 아닌 미래의 교통수단에 대한 설명입니다.

16 교통수단이 발달하면서 버스나 택시 운전기사 등 새로운 직업이 생겨났지만, 버스 안내양, 뱃사공, 인력거꾼과 같은 직업은 옛날 교통수단이 사라지면서 없어졌습니다.

[채점 기준] '교통수단이 발달하여 새로운 직업이 생겼다', '과학과 기술이 발전하면서 옛날의 직업이 없어졌다', '교통수단의 발달로 많은 직업이 없어지거나 생겨났다' 등의 내용을 포함하여 바르게 썼다.

17 사진 속 모습은 교통수단이 발달하여 먼 거리에 떨어진 곳에서 보낸 물건도 집 앞에서 받을 수 있는 택배입니다. 교통수단의 발달로 먼 거리를 이동할 때 걸리는 시간이 많이 줄어들었고, 다른 고장에서 만들어진 물건도 쉽게 구할 수 있습니다.

[채점 기준] '신선한 식품을 집에서 배송해 먹을 수 있다', '멀리 사는 친구에게 택배로 선물을 보낼 수 있다', '교통수단의 발달로 물건을 옮기는 시간이 줄어들었다' 등의 내용 중 두 가지를 포함하여 바르게 썼다.

2 통신수단의 변화로 달라진 생활

 **확인**

121쪽 **1** (1) ㄴ (2) ㄷ (3) ㄱ **2** 광균
123쪽 **1** 서찰 **2** (1) ㄷ (2) ㄴ (3) ㄱ
125쪽 **1** 스마트폰 **2** (1) × (2) ○
129쪽 **1** 등대 **2** (1) ㄴ (2) ㄱ **3** 환경
131쪽 **1** 가상 **2** ㄹ—ㄱ—ㄷ—ㄴ

주제 통 문제 133~135쪽

1 소식 **2** 휴대 전화(스마트폰) **3** ④ **4** 무선 호출기 **5** ①
6 ㄱ, ㄷ **7** 엉상 동화(화상 전화) **8** 📝 서찰은 사람이 걸어가 개인의 소식을 전달했고, 파발은 주로 말을 타고 국가의 중요한 문서를 전달했습니다. **9** ⑤ **10** 봉수 **11** ①
12 ㄱ, ㄴ **13** (1) ㄴ (2) ㄱ **14** 📝 통신수단의 발달로 관련된 직업이 없어지기도 하고, 새로운 직업이 생겨나기도 하기 때문입니다. **15** ② **16** 📝 옛날에는 사람이 직접 소식을 전달하거나, 신호를 이용해 위급한 상황을 알렸습니다.
17 📝 컴퓨터 또는 스마트폰을 이용해 학교에 직접 가지 않고 집에서도 온라인 수업을 들을 수 있습니다.

1 사람들에게 정보를 전달하고 소식을 주고받기 위해 사용하는 것을 통신수단이라고 합니다.

2 휴대 전화의 발달로 멀리 떨어진 친구에게 음성으로 소식을 전할 수 있게 되었습니다. 요즘에는 스마트폰의 발달로 영상뿐만 아니라 누리 소통망 등을 활용해 소식을 주고받을 수도 있습니다.

3 전보는 전신기를 이용해 글자를 보내서 소식을 전달하는 옛날의 통신수단입니다. 글자 수에 따라 요금을 냈었기 때문에 최대한 전달하려는 내용을 압축해서 보냈습니다.

4 무선 호출기는 번호를 남겨 두면 그 번호를 보고 공중전화 등을 이용해 연락할 수 있는 통신수단이었습니다. 무선 호출기를 많이 사용했던 시절에는 길거리에서 쉽게 공중전화를 볼 수 있었지만, 휴대 전화가 발달하면서 무선 호출기와 공중전화가 점차 없어지게 되었습니다.

5 글로 써서 소식을 주고받는 것을 편지라고 합니다. 통신수단이 발달하지 않았을 때는 주로 편지를 이용해 소식을 주고받았습니다.

우체국	우체국은 동네마다 있으며 우체통에 모아진 편지를 수거하여 각 지역별로 보내는 분류 작업을 함. 우체국에서는 편지를 보내는 업무 외에도 택배를 보낼 수 있음.
우표	편지를 보내기 위해서는 돈을 주고 우표를 사서 붙여야 함. 우표는 문구점이나 우체국에서 살 수 있으며, 보내는 편지의 크기와 무게에 따라 사용되는 우표의 값은 다양함.
집배원	편지를 우리 집까지 배달해 주는 역할을 하시는 분들이며, 주로 오토바이를 이용해 집 앞에 있는 우편함까지 편지를 전달해 주심.

6 ⓛ 전자 우편과 ⓔ 누리 소통망은 스마트폰이나 컴퓨터를 활용한 오늘날의 통신수단입니다. 최근에는 인터넷의 발달로 전자 우편도 실시간으로 주고받아, 소식을 빠른 시간 내에 전할 수 있게 되었습니다.

7 영상 통화는 스마트폰 또는 컴퓨터로 할 수 있습니다. 통신 기술의 발달로 카메라를 이용하여 얼굴을 보며 통화할 수 있게 되었습니다.

8 서찰과 파발은 먼 옛날의 통신수단으로, 신호를 이용해 전달하는 것과 달리 사람이 직접 이동하거나 말을 타고 가서 소식을 전달했습니다.

> [채점 기준] '서찰은 사람이 직접 전달하고 개인의 소식을 전달했다', '파발은 주로 말을 타고 국가의 중요한 문서를 전달했다'의 내용 중 서찰과 파발의 차이를 포함하여 바르게 썼다.

9 오늘날의 통신수단이 옛날보다 더 많은 사람에게 동시에 연락을 할 수 있습니다. 옛날에는 사람이 직접 전달하거나 신호로 위급한 상황을 알렸기 때문에 지금보다는 속도가 느리고 많은 사람에게 전달하기 어려웠습니다.

10 봉수는 위급한 상황을 알리기 위한 옛날의 통신수단으로, 전쟁이 났을 때 적의 침입을 알리는 목적으로 많이 사용되었습니다. 낮에는 연기를 피우고 밤에는 횃불을 보이게 하여, 봉수를 보고 중요한 소식을 알도록 했습니다.

11 ① 바다가 있는 고장에서 등대는 불을 밝혀 배가 올바른 방향으로 잘 갈 수 있도록 안내해 주는 역할을 합니다. ②, ③ 전보와 편지는 고장의 환경에 영향을 받지 않고 어디에서나 사용할 수 있는 통신수단입니다. ④, ⑤ 송전탑과 항공 경고등은 높은 건물이 많은 도시에서 주로 볼 수 있습니다.

12 ⓒ 남겨진 번호로 연락을 했던 무선 호출기는 여러 통신수단이나 휴대 전화의 발달로 없어지게 되었습니다. ② 전화 기술이 발달되지 않았을 때는 중앙의 기지국에 연결해 내가 걸고 싶은 사람의 번호를 말하면 중간에서 전화 교환원이 연결해 주었습니다. 오늘날 통신 기술의 발달로 전화 교환원은 없어지게 되었습니다.

13 고층 빌딩에서는 높은 비행기가 건물을 피해갈 수 있도록 항공 경고등을 설치하고, 수상 안전 요원은 확성기를 이용해 사람들에게 위급한 상황이나 중요한 내용을 알립니다.

14 통신 기술이 발달하면서 다양한 직업이 생겨나고 있습니다. 스마트폰의 발달로 관련된 기술이 발전하면서 애플리케이션 개발자, 스마트폰 수리 기술자 등의 다양한 직업이 생겨났습니다.

> [채점 기준] '통신 기술의 발달로 새로운 직업이 생겨난다', '통신수단이 발달하여 직업이 없어지기도 한다' 등의 내용을 포함하여 바르게 썼다.

15 서찰은 현재가 아닌 먼 옛날에 사용했던 통신수단입니다. 현재는 휴대 전화를 비롯한 다양한 통신수단을 이용해 더욱 빠르고 편리하게 소식을 전할 수 있습니다.

16 옛날에는 사람이 직접 이동하여 소식을 전달했기 때문에 위급한 상황이어도 전달하는 속도가 매우 느렸습니다. 또한 봉화로 불을 피워 신호로 소식을 전달하기도 했지만 현재는 사진, 화상 통화 등 다양한 방법으로 소식을 곧바로 전달할 수 있습니다.

> [채점 기준] '사람이 직접 이동하여 소식을 전달한다', '봉수 등 신호를 이용해 위급한 상황을 전달한다' 등의 내용을 포함하여 바르게 썼다.

17 컴퓨터나 스마트폰을 이용해 집에서 온라인 수업을 쉽게 들을 수 있게 되었습니다. 꼭 학교에 나와서 수업을 듣지 않아도 통신 기술의 발달로 집에서도 화상으로 수업을 들으며 발표도 할 수 있습니다.

> [채점 기준] '학교에 가지 않고 수업을 들을 수 있다', '친구들과 집에서도 온라인으로 수업을 듣는다' 등의 내용을 포함하여 바르게 썼다.

쪽지 시험   140쪽

1 지하철 **2** 버스 안내양 **3** 돛단배 **4** 이동 **5** × **6** 무선 호출기 **7** 많은, 빠르게 **8** 안내 방송 **9** 직업 **10** ×

1 소달구지　2 예 새로운 교통수단의 등장으로 지역 간의 이동 시간이 줄어들었습니다.　3 ㉢, ㉣　4 ⑤　5 갯배　6 ⑤　7 다리(대교)　8 승훈　9 예 환경 오염을 줄이고, 공기를 깨끗하게 만들어 줍니다.　10 ④　11 북　12 ④　13 ㉠, ㉡　14 공중전화　15 예 박물관이나 미술관에 직접 가지 않고도 전시회를 관람할 수 있습니다.　16 ①　17 ㉠　18 예 스마트폰을 사용하는 데 집중하여 공공장소에서 소리를 크게 틀어 놓거나, 앞을 보고 다니지 않아 위험합니다.　19 ①　20 예 더욱 빠르고 편리하게 소식을 전할 수 있습니다.

1 동물의 힘을 이용한 옛날의 교통수단으로, 무거운 짐을 옮길 때 사용한 것은 소달구지입니다. 주로 농사를 지을 때 무거운 농기구를 옮기거나 수확물을 옮길 때 사용했습니다.

2 고속 열차의 발달로 서울에서 부산까지 이동하는 시간이 크게 줄어들게 되었습니다.

　[채점 기준] '교통수단의 발달로 지역 간의 이동 시간이 줄어들었다', '버스 이외에 사용할 수 있는 교통수단이 늘어나게 되었다', '전국을 이동할 수 있는 시간이 줄어들어 여행이 쉬워졌다' 등의 내용을 포함하여 바르게 썼다.

3 ㉠ 물을 끓여 나오는 뜨거운 증기의 힘으로 달리는 증기 기관차는 약 100년 전 볼 수 있었던 기차인데, 교통수단의 발달로 지금은 없어지게 되었습니다. ㉡ 뗏목은 자연의 힘으로 갈 수 있는 교통수단이었지만, 기계의 힘으로 다니는 더 빠르고 안전한 배가 생기면서 없어지게 되었습니다.

4 가마는 먼 옛날의 교통수단으로 사람이 직접 들어서 이동했으며, 주로 높은 신분의 사람이 이용할 수 있었습니다.

한눈에 쏙쏙　먼 옛날의 교통수단

가마	안에 사람이 앉고 여러 사람이 함께 들어서 옮겼던 교통수단으로, 신분이 높은 사람들이 사용할 수 있었지만 이동 시간은 오래 걸렸음.
말이나 당나귀	걸어가기 힘든 먼 거리는 말이나 당나귀를 타고 갔는데, 말을 너무 오래 타면 지치기 때문에 중간중간 쉬어 가야 했음. 고을마다 말을 타고 가며 쉬어 가는 장소와 공간도 있었음.

5 갯배는 얕은 바다나 강가에서 물을 건너기 위해 사용하는 배로, 바다가 있는 고장에서 볼 수 있는 교통수단입니다.

6 오토바이는 주로 가까운 거리를 이동할 때 사용하는 교통수단으로, 많은 사람이나 물건을 한꺼번에 옮기기에는 불편합니다.

7 섬과 육지를 잇는 다리(대교)의 발달로 육지에서 섬으로의 이동이 편리해졌습니다.

8 뺄배는 논이나 밭이 아닌 어촌이나 바닷가에서 볼 수 있는 교통수단으로, 갯벌을 쉽게 이동할 수 있는 교통수단입니다.

9 현재의 교통수단은 석유, 천연가스 등으로 이동하기 때문에 매연이 나와 환경이 오염되는 문제가 있습니다. 이러한 문제를 해결하기 위해 수소나 전기 등 매연을 내뿜지 않는 다양한 친환경 자동차가 개발되고 있습니다.

　[채점 기준] '환경 오염을 줄인다', '공기를 깨끗하게 만들어 준다', '미세 먼지를 줄인다' 등의 내용을 포함하여 바르게 썼다.

10 기계의 힘으로 더욱 쉽고 빠르게 움직일 수 있는 교통수단이 등장하면서 뱃사공과 인력거꾼은 없어지게 되었습니다.

11 북은 전쟁이나 위급한 상황에 사용했던 옛날의 통신수단입니다. 북은 소리를 크게 내어 몇 번 치는지 또는 박자에 따라 약속된 신호로 공격과 후퇴를 명령했습니다.

12 ④는 전보에 관한 설명입니다. 전보는 그림에 나타난 먼 옛날이 아닌 50~60년 전에 자주 사용되었던 통신수단입니다.

13 ㉡ 직접 장을 보러 가지 않고도 스마트폰을 이용해 집에서 편리하게 장을 볼 수 있습니다. ㉣ 스마트폰의 발달로 사진을 찍어 빠르게 보내거나, 전자 우편으로 소식을 편리하게 주고받을 수 있습니다.

14 무선 호출기는 번호가 찍혀 볼 수는 있지만 전화를 할 수 있는 기능을 가진 통신수단은 아니었습니다. 그래서 휴대 전화가 없을 경우에는 근처 길에 보이는 공중전화를 이용해 찍힌 번호로 전화를 걸어 연락했습니다.

15 통신수단의 발달로 미술관이나 박물관 홈페이지에 접속하면 편리하게 전시회를 관람할 수 있습니다.

　[채점 기준] '인터넷으로 직접 가지 않고도 박물관과 미술관의 작품을 감상할 수 있다', '박물관이나 미술관에 가지 않고 전시회를 관람할 수 있다' 등의 내용을 포함하여 바르게 썼다.

16 전화 기술이 발달하기 전에는 전화를 거는 사람과 받는 사람을 연결해 주는 교환원이 존재했습니다.

17 ⓛ, ⓒ은 교통수단을 사용해야 하는 상황입니다. ㉠은 전화나 메시지 등으로 부모님께 소식을 전달할 수 있습니다.

18 공공장소에서 다른 사람을 배려하지 않고, 음악 소리를 크게 틀어 놓거나, 길을 다닐 때 스마트폰에 빠져 주변을 보지 않는다면 사고가 날 수 있기 때문에 아주 위험합니다. 통신수단의 발달로 우리의 생활이 편리해졌지만, 더욱 안전하고 예절을 지켜 스마트폰을 사용해야 합니다.

> **[채점 기준]** '스마트폰을 사용하는 데 집중하여 공공장소에서 소리를 크게 틀어 놓거나, 앞을 보고 다니지 않아 위험하다'의 내용을 포함하여 바르게 썼다.

19 전보는 옛날 사람들이 먼 곳에 소식을 전할 때 이용하던 통신수단으로, 오늘날에 보기 힘듭니다.

20 미래의 통신수단은 과학 기술의 발달로 더욱 편리해지고, 소식을 빠르고 생생하게 전달할 수 있을 것입니다.

> **[채점 기준]** '더욱 빠르고 정확하게 소식을 전달할 수 있다', '생생하고 다양한 기능이 개발되어 이용할 수 있다' 등의 내용을 포함하여 바르게 썼다.

서술형 톡톡 문제

144쪽

1 **예** 다른 지역으로 이동할 때 걸리는 시간이 줄어들었습니다. 하루에 여러 지역을 여행할 수 있게 되었습니다. 2 **예** 높은 언덕이나 경사면이 있을 것 같습니다. 산과 같은 높은 곳에 있는 동네일 것 같습니다. 3 **예** 돛단배와 여객선은 모두 물에서 다니지만, 돛단배는 바람의 힘, 여객선은 기계의 힘을 이용합니다. 4 신호 연, **예** 약속된 그림이나 무늬를 통해 위급한 상황에서 신호를 전달합니다. 5 ⓒ, **예** 스마트폰의 누리 소통망을 이용하여 여러 사람과 동시에 글을 주고받을 수 있습니다. 6 **예** 집에서도 편리하게 장을 볼 수 있게 되었습니다. 다른 지역에 떨어져 사는 친구와 화상으로 대화할 수 있게 되었습니다.

---

1 고속 열차의 발달로 지역 간 이동하는 시간이 줄어들게 되면서 생활이 매우 편리해졌습니다. 여행하거나 다른 지역에 일이 있을 때도 하루 만에 이동할 수 있어, 전국을 쉽게 다닐 수 있습니다.

> **[채점 기준]** '다른 지역을 이동할 때 걸리는 시간이 줄어들었다', '하루에 여러 지역을 여행할 수 있게 되었다' '하루 만에 여러 지역을 이동할 수 있다' 등의 내용을 포함하여 바르게 썼다.

2 모노레일이나 케이블카는 산이나 언덕이 심한 지역에서 볼 수 있는 교통수단입니다. 모노레일과 케이블카를 이용해 무거운 짐을 옮기거나 사람들이 쉽게 높은 곳까지 이동할 수 있습니다.

> **[채점 기준]** '높은 언덕이나 경사면이 있을 것 같다', '산을 쉽게 볼 수 있는 동네일 것 같다', '계단이 많거나 가파른 언덕이 있을 것 같다' 등의 내용을 포함하여 바르게 썼다.

3 돛단배는 교통수단이 발달하기 전에 바람이나 물의 흐름 등 자연의 힘으로 이동하는 교통수단이었지만, 여객선은 과학 기술이 발달하여 엔진의 힘으로 더욱 빠르고 편리하게 바다나 강을 이동할 수 있게 해 주는 교통수단입니다.

> **[채점 기준]** '둘 다 강이나 바다에서 다니지만 돛단배는 바람 등 자연의 힘을, 여객선은 기계의 힘을 이용한다' 등의 내용을 포함하여 바르게 썼다.

4 ⓛ은 신호 연으로, 여러 가지의 무늬를 이용하여 약속된 신호를 높은 하늘에 띄워 위급한 상황이나 중요한 내용을 알렸습니다.

> **[채점 기준]** '신호 연'이라고 바르게 쓰고, '다양한 무늬나 그림을 이용하여 위급한 상황을 알렸다', '높은 곳에 띄워 중요한 신호를 전했다' 등의 내용을 포함하여 바르게 썼다.

5 스마트폰은 인터넷과 연결되어 편리하게 사용할 수 있는 통신수단으로, 누리 소통망 등을 이용해 쉽고 빠르게 여러 사람에게 글을 전달할 수 있습니다. 스마트폰을 이용해 우리는 다양한 소식을 빠르게 접하지만, 정확하고 올바른 소식을 전달하기 위해 노력해야 합니다.

> **[채점 기준]** 'ⓒ'이라고 바르게 쓰고, '스마트폰의 누리 소통망을 이용하여 동시에 여러 사람에게 글을 전달할 수 있다', '스마트폰을 이용하여 여러 사람에게 동시에 연락할 수 있다' 등의 내용을 포함하여 바르게 썼다.

6 스마트폰의 발달로 우리의 생활은 매우 편리해졌습니다. 스마트폰을 이용하여 집에서도 편하게 장을 볼 수 있고, 박물관과 미술관에 직접 가지 않고도 전시회를 볼 수 있게 되었습니다.

> **[채점 기준]** '우리의 생활이 아주 편리해졌다', '누리 소통망을 활용해 친구와 사진을 주고받을 수 있다', '집에서도 온라인 수업을 들을 수 있다', '박물관이나 미술관에 가지 않고도 전시회를 볼 수 있게 되었다' 등의 내용 중 두 가지를 포함하여 바르게 썼다.

문제 톡톡 답지

❶ 우리 고장의 모습

핵심만 쏙쏙
2쪽

❶ 장소 ❷ 그림말 ❸ 경험 ❹ 인공위성 ❺ 고장 안내도
❻ 장소 카드

가로 톡! 세로 톡! 퍼즐
3쪽

단원 팡팡 문제 1회
4~6쪽

1 고장 2 ④ 3 ⑤ 4 ⑤ 5 ③ 6 진수, 미현 7 ② 8 예 두
그림에서 모두 표현한 장소는 무엇인지 찾아봅니다. 9 ④
10 ① 11 예 사람마다 고장의 장소에 대한 생각이나 느낌
이 서로 다를 수 있습니다. 12 ㉠, ㉢ 13 예 고장의 실제
모습을 더 정확하고 편리하게 살펴볼 수 있습니다. 14 ⑤
15 ③ 16 ③ 17 ㉠, ㉢ 18 예 백지도를 이용하면 주요 장
소만 강조해서 지도에 표시할 수 있습니다. 19 ⑤ 20 ㉢

1 고장에는 산, 강, 학교, 공원, 도서관, 우체국, 소방
서 등 다양한 장소가 있어 많은 사람들이 모여 살고
있습니다.

2 도서관에서는 책을 보거나 빌릴 수 있고, 책과 관련
한 다양한 행사에도 참여할 수 있습니다.

3 우체국에서는 다른 고장에 있는 친구에게 편지나 물
건을 보낼 수 있습니다. 다른 고장에 가기 위해 버스
를 탈 수 있는 장소는 버스 터미널입니다.

학교	친구들과 함께 생활하고 공부하는 교실과 체육 활동을 하는 운동장이 있음.
시장	맛있는 음식을 먹고, 다양한 물건을 살 수 있음.
공원	친구들과 함께 놀고, 가족들과 함께 휴식할 수 있음.
산	산에 오르고, 계곡에서 물놀이를 할 수 있음.
우체국	다른 고장에 사는 친구들에게 편지나 물건을 보낼 수 있음.

4 그리고 싶은 고장의 장소를 떠올릴 때는 내가 좋아
하는 장소, 다른 고장 사람에게 알리고 싶은 장소,
내가 자주 가는 장소 등을 떠올려 볼 수 있습니다.
이때 상상 속의 장소가 아니라 고장에 실제로 있는
장소를 떠올려야 합니다.

5 (가), (나) 그림에서 모두 볼 수 있는 장소는 학교, 경
찰서, 시장, 기차역, 양일강입니다. 편의점은 (가) 그
림에서만 볼 수 있습니다.

6 (가) 그림에서만 볼 수 있는 장소는 애견 미용실, 버
스 터미널, 공원, 미술관, 편의점 등입니다. (나) 그
림에서만 볼 수 있는 장소는 푸른산, 별빛 수목원,
문화원, 체육공원, 도서관, 군청, 다리 등입니다. 두
그림 모두 기차역, 학교가 그려져 있지만 모양과 위
치가 다릅니다. 또한 길이나 양일강의 모양도 다르
게 그려져 있습니다. 경찰서의 위치는 다르지만 시
장의 모양과 위치는 비슷하게 그려져 있습니다.

7 자신이 그린 고장의 모습을 설명하는 친구에게 질문
을 할 때는 친구의 그림에 그려진 장소에 대해 물어
보는 것이 적절합니다.

8 나와 친구가 그린 고장의 그림에는 공통점과 차이점
이 있습니다.

[채점 기준] '두 그림에서 모두 표현한 장소는 무엇인지 찾아본다',
'두 그림에서 모양이나 위치가 비슷한 장소는 무엇인지 찾아본다'
등의 내용을 포함하여 바르게 썼다.

9 우리 고장의 그림을 그릴 때에는 장소와 관련해서
장소의 이름, 모양, 위치, 장소에 대한 느낌을 표현
할 수 있지만, 장소에 모인 사람은 표현하지 않습
니다.

10 고장에 대한 생각과 느낌은 각자의 경험에 따라 다
양합니다.

11 같은 고장에 살더라도 사람들은 고장의 장소에 대해
서로 다른 경험을 가지고 있습니다. 따라서 사람들

은 각 장소에 대해 서로 다른 생각과 느낌을 가질 수 있습니다.

[채점 기준] '사람마다 고장의 장소에 대한 생각이 다를 수 있다', '사람마다 고장의 장소에 대한 느낌이 다를 수 있다', '사람마다 고장의 장소에 대한 감정이 다를 수 있다', '사람마다 고장의 장소와 관련한 경험이 각각 다를 수 있다' 등의 내용을 포함하여 바르게 썼다.

12 고장의 실제 모습을 알아보는 방법에는 직접 돌아다녀보거나 높은 곳에 올라가 내려다보는 것 등이 있습니다. ㉡ 종이 지도를 살펴보거나 ㉣ 이야기를 듣는 방법으로는 고장의 모습을 눈으로 직접 확인할 수 없기 때문에 실제 모습을 알기 어렵습니다.

13 사진 속 장치는 인공위성입니다. 사람들은 로켓을 이용하여 쏘아 올린 장치인 인공위성을 통해 위치, 날씨 등을 파악하고, 인공위성에서 찍은 사진을 이용하여 디지털 영상 지도를 만듭니다. 이러한 디지털 영상 지도를 통해 고장의 실제 모습을 더 정확하고 편리하게 살펴볼 수 있습니다.

[채점 기준] '고장의 모습을 정확하게 파악할 수 있다', '고장의 모습을 편리하게 확인할 수 있다', '고장의 모습을 한눈에 쉽게 살펴볼 수 있다', '고장의 모습을 확대하여 자세히 살펴볼 수 있다' 등의 내용을 포함하여 바르게 썼다.

한눈에 쏙쏙 인공위성에서 찍은 사진의 특징

특징	• 시간과 장소에 관계없이 관찰할 수 있음. • 어떤 장소의 전체적인 모습을 한눈에 볼 수 있음. • 고장의 실제 모습을 더 정확하고 편리하게 살펴볼 수 있음. • 우리 고장의 여러 장소를 자세히 볼 수 있음.

14 높은 곳에 있는 인공위성이나 항공기에서 찍은 사진을 이용하여 만든 디지털 영상 지도를 활용하면 고장의 실제 모습을 더 쉽고 정확하게 알 수 있습니다. 하지만 디지털 영상 지도를 통해 어떤 장소에 사람들이 가장 많이 방문하는지는 알기 어렵습니다.

한눈에 쏙쏙 디지털 영상 지도의 장점

장점	• 직접 돌아다니지 않아도 고장의 실제 모습을 더 쉽고 정확하게 알 수 있음. • 고장의 전체적인 모습을 살펴볼 수 있음. • 확대하면 보고 싶은 장소의 모습을 자세히 볼 수 있음. • 고장의 위치와 생긴 모습을 쉽고 편리하게 알 수 있음.

15 컴퓨터로 디지털 영상 지도를 이용할 때 마우스 왼쪽 버튼을 누른 채로 마우스를 움직여 원하는 위치

의 지도를 살펴볼 수 있습니다.

16 우리가 디지털 영상 지도에서 활용할 수 있는 기능으로는 검색 기능, 지도 선택 기능, 이동 기능, 확대 및 축소 기능, 길 찾기 기능, 거리 재기 기능 등이 있습니다.

17 광주역과 광주 버스 터미널은 사람들이 다른 고장으로 이동할 때 이용하는 고장의 주요 장소입니다. 광주호는 자연과 관련 있는 장소이고, 광주광역시청은 사람들의 생활을 편리하게 하는 장소입니다.

18 디지털 영상 지도에는 많은 건물과 길이 나타나 있기 때문에 고장의 주요 장소를 찾기 어렵습니다. 이에 비해 백지도를 이용하면 작은 건물을 지우고 주요 장소만 강조해서 지도에 표시할 수 있기 때문에 고장의 주요 장소를 확인할 때 좋습니다.

[채점 기준] '백지도를 이용하면 주요 장소만 강조해서 지도에 표시할 수 있다.'의 내용을 포함하여 바르게 썼다.

19 친환경 농산물 등 다양한 물건을 구입할 수 있고, 양평 해장국과 같은 음식을 맛볼 수 있는 장소는 시장입니다.

20 우리 고장을 소개하기 위한 장소의 종류에는 사람들이 많이 찾는 장소, 경치가 아름다운 장소, 역사적인 의미가 있는 장소 등이 있습니다. 장소에 대한 정보를 조사하기 위한 방법으로는 시·군·구청 누리집에서 검색하기, 우리 고장의 안내 책자에서 찾아보기, 우리 고장을 잘 알고 있는 어른께 여쭈어보기 등이 있습니다. 이웃 고장이 아니라 우리 고장에서 살고 계신 어른께 여쭈어보는 것이 적절합니다.

   더 원 팡팡 문제 2회 7~9쪽

1 ① 2 다른 3 ㉠ 4 ③ 5 ③ 6 ④ 7 **예** 특별히 소개하고 싶은 장소가 있는지 물어봅니다. 8 ③ 9 ㉠, ㉡, ㉣ 10 ㉢, ㉣ 11 ③, ④ 12 ② 13 ③ 14 **예** 지도 2는 백지도입니다. 백지도를 활용하면 고장의 주요 장소의 위치를 표시하기 쉽습니다. 15 ⑤ 16 ③ 17 ④ 18 ㉢ 19 **예** 시·군·구청 누리집에서 찾아봅니다. 20 ③

1 고장에 있는 여러 장소에서 다양한 경험을 할 수 있습니다. ① 공원에서는 산책을 하거나 운동을 할 수 있고, 휴식을 취할 수도 있습니다. ② 백화점이나 쇼핑몰에서는 장난감과 같은 물건을 살 수 있습니다. ③ 몸이 아플 때는 병원에 가서 치료를 받을 수 있습니다. ④ 학교 교실에서는 친구들과 함께 생활하고 공부를 하고, 운동장에서는 체육 활동을 하고 뛰어놀 수 있습니다. ⑤ 기차역에 가면 기차를 타고 다른 고장으로 이동할 수 있습니다.

2 같은 장소여도 사람마다 각자의 경험이 다르기 때문에 장소에 대한 서로 다른 생각과 느낌을 가질 수 있습니다. 따라서 서로 다른 생각과 느낌을 이해하고 존중하는 자세가 필요합니다.

3 우리 고장의 모습을 그릴 때는 먼저 그리고 싶은 고장의 장소를 떠올려 봅니다. 그 다음으로 머릿속에 떠오르는 장소들을 그립니다. 이때 고장에 실제로 있는 장소를 중심으로 그리고, 장소의 이름을 씁니다. 그 밖에 떠오르는 장소가 있으면 더 그리고 장소와 장소를 연결하는 길도 그립니다. 마지막으로 그린 장소에 대한 느낌을 표현합니다. 장소와 어울리는 색을 칠하고, 장소를 떠올렸을 때 드는 느낌을 그림말로 나타낼 수도 있습니다.

🐻 **한눈에 쏙쏙** 우리 고장의 모습 그리기

활동 순서	❶ 그리고 싶은 우리 고장의 장소를 떠올려 봄.
	❷ 머릿속에 떠오르는 장소들을 그림.
	❸ 그 밖에 떠오르는 장소와 길을 그림.
	❹ 장소에 대한 느낌을 표현함.

4 고장의 장소를 그릴 때는 상상 속의 장소가 아니라 고장에 실제로 있는 장소를 그려야 합니다.

5 양일강, 강변 산책로, 곤충 박물관, 경찰서, 우리 소아과, 체육공원, 푸른중학교, 별빛 수목원, 푸른초등학교, 우리 집, 알뜰 슈퍼마켓이 그려져 있는 그림입니다. 우체국은 그려져 있지 않습니다.

6 친구들의 설명을 통해 각자 고장을 그린 그림이 다르다는 것을 알 수 있습니다. 사람마다 각자의 경험에 따라 고장의 모습을 다양하게 표현할 수 있고, 고장에 대한 생각과 느낌이 다르다는 것을 알 수 있습니다.

7 작가와의 만남 활동을 할 때 작가 역할을 맡은 친구가 그린 고장의 모습을 잘 이해하기 위해 친구에게 다양한 것을 질문해 볼 수 있습니다. 그림에 나타난 장소를 왜 선택해 그렸는지, 장소와 관련된 경험이 있는지, 장소에 관해 어떤 느낌이나 생각이 드는지 물어볼 수 있습니다. 또 특별히 소개하고 싶은 장소나 내가 잘 모르는 장소에 대해서도 물어볼 수 있습니다.

[채점 기준] '특별히 소개하고 싶은 장소가 있는지 물어본다', '왜 그 장소를 선택해 그렸는지 물어본다', '장소에 관해 어떤 느낌이나 생각이 드는지 물어본다', '내가 잘 모르는 장소가 그림에 있다면 그 장소에 관해 물어본다' 등의 내용을 포함하여 바르게 썼다.

8 나와 친구가 그린 고장의 그림을 비교할 때는 두 그림에서 공통점과 차이점을 찾아보아야 합니다. 공통점을 찾을 때는 두 그림에서 공통으로 그린 장소가 있는지, 모양이나 위치가 비슷한 장소가 있는지 찾아봅니다. 차이점을 찾을 때는 두 그림 중 한 그림에만 있는 장소가 있는지 찾아보고, 같은 장소이지만 다른 위치나 다른 모양으로 그려진 것이 있는지 찾아봅니다.

🐻 **한눈에 쏙쏙** 고장의 그림에서 공통점과 차이점 찾아보기

공통점 찾기	• 두 그림에서 공통으로 그린 장소는 무엇인지 찾아보기
	• 두 그림에서 모양이나 위치가 비슷한 장소는 무엇인지 찾아보기
차이점 찾기	• 두 그림 중 어느 한 그림에만 있는 장소가 있는지 찾아보기
	• 두 그림에서 같은 장소이지만 서로 다른 위치에 그려진 것이 있는지 찾아보기
	• 두 그림에서 같은 장소이지만 서로 다른 모습으로 그려진 것이 있는지 찾아보기

9 고장의 실제 모습을 알아볼 때 높은 곳에 올라가 내려다보거나 직접 돌아다녀볼 수 있습니다. 직접 돌아다니는 방법은 고장의 여러 장소의 실제 모습을 자세하게 확인할 수 있습니다. 하지만 이것은 시간이 오래 걸리고, 환경의 영향을 많이 받는다는 단점이 있습니다.

10 우리 고장을 표현한 그림은 누가 표현했느냐에 따라서 서로 다른 특징을 보입니다. 왜냐하면 각자의 경험에 따라 고장과 장소에 대한 생각과 느낌이 다르기 때문입니다. 이렇게 고장과 장소에 대해 다른 생각과 느낌을 가졌더라도 이를 이해하고 존중하는 자세가 필요합니다.

11 고장의 주요 장소는 고장의 여러 장소들 중에서 고장 사람들이 자주 찾거나 유명한 관광지나 문화유산이 있어 다른 고장의 사람들에게도 잘 알려진 장소입니다.

12 디지털 영상 지도에는 검색, 이동, 확대 및 축소, 거리

재기 등과 같은 다양한 기능이 있습니다. 지도를 움직여 원하는 위치의 모습을 보고 싶을 때는 이동 기능을 이용할 수 있습니다. 좁은 지역을 자세히 살펴보고 싶을 때는 확대 기능을 이용하고, 넓은 지역을 한눈에 보고 싶을 때는 축소 기능을 이용할 수 있습니다.

13 스마트폰이나 태블릿 컴퓨터로도 디지털 영상 지도를 이용할 수 있습니다. ⊙ 기능을 이용하면 디지털 영상 지도와 일반 지도 중에 하나를 선택할 수 있습니다. 이외에도 검색 기능, 확대 및 축소 기능, 이동 기능 등을 이용할 수 있습니다. 스마트폰이나 태블릿 컴퓨터를 활용하면 이동하면서 디지털 영상 지도를 볼 수 있고, 다양한 지도 애플리케이션을 이용할 수 있어 편리합니다.

14 지도 1은 디지털 영상 지도에 대한 설명이고, 지도 2는 백지도에 대한 설명입니다. 백지도를 활용하면 디지털 영상 지도보다 고장의 주요 장소의 위치를 표시하기 쉽습니다.

[채점 기준] '백지도를 활용하면 고장의 주요 장소의 위치를 표시하기 쉽다', '백지도를 활용하면 고장의 주요 장소별로 구분이 쉽다', '백지도에서는 디지털 영상 지도보다 주요 장소를 중심으로 우리 고장의 모습이 더 간단하게 나타나 있다' 등의 내용을 포함하여 바르게 썼다.

15 디지털 영상 지도에서 우리 고장의 장소를 찾아보는 것이기 때문에 다른 고장이 아니라 우리 고장에서 관광지로 유명한 장소를 찾아보아야 합니다.

16 디지털 영상 지도를 이용하면 쉽고 편하게 고장에 있는 장소를 살펴볼 수 있지만 고장의 주요 장소를 한눈에 알아보기는 어렵습니다. 이때 백지도를 이용하면 작은 건물은 지우고 주요 장소만 강조해서 지도에 표시할 수 있습니다. 백지도는 산, 강, 큰길 등의 밑그림만 그려져 있는 지도입니다. 백지도에 장소와 관련한 정보와 특징을 적은 장소 카드를 붙이면 고장의 주요 장소를 소개하는 자료를 만들 수 있습니다.

17 고장에는 주제와 관련된 다양한 장소가 있습니다. 사람들의 생활을 편리하게 도와주는 곳으로 시청, 병원, 소방서, 도서관, 시장 등이 있습니다. 광주역과 광주 버스 터미널은 다른 고장으로 이동할 때 이용하는 곳이고, 광주 예술의 거리는 유명한 관광지가 있는 곳입니다. 자연과 관련 있는 광주의 주요 장소로는 무등산, 광주천 등이 있습니다.

18 고장의 주요 장소의 특징이 드러나도록 표현하려면 장소의 특징이 드러나는 그림을 그리거나 장소에 대한 생각과 느낌을 담아 꾸밀 수 있습니다. ⊙ 비닐하우스는 비닐하우스에서 재배되는 농작물인 과일, 채소 등을 그려 나타낼 수 있습니다. ⓒ 버스 터미널은 버스 모양을 그리면 장소의 특징을 잘 드러낼 수 있습니다. 도서관은 책을 읽거나 빌릴 수 있는 장소이기 때문에 간단한 책 그림만으로도 도서관의 특징을 잘 드러낼 수 있습니다.

19 우리가 살고 있는 고장에는 소개할 만한 장소의 종류가 다양합니다. 고장의 소개할 만한 장소에 대한 정보는 시·군·구청 누리집, 고장의 안내 책자 등에서 조사할 수 있습니다.

[채점 기준] '고장 안내도를 살펴본다', '시·군·구청 누리집을 조사한다', '고장의 안내 책자를 살펴본다', '고장의 관광 누리집에서 찾아본다', '고장을 잘 알고 있는 어른들께 직접 여쭈어본다' 등의 내용을 포함하여 바르게 썼다.

20 우리 고장의 주요 장소 중 다른 고장 사람들에게 소개하고 싶은 장소를 골라 장소 카드를 만들어 백지도에 붙이면 우리 고장을 소개하는 자료를 만들 수 있습니다. 장소 카드에는 장소의 사진이나 장소의 특징을 잘 나타낸 그림, 장소의 위치, 장소에 대한 설명, 장소를 추천하는 까닭 등 장소와 관련된 내용을 넣어야 합니다.

서술형 팡팡 문제   10~11쪽

1 (1) (가)는 학교, (나)는 공원입니다. (2) 예 친구들과 함께 교실에서 공부합니다. 운동장에서 체육 활동을 하고 뛰어놉니다. 2 예 장소와 어울리는 색을 칠합니다. 장소를 떠올렸을 때 드는 느낌을 그림말로 나타냅니다. 3 (1) 예 ○○강을 그렸습니다. 학교, 집, 도서관을 그렸습니다. (2) 예 두 그림 모두 ○○강을 그렸지만 위치가 다릅니다. 수민이의 그림에만 시장, 경찰서가 있습니다. 성훈이의 그림에만 △△산, 문화원, 미술관이 있습니다. 4 예 고장에 대한 서로 다른 생각과 느낌을 이해하고 존중하는 자세를 가져야 합니다. 5 예 시간이 오래 걸립니다. 높은 건물이나 산에 가려져 보이지 않는 장소가 있을 수 있습니다. 날씨가 좋지 않거나 어두울 때에는 고장의 모습을 알아보기 어렵습니다. 6 (1) 확대 및 축소 기능 (2) 예 고장의 전체적인 모습과 자세한 모습을 함께 확인할 수 있습니다. 7 (1) 백지도 (2) 예 산, 강, 큰길 등의 밑그림만 그려져 있는 지도입니다. 8 예 광주와 다른 고장을 연결해 주는 기차가 다니는 곳입니다. 많은 사람들이 광주역을 통해 광주에 옵니다.

1 고장에는 학교, 공원, 도서관, 소방서, 시장, 산, 우체국과 같이 사람들의 생활과 관련된 여러 장소가 있습니다. 학교에서는 친구들과 함께 교실에서 공부하고, 운동장에서 체육 활동과 같은 다양한 활동을 할 수 있습니다.

   [채점 기준] (1) '학교', '공원'이라고 바르게 쓰고, (2) '친구들과 함께 교실에서 공부한다', '운동장에서 체육 활동을 하고 뛰어논다' 등의 내용을 포함하여 바르게 썼다.

2 머릿속에 떠오르는 장소들을 중심으로 우리 고장의 모습을 그릴 수 있습니다. 먼저 그리고 싶은 우리 고장의 장소를 떠올려 봅니다. 이렇게 떠올린 장소들을 그리고, 장소의 이름을 씁니다. 장소의 모양과 위치를 생각하며 그리고, 장소와 장소를 연결하는 길도 그립니다. 마지막으로 장소와 어울리는 색을 칠하고, 그림말을 활용하여 장소에 대한 느낌을 표현할 수 있습니다. 그림말은 글 대신 간단한 그림으로 나타낸 표시를 말합니다.

   [채점 기준] '장소와 어울리는 색깔을 칠한다', '장소를 떠올렸을 때 드는 느낌을 그림말로 나타낸다' 등의 내용을 포함하여 바르게 썼다.

3 친구들이 그린 고장의 그림을 비교해 보면 두 그림의 공통점과 차이점을 찾아볼 수 있습니다. 공통점을 찾을 때는 두 그림에 모두 나타난 장소를 찾아봅니다. 그리고 두 그림에서 모양이나 위치가 비슷한 장소는 무엇인지 찾아봅니다. 차이점을 찾을 때는 두 그림에서 모두 나타났지만 모양이나 위치가 서로 다르게 표현된 장소나 한 그림에서만 볼 수 있는 장소를 찾아봅니다.

   [채점 기준] (1) '○○강을 그렸다', '학교, 집, 도서관을 그렸다' 등의 내용을 포함하여 바르게 쓰고, (2) '두 그림 모두 ○○강을 그렸지만 위치가 다르다', '수민이의 그림에만 시장, 경찰서가 있다', '성훈이의 그림에만 △△산, 문화원, 미술관이 있다' 등의 내용을 포함하여 바르게 썼다.

한눈에 쏙쏙 고장의 그림에서 공통점과 차이점 찾아보기

공통점 찾기	• 두 그림에서 공통으로 그린 장소는 무엇인지 찾아보기 • 두 그림에서 모양이나 위치가 비슷한 장소는 무엇인지 찾아보기
차이점 찾기	• 두 그림 중 어느 한 그림에만 있는 장소가 있는지 찾아보기 • 두 그림에서 같은 장소이지만 서로 다른 위치에 그려진 것이 있는지 찾아보기 • 두 그림에서 같은 장소이지만 서로 다른 모습으로 그려진 것이 있는지 찾아보기

4 고장의 장소에 대한 생각과 느낌은 각자의 경험에 따라 다양할 수 있습니다. 따라서 고장에 대한 서로 다른 생각과 느낌을 이해하고 존중하는 태도가 필요합니다.

   [채점 기준] '고장에 대한 서로 다른 생각과 느낌을 이해하고 존중하는 자세를 가져야 한다'의 내용을 포함하여 바르게 썼다.

5 고장의 실제 모습을 알 수 있는 방법으로 높은 곳에 올라가 내려다보거나 직접 돌아다니며 살펴보는 방법이 있습니다. 이 두 방법을 활용하면 고장의 모습을 직접 생생하게 볼 수 있습니다. 그러나 많은 시간과 노력이 들어가고, 날씨가 좋지 않거나 어두울 때에는 고장의 모습을 알아보기 어렵다는 단점이 있습니다.

   [채점 기준] '시간이 오래 걸린다', '높은 건물이나 산에 가려져 보이지 않는 장소가 있을 수 있다', '멀리 있는 장소는 확인하기 어렵다', '날씨가 좋지 않거나 어두울 때에는 고장의 모습을 알아보기 어렵다' 등의 내용을 포함하여 바르게 썼다.

6 디지털 영상 지도에 있는 다양한 기능을 활용하면 고장의 실제 모습을 쉽고 정확하게 알 수 있습니다. 디지털 영상 지도의 +단추를 누르면 고장의 자세한 모습을 확인할 수 있고, −단추를 누르면 고장의 전체적인 모습을 확인할 수 있습니다.

   [채점 기준] (1) 확대 및 축소 기능이라고 바르게 쓰고, (2) '고장의 전체적인 모습과 자세한 모습을 함께 확인할 수 있다'의 내용을 포함하여 바르게 썼다.

7 고장의 모습을 백지도를 활용하여 나타내면 고장의 주요 장소만을 한눈에 알아볼 수 있습니다. 백지도는 산, 강, 큰길, 큰 건물 등의 밑그림만 그려져 있는 지도이기 때문에 주요 장소만을 그림이나 글씨로 표현할 수 있습니다. 이러한 백지도에 우리 고장의 주요 장소를 표현하여 우리 고장 지도를 만들 수 있습니다.

   [채점 기준] (1) '백지도'라고 바르게 쓰고, (2) '산, 강, 큰길 등의 밑그림만 그려져 있는 지도이다'의 내용을 포함하여 바르게 썼다.

8 고장에 있는 장소의 특징을 정리하여 장소 카드를 만들 수 있습니다. 장소 카드를 활용하여 고장의 소개 자료를 만들면 고장의 주요 장소들을 더욱 분명하게 알 수 있습니다.

   [채점 기준] '광주와 다른 고장을 연결해 주는 기차가 다니는 곳이다', '많은 사람들이 광주역을 통해 광주에 온다' 등의 내용을 포함하여 바르게 썼다.

② 우리가 알아보는 고장 이야기

핵심만 쏙쏙
12쪽

❶ 옛이야기 ❷ 자연환경 ❸ 생활 모습 ❹ 문화유산
❺ 무형 문화유산 ❻ 답사

가로 톡! 세로 톡! 퍼즐
13쪽

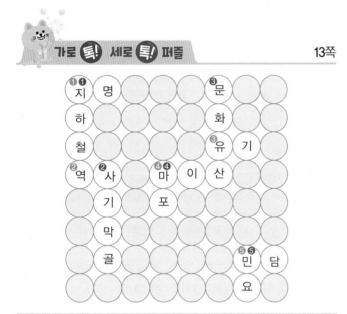

단원 팡팡 문제 1회
14~16쪽

1 옛이야기 2 생활 모습 3 ③ 4 민요 5 ③ 6 삼성혈 7 예 옛날부터 경기도 안성 지역은 유기로 유명했습니다. 8 ㉠, ㉣ 9 예 이야기를 경청하고, 녹음이 필요하면 먼저 허락을 받습니다. 10 ① 11 문화유산 12 ② 13 ② 14 ㉠, ㉡, ㉣ 15 고장 안내도 16 예 문화유산과 관련된 자료를 편리하게 찾을 수 있습니다. 17 ⑤ 18 자긍심 19 예 계획을 잘 세워서 만들어야 합니다. 20 ㉡, ㉢

1 지하철역이나 버스 정류장 이름을 통해 고장의 옛날 모습을 알 수 있습니다. 그 안에 옛이야기가 담겨 있기 때문입니다. 옛이야기가 담겨 있는 지하철역의 이름에는 돌고개역, 서빙고역, 지게골역, 왕십리역 등이 있습니다.

2 지명이란 마을, 산, 들, 강, 길 등의 이름을 나타내는 말입니다. 고장의 지명에는 여러 옛이야기가 담겨 있습니다. 자연환경, 옛날의 생활 모습, 살았던 인물이나 일어났던 일과 관련된 지명 등이 있습니다. 옛날의 생활 모습을 알려 주는 지명에는 조치원, 마포, 사기막골 등이 있습니다.

한눈에 쏙쏙 고장의 지명에 담긴 여러 가지 옛이야기

자연환경과 관련된 지명	두물머리, 마이산
생활 모습과 관련된 지명	조치원, 마포, 사기막골
인물이나 일어났던 일과 관련된 지명	탄금대, 사임당로

3 전라북도 진안군에는 두 개의 큰 산봉우리가 있는데, 말의 귀를 닮아 마이산이라고 불립니다. 산의 모습을 보고 이름을 붙인 것입니다.

4 민요는 옛날 사람들이 즐겨 부른 노래입니다. 대표적인 것으로는 아우라지의 옛이야기가 담겨 있는 정선 아리랑이 있습니다.

한눈에 쏙쏙 정선 아리랑이 시작된 곳, 아우라지

정선 아리랑	강원도 정선군에는 두 개의 시내가 어우러져 하나의 강으로 이어지는 '아우라지'가 있습니다. 옛날에 이 강을 사이에 두고 사랑에 빠진 총각과 처녀가 있었습니다. 어느 날, 너무 많이 내린 비 때문에 서로 만나지 못하게 되었습니다. 서로 만나지 못하는 안타까운 마음은 민요 '정선 아리랑'에 담겨 전해지고 있습니다.

5 세종특별자치시에 있는 조치원읍은 옛날에 관리나 상인, 여행자들이 하룻밤 묵어가던 마을이었습니다. '원'이 들어간 고장은 주로 여행 중에 쉬어갈 수 있는 곳이 많았습니다.

6 제주도의 삼성혈에는 세 사람이 나와 바다에 떠내려온 공주와 결혼했다는 전설이 내려옵니다. 세 사람들은 씨를 뿌려 농사를 짓고 가축을 기르며 살았다고 합니다. 이를 통해 제주도가 아주 오래전부터 농사를 짓고 가축을 기르며 살았다는 것을 알 수 있습니다.

7 경기도 안성시는 예로부터 유기(놋그릇)로 유명한 고장입니다. 이곳의 유기가 질이 좋아 여기저기 팔려 나가면서 그 솜씨가 널리 알려졌고, 사람들이 안성하면 '유기'를 떠올리게 되었습니다. 이후 안성이라는 지명과 맞춤이라는 말이 합쳐져 '안성맞춤'이라는 말이 생겨났습니다.

[채점 기준] '안성 지역이 유기로 유명하다', '유기가 유명해서 안성맞춤이라는 말이 생겼다' 등의 내용을 포함하여 바르게 썼다.

8 ㉡ 고장의 전쟁 역시 고장의 역사입니다. 고장 축제에서 고장의 역사를 알리는 행사를 진행하기도 합니다. 전쟁과 관련된 역사가 축제로 남아 있는 대표적인 예로는 진주 남강 유등 축제와 황산벌 전투 재현 행사 등이 있습니다. ㉢ 진주 남강 유등 축제는 1592

년 일본군이 조선에 침략해 벌어진 임진왜란을 배경으로 하고 있습니다.

한눈에 쏙쏙 고장의 역사를 파악할 수 있는 옛이야기

이름	관련 역사
난계 국악 박물관	국악을 발전시킨 난계 박연(난계는 박연의 호)
진주 남강 유등 축제	일본군이 조선에 침략하여 일어난 임진왜란
용인 포은 문화제	마지막까지 고려 왕조에 충성을 지킨 정몽주

9 고장의 옛이야기를 조사하기 위해 향토 문화 해설사의 이야기를 들을 때는, 이야기를 경청하고 녹음이 필요한 경우 먼저 허락을 받고 해야 합니다.

[채점 기준] '향토 문화 해설사의 이야기를 경청한다', '녹음이 필요한 경우 허락을 받는다' 등의 내용을 포함하여 바르게 썼다.

10 고장의 옛이야기를 그림책으로 만들어 소개할 때 생각해 보아야 할 점은 '어떤 옛이야기가 고장의 특징을 잘 보여 주는지', '참고할 만한 그림책이 있는지', '어떤 순서로 옛이야기를 소개해야 좋을지', '고장의 특징을 재미있게 표현하는 제목은 무엇인지', '한 면에 글과 그림을 얼마나 넣을지', '주제가 잘 드러나는 책 표지는 무엇일지' 등이 있습니다.

한눈에 쏙쏙 그림책 만들기를 할 때 생각해야 할 점

1	어떤 옛이야기가 고장의 특징을 잘 보여 주는지
2	참고할 만한 그림책이 있는지
3	어떤 순서로 옛이야기를 소개해야 좋은지
4	고장의 특징을 재미있게 표현하는 제목은 무엇인지
5	한 면에 들어갈 글과 그림의 양은 얼마만큼인지
6	주제가 잘 드러나는 책 표지가 무엇인지

11 옛날부터 전해지는 것 중에서 잘 보존해 다음 세대에 물려줄 만한 가치가 있는 것을 문화유산이라고 합니다. 문화유산은 형태가 있고 없음에 따라 유형 문화유산과 무형 문화유산으로 나눌 수 있습니다. 대표적인 유형 문화유산에는 비석, 공예품 등이 있고, 대표적인 무형 문화유산에는 음악, 놀이 등이 있습니다.

12 문화유산은 형태가 있고 없음에 따라 유형 문화유산과 무형 문화유산으로 나눌 수 있습니다. 그림, 공예품, 효자비, 오래된 건축물은 모두 형태가 있는 유형 문화유산이고, 놀이는 형태가 없는 무형 문화유산입니다.

13 우리나라 사람들은 옛날부터 효를 중요하게 생각했습니다. 그래서 이름난 효자가 있는 고장에는 효자비를 세웠습니다.

14 문화유산을 조사할 때는 문화유산의 특징, 문화유산이 만들어진 시기, 문화유산과 관련된 이야기 등을 알아보아야 합니다.

한눈에 쏙쏙 고장의 문화유산을 조사하는 순서

1	조사해 보고 싶은 문화유산 정하기
2	공부한 방법으로 조사하기
3	조사한 내용 정리하기
4	문화유산을 보호하기 위해 우리가 할 수 있는 일 생각하기

15 문화유산을 조사할 때는 고장 안내도를 활용할 수 있습니다. 고장 안내도는 고장의 문화유산이 어디에 있는지 쉽게 알 수 있도록 만든 것입니다. 고장 안내도를 활용하면 고장의 문화유산을 한눈에 파악할 수 있습니다.

16 누리집에 방문하여 고장의 문화유산을 조사하는 것은 문화유산과 관련된 자료를 편리하게 찾을 수 있다는 장점이 있습니다.

[채점 기준] '자료를 편리하게 찾을 수 있다', '여러 가지 자료를 한 번에 찾을 수 있다' 등의 내용을 포함하여 바르게 썼다.

17 답사를 할 때는 인상적이었던 장소에서 사진을 찍을 수 있습니다. 그 외에도 답사한 내용을 바탕으로 문화유산 이름으로 시 짓기, 문화유산을 주제로 글쓰기 등을 할 수 있습니다.

18 문화유산을 홍보하는 자료를 만들면서 우리 고장의 문화유산을 보호하고, 널리 알리는 노력을 하면서 고장에 대한 자긍심을 기를 수 있습니다. 스스로 자랑스럽게 여기며 긍지를 가지는 마음을 자긍심이라고 합니다.

19 영상 촬영은 짧은 시간에 하기 어렵기 때문에 계획을 잘 세워서 만들어야 합니다.

[채점 기준] '영상 촬영은 짧은 시간에 하기 어렵다', '영상 촬영은 미리 계획을 잘 세워서 만들어야 한다' 등의 내용을 포함하여 바르게 썼다.

20 ㉠ 모둠별로 홍보 자료를 만들 때는 각자 맡은 역할

에 최선을 다하며 협력해야 합니다. ㉣ 문화유산 홍보 자료를 만들 때는 문화유산의 특징이 잘 드러날 수 있도록 홍보 내용을 정해야 합니다.

 한눈에 쏙쏙 문화유산 홍보 자료의 종류와 제작 방법

문화유산 신문 만들기	1. 어떤 주제로 신문을 만들지 친구들과 의논하고, 신문의 특징을 잘 보여주는 제목을 정함. 2. 신문 주제에 적합한 고장의 문화유산을 정하고, 필요한 사진과 그림을 수집함. 3. 문화유산을 소개하는 신문 기사를 쓰고, 신문을 꾸밈.
문화유산 달력 만들기	1. 종이에 월, 일을 적음. 2. 월별로 소개하고 싶은 문화유산을 고름. 3. 문화유산 사진을 붙이거나, 그림을 그려 달력을 꾸밈.
문화유산 소개 영상 만들기	1. 문화유산의 특징이 잘 드러나도록 소개 영상 대본을 만듦. 2. 문화유산 소개 영상을 촬영함.

17~19쪽

1 지하철역 **2** ⓔ 마포구에는 옛날에 배가 드나들던 나루터가 있었습니다. **3** ④ **4** 임진왜란 **5** 역사 **6** ② **7** ㉠, ㉡, ㉢ **8** 그림책 **9** ⓔ 오늘날 아파트가 세워진 곳에 초가집이 많았습니다. **10** ④ **11** ⓔ 지금은 쉽게 볼 수 없는 모습이 남아 있기 때문입니다. **12** ⑤ **13** 효자비 **14** ⓔ 이 지역에서 옛날부터 철이 많이 생산되었다는 것을 알 수 있습니다. **15** 기차역 **16** ③ **17** ① **18** 누리집 **19** ㉠-㉢-㉣-㉡ **20** ㉢, ㉣

---

1 고장의 옛이야기는 다양한 곳에서 확인할 수 있습니다. 버스 정류장이나 지하철역 이름에는 고장의 옛이야기가 남아 있습니다. 또한 고장 이름, 도로, 축제 등에서 고장의 옛이야기를 찾아볼 수 있습니다.

2 서울특별시 마포구의 마포는 한강에 있던 나루터인 마포나루에서 따온 이름입니다. '포'가 들어간 고장은 나루터가 있던 곳인 경우가 많습니다.

[채점 기준] '나루터는 배가 드나들던 곳이다', '마포에 나루터가 있었다', '마포에 배가 드나들던 나루터가 있었다' 등의 내용을 포함하여 바르게 썼다.

3 마이산은 산의 모양이 말의 귀를 닮아 붙은 이름입니다. ① 아우라지는 정선 아리랑이라는 민요와 관련된 지역입니다. ② 쌍우물은 과거에 합격하기를

바라던 선비들의 간절한 소원이 담긴 곳입니다. ③ 제주도 삼성혈을 통해 제주도는 옛날부터 농사를 짓는 것과 가축을 기르는 것을 중시했다는 것을 알 수 있습니다. ⑤ 안성맞춤이라는 말을 통해 경기도 안성 지역이 예전부터 유기(놋그릇)로 유명했다는 것을 알 수 있습니다.

4 진주 남강 유등 축제는 임진왜란과 관련된 지역 축제입니다. 당시 진주성 안팎의 군인들이 등을 띄워 신호를 주고받았던 적이 있었는데, 이 풍습을 이어 해마다 진주 남강 유등 축제가 열리고 있습니다.

5 고장의 옛이야기에는 고장의 역사가 담겨 있습니다. 고장의 역사를 통해 고장을 빛냈던 인물과 고장에서 벌어진 사건을 알 수 있습니다. 오늘날에는 고장의 역사를 알리는 행사가 열리기도 합니다.

6 고장의 옛이야기를 조사할 때는 먼저 조사 주제를 정합니다. 그리고 조사 방법을 정하고, 조사를 진행합니다.

7 고장의 옛이야기를 조사하기 위해 고장의 누리집을 검색하거나 고장의 옛이야기 모음집을 찾아볼 수 있습니다. 혹은 고장의 문화원을 직접 견학할 수도 있습니다. ㉣ 디지털 영상 지도로는 고장의 옛이야기를 알 수 없습니다.

8 고장의 옛이야기를 소개할 때는 그림책을 만들어 소개할 수 있습니다. 이 때 한 면에 글과 그림이 얼마나 들어가야 할지, 어떤 순서로 옛이야기를 소개해야 할지, 참고할 만한 그림책이 있는지 생각해 보아야 합니다.

9 높은 건물들과 아파트 대신 낮은 초가집들이 있는 사진을 통해 오늘날 아파트가 세워진 곳에 초가집이 많았다는 것을 알 수 있습니다. 이렇듯 옛날 사진은 사라지거나 달라진 고장의 모습이 남아 있기 때문에 미래 사람들에게 남길 가치가 있습니다.

[채점 기준] '초가집이 있었다', '낮은 건물이 많았다' 등의 내용을 포함하여 바르게 썼다.

10 문화유산에는 형태가 있는 유형 문화유산과 형태가 없는 무형 문화유산이 있습니다. ① 노래, 춤 등에는 형태가 없으므로, 무형 문화유산입니다. ② 문화유산은 옛날부터 전해지는 것 중에서 잘 보존해 다음 세대에 물려줄 만한 가치가 있는 것을 말합니다. ③ 공예품, 그림 등은 형태가 있으므로 유형 문화유산입니다. ⑤ 문화유산은 모두가 함께 보호하려는 노

11 옛날부터 전해지는 것 중에서 잘 보존해 다음 세대에 물려줄 만한 가치가 있는 것을 문화유산이라고 합니다. 지금은 쉽게 볼 수 없는 물건이거나, 이미 사라졌거나 달라진 고장의 모습이 남아 있기 때문에 미래 사람들에게 남길 만한 가치가 있습니다.

[채점 기준] '이미 사라진 것', '달라진 고장의 모습', '쉽게 볼 수 없는 것' 등의 내용을 포함하여 바르게 썼다.

12 돌다리, 관아, 성곽, 우물은 모두 형태가 있는 유형 문화유산입니다. 해녀 문화는 형태가 없기 때문에 무형 문화유산입니다.

13 효자비는 고장에 이름난 효자가 있을 때 세우던 비석입니다. 이 효자비를 통해 우리나라 사람들이 옛날부터 효를 매우 중요하게 생각했다는 것을 알 수 있습니다.

14 철로 만든 물건들이 많이 남아 있는 고장은 철을 다루는 기술도 함께 전해지곤 했습니다. 옛날의 대장장이는 주로 철로 된 무기나 농기구를 만들었습니다. 이러한 철을 다루는 대장장이의 기술과 철갑 옷이 전해지는 고장은 예전부터 철이 많이 생산되었던 고장입니다.

[채점 기준] '철이 많이 생산되던 곳', '철을 다루는 기술이 남아 있는 곳' 등의 내용을 포함하여 바르게 썼다.

15 기차역이 전해지는 고장은 이 곳을 중심으로 고장이 발달했다는 것을 알 수 있습니다. 이 고장이 옛날부터 다른 지역으로 이동하거나 물건을 보낼 수 있는 편리한 장소였다는 것을 알 수 있습니다.

16 옛날에는 돌다리를 이용하여 강을 건넜습니다. ① 우물은 땅을 파서 땅속의 물이 괴게 만든 시설로, 옛날 사람들은 마을 우물에서 물을 길어다가 마셨다는 것을 알 수 있습니다. ② 관아는 관리들이 모여서 고을을 다스리던 곳으로, 시청이나 구청, 또는 군청의 역할을 대신하던 곳입니다. ④ 해녀 문화를 통해 바닷가의 고장에서는 해녀 일을 하던 사람들이 있다는 것을 알 수 있습니다. ⑤ 대장장이 기술은 지금까지 전해지고 있습니다.

17 고장 안내도를 통해 문화유산을 조사하면 고장의 문화유산을 한눈에 파악할 수 있다는 장점이 있습니다. 문화유산과 관련된 자료를 편리하게 찾기 위해서는 고장 문화원 누리집 등을 방문하여 조사할 수 있습니다.

18 누리집 검색을 통해 문화유산을 조사하면, 문화유산과 관련된 자료를 편리하게 찾을 수 있다는 장점이 있습니다. 하지만, 신뢰할 수 있는 출처의 자료인지 반드시 확인하고 사용해야 합니다.

한눈에 쏙쏙 고장의 옛이야기 조사 방법과 주의점

누리집 검색하기	신뢰할 수 있는 곳의 누리집을 활용
관련 장소 찾아가기	보호자와 함께 감.
문화원 견학하기	보호자와 함께 감.
옛이야기 모음집 찾아 읽기	도서관 예절을 지키며 책을 찾고 읽음.
향토 문화 해설사 이야기 듣기	이야기를 경청하고, 녹음이 필요한 경우 먼저 허락을 받음.

19 문화유산 홍보 신문을 만들 때는 먼저 어떤 주제로 신문을 만들지 친구들과 의논하고, 신문의 특징을 잘 보여주는 제목을 정합니다. 이후 신문 주제에 적합한 고장의 문화유산을 정하고, 필요한 사진과 그림을 수집합니다. 마지막으로 문화유산을 소개하는 신문 기사를 쓰고 신문을 꾸밉니다.

20 ㉠ 홍보 영상을 만들 때는 영상 촬영은 짧은 시간에 하기 어렵기 때문에 계획을 잘 세운 후에 촬영해야 합니다. ㉡ 홍보 신문을 만들 때에는 어떤 내용을 담을지 생각해서 자료를 정리하고, 글과 그림을 적절히 배치하여 만들어야 합니다.

서술형 팡팡 문제 20~21쪽

1 (1) (가) (2) (가): 예 이곳은 두 물줄기가 합쳐지는 곳입니다. (나): 예 두 개의 큰 산봉우리가 말의 귀를 닮은 곳입니다. **2** 예 우리 고장에 있는 두 산의 모양이 비슷하기 때문입니다. **3** 예 아주 오래전부터 농사를 짓고, 가축을 기르며 살았습니다. **4** 예 국악을 발전시키며 고장을 빛냈던 난계 박연이라는 인물이 있었습니다. **5** 예 왼쪽의 문화유산은 형태가 있는 유형 문화유산이고, 오른쪽의 문화유산은 형태가 없는 무형 문화유산입니다. **6** (가): 예 옛날에는 관아에서 고장의 많은 일을 해결했습니다. (나): 예 해녀들과 관련된 기술, 작업 도구와 옷 등이 전해지고 있습니다. **7** 예 고장의 안내도를 통해 문화유산의 위치를 알 수 있습니다. 누리집 검색을 통해 문화유산 관련 자료를 찾을 수 있습니다. **8** 예 향토 문화 해설사의 설명을 경청해야 합니다.

1 (1) 경기도 양평군에 있는 두물머리는 북한강과 남한강 두 물줄기가 만나는 곳이라서 붙은 이름입니다. (2) 두물머리라는 지명을 통해 이 고장에 두 물줄기가 합쳐지는 곳이 있다는 것을 알 수 있습니다. 마이산이라는 지명을 통해 말의 귀를 닮은 모양의 산봉우리가 있는 고장이라는 것을 알 수 있습니다.

[채점 기준] (1) (가)를 바르게 쓰고, (2) '두물머리는 두 물줄기가 만나는 곳', '마이산은 말의 귀를 닮은 산봉우리'의 내용을 포함하여 바르게 썼다.

2 쌍둥이산이라는 지명은 두 산봉우리가 쌍둥이처럼 비슷한 모양을 하고 있을 때에 사용할 수 있는 지명입니다.

[채점 기준] '모양이 비슷한 두 산', '서로 닮은 두 산' 등의 내용을 포함하여 바르게 썼다.

3 삼성혈과 관련된 전설에는 씨를 뿌려 농사를 짓고 가축을 기르며 살았던 제주도의 모습이 담겨 있습니다. 이를 통해 아주 오래전부터 농사를 짓고 가축을 기르며 살았다는 사실을 알 수 있습니다.

[채점 기준] '아주 오래전부터 농사를 지었다', '아주 오래전부터 가축을 기르며 살았다', '아주 오래전부터 농경을 중시했다' 등의 내용을 포함하여 바르게 썼다.

4 충청북도 영동군에는 난계 국악 박물관이 있습니다. 이는 국악을 발전시켰던 난계 박연 선생의 역사를 기억하고 있는 모습입니다. 이처럼 고장을 빛냈던 인물이 지금까지도 다양한 방법으로 기억되고 있습니다.

[채점 기준] '고장을 빛냈던 인물이 있었다', '난계 박연이 고장을 빛냈던 인물이다' 등의 내용을 포함하여 바르게 썼다.

한눈에 쏙쏙 고장의 역사를 알 수 있는 옛이야기

고장을 빛냈던 인물이 기억되는 모습	난계 국악 박물관
고장의 역사를 알리는 행사	진주 남강 유등 축제

5 옛날부터 전해지는 것 중에서 잘 보존해 다음 세대에 물려줄 만한 가치가 있는 것을 문화유산이라고 합니다. 문화유산은 형태가 있는 유형 문화유산과 형태가 없는 무형 문화유산으로 나눌 수 있습니다. 그림은 형태가 있으므로 유형 문화유산이고, 놀이는 형태가 없으므로 무형 문화유산입니다.

[채점 기준] 그림은 '유형 문화유산'이고, 놀이는 '무형 문화유산'이라는 내용을 모두 포함하여 바르게 썼다.

6 (가)의 관아는 주로 고을의 중심에 위치하며, 고장의 사람들을 다스리던 기관입니다. 관아에서는 지금의 시·군·구청과 같은 일을 했습니다. (나)의 해녀 문화는 해산물을 채취할 수 있는 바닷가의 고장에서 전해 오는 문화유산입니다. 해녀와 관련된 기술, 작업 도구와 옷 등이 포함됩니다.

[채점 기준] '관아에서 지금의 시청과 같은 일을 했다', '바다에서 일을 하던 해녀들의 문화인 해녀 문화' 등의 내용 중 두 가지를 포함하여 바르게 썼다.

한눈에 쏙쏙 문화유산을 통해 알 수 있는 것

1	고장의 옛 모습
2	옛날 사람들의 다양한 생활 모습
3	옛날 사람들의 슬기
4	옛날 사람들의 멋
5	옛날 사람들이 중요하게 생각한 것들

7 고장에 있는 문화유산을 조사할 때는 여러 가지 방법을 사용할 수 있습니다. 그중 고장 안내도를 활용하여 조사하는 것은 문화유산을 한눈에 파악할 수 있다는 장점이 있습니다. 누리집 검색을 통해 문화유산을 조사하는 것은 편리하게 관련 자료를 찾을 수 있다는 장점이 있습니다.

[채점 기준] '고장 안내도를 사용하여 조사할 수 있다', '문화유산과 관련된 누리집을 사용하여 조사할 수 있다' 등의 내용 중 두 가지를 포함하여 바르게 썼다.

한눈에 쏙쏙 문화유산을 조사하는 방법과 장점

누리집	문화유산 관련 자료를 편리하게 찾을 수 있음.
고장 안내도	고장의 문화유산을 한눈에 파악할 수 있음.
답사	문화유산을 조금 더 생생하게 체험할 수 있음.

8 고장의 문화유산을 답사할 때는 방문한 문화유산을 꼼꼼히 살펴봐야 합니다. 또한 답사하면서 생각나는 것들을 기록해 두어야 합니다. 특히 향토 문화 해설사의 이야기를 들을 때에는 해설사의 이야기에 경청하고, 녹음이 필요한 경우 먼저 허락을 받고 녹음을 해야 합니다.

[채점 기준] '생각나는 것을 기록한다', '꼼꼼히 살펴 보아야 한다', '이야기를 경청한다', '녹음이 필요한 경우 먼저 허락을 받는다' 등의 내용 중 한 가지를 포함하여 바르게 썼다.

❸ 교통과 통신수단의 변화

핵심만 쪽쪽
22쪽

❶ 교통수단 ❷ 가마 ❸ 교통 시설 ❹ 통신수단 ❺ 교환
원 ❻ 환경

가로❗세로❗퍼즐
23쪽

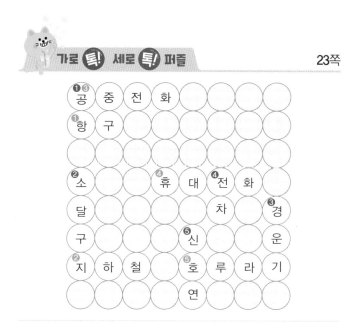

단원 팡팡 문제 1회
24~26쪽

1 ㉡ 2 고속 열차 3 ⑩ 많은 사람을 이동시키지만, 지하
철은 주로 도시 내에서 다니고 고속 열차는 다른 지역으로
이동할 때 사용합니다. 4 자전거 5 (1) 동물 (2) 자연 6 ④
7 ④ 8 ③ 9 모노레일, ⑩ 가파른 언덕을 철길을 따라 쉽게
오르내릴 수 있습니다. 10 ㉠, ㉣ 11 ⑤ 12 편지 13 ㉠,
㉢ 14 ⑩ 사람이 직접 이동하여 서찰을 전달하거나, 방을
붙여 정보를 전달했습니다. 15 ㉢-㉣-㉡-㉠ 16 ⑩ 통신
수단이 발전함에 따라 새로운 직업이 생겨나고, 예전의 직
업이 없어지기도 합니다. 17 ⑤ 18 농촌 19 ⑩ 고장의 환
경과 사람들이 하는 일에 따라 사용하는 통신수단이 다르
기 때문입니다. 20 ②

1 이동하는 목적과 거리에 따라 사용하는 교통수단은
   다릅니다. 예를 들어 가까운 거리를 이동할 때는 자
   전거를 이용할 수 있으나, 먼 거리를 이동할 때는 고
   속 열차나 비행기를 이용해야 합니다.

2 고속 열차는 기차역에서 타고 다른 고장으로 빠르게
   이동할 수 있으며 철도를 이용하기 때문에 안전하고
   편리합니다. 버스에 비해 한번에 많은 사람을 싣고

옮길 수 있으며, 정확한 시간에 도착하여 도착 시간
을 예상할 수 있습니다. 서울에서 부산처럼 먼 거리
를 이동할 때 주로 사용합니다.

3 지하철은 수도권과 광역시에 있는 교통수단으로, 주
   로 도시 내에서 이동할 때 많이 사용됩니다. 지하철
   은 지나는 역도 많고, 고속 열차에 비해 느린 속도로
   이동합니다. 고속 열차는 도시와 도시 간의 먼 거리
   를 이동할 때 사용되며 최고 속도는 약 300km/h까
   지 됩니다.

   [채점 기준] '지하철과 고속 열차 모두 기차와 같은 종류이고 많은
   사람이 동시에 이동할 수 있다', '지하철은 도시나 가까운 거리를
   이동하지만 고속 열차는 먼 거리를 이동할 때 사용된다' 등의 내용
   을 포함하여 바르게 썼다.

한눈에 쏙쏙 철도로 다니는 교통수단의 구분

지하철	지하철은 지하로 다니며 주로 대도시에서 볼 수 있는 교통수단임. 교통 체증이 없고 빠른 시간 내에 이동할 수 있으며 지나는 역이 아주 많음.
기차, 고속 열차	기차와 고속 열차는 지하보다는 주로 땅 위로 다님. 철도를 이용하여 다닌다는 것이 지하철과 같은 공통점이지만, 고장과 고장을 이동할 때처럼 비교적 먼 거리를 이동할 때 이용하는 교통수단임. 기차에도 여러 종류가 있지만 가장 빠르고 안전하게 고장에 도착할 수 있는 것은 고속 열차임.

4 자전거는 동네와 같이 비교적 가까운 거리를 이동할
   때 사용하는 교통수단입니다. 걷는 것보다 빠르고,
   자동차와 달리 매연을 내뿜지 않기 때문에 친환경적
   입니다.

5 옛날의 교통수단 중 소달구지는 동물의 힘을 이용했
   으며, 돛단배는 강물의 흐름과 바람 등 자연의 힘을
   이용했습니다.

6 교통수단의 발달로 다른 나라에서 생산한 물건도 쉽
   게 구매하여 집에서 받아볼 수 있게 되었습니다. 비
   행기와 배의 발달로 시간의 차이는 존재하지만, 예
   전보다 빠르고 편리하게 해외에서 생산한 물건도 배
   송받을 수 있습니다.

7 다리나 대교가 생기면 자동차로도 섬에 쉽게 접근
   할 수 있기 때문에 배가 필요 없어집니다. 여객선으
   로 가려면 시간에 맞춰 배를 타야 하는 불편함이 있
   지만 자동차로 간다면 언제든지 육지와 섬을 이동할
   수 있기 때문에 여객선은 점차 없어질 것입니다.

8 갯배는 얕은 강가나 바다에서 이동할 때 사용하며,
   섬이나 바닷가 마을에서 볼 수 있습니다.

9 모노레일은 경사가 가파른 언덕에 설치하는 교통수단이며, 레일을 통해 에스컬레이터처럼 오르고 내리면서 물건을 옮길 수 있습니다. 산이 많은 고장에서 과수원이 언덕에 있다면 수확물을 모노레일을 이용하여 편하게 운반할 수 있습니다.

[채점 기준] '모노레일'이라고 바르게 쓰고, '산이 있는 지형이다', '언덕이 있는 지형이다' 등의 내용을 포함하여 바르게 썼다.

한눈에 쏙쏙 산이 많은 고장의 교통수단

케이블카	산봉우리처럼 높은 경사면을 올라갈 때 사용하는 교통수단으로 사람이나 짐을 이동시키고, 관광용으로 높은 산에 쉽게 올라가기 위해서도 만듦.
모노레일	철길을 따라 가파른 길을 오르내릴 수 있으며, 높은 언덕에 있는 과수원에서 수확한 과일을 운반할 때 이용함.
산악용 궤도차	길이 없는 산에서 이용하면 편리함.
고로쇠 썰매	눈길이 있는 언덕에서 쉽게 이동하기 위해 겨울철에 이용함.

10 ⓛ 고속 열차와 ⓒ 케이블카는 오늘날에도 볼 수 있는 교통수단입니다. 고속 열차가 우리나라에 생긴 지 20여 년밖에 되지 않았지만, 고장과 고장을 이동할 때 안전하고 빠르게 이동할 수 있는 교통수단으로 자리 잡았습니다. 케이블카도 언덕을 올라갈 때 편리하게 이동할 수 있는 교통수단입니다.

11 ① 오늘날의 통신수단은 동물이나 자연의 힘이 아닌 전기 등으로 작동합니다. ② 주로 신호를 이용해 내용을 알리기보다는 사진, 문자 메시지, 영상 등 다양한 방법으로 소식을 전달할 수 있습니다. ③ 봉수는 옛날에 사용했던 통신수단입니다. ④ 스마트폰을 이용해 많은 사람에게 동시에 소식을 전달할 수 있습니다.

12 편지는 글로 써서 소식을 주고받는 통신수단입니다. 우체국에 가서 우표를 붙여 편지를 보내면, 2~3일 정도 지나 집배원을 통해 받는 사람에게 편지가 도착하게 됩니다.

13 전보는 약 60~70년 전에 사용했던 통신수단으로, 글자를 쳐서 소식을 주고받았습니다. 무선 호출기는 약 30여 년 전에 사용했던 통신수단으로, 전화 기능은 없었지만 찍힌 번호를 보고 연락할 수 있었습니다. ⓛ 화상 전화와 ⓒ 스마트폰은 옛날이 아닌 오늘날에 사용하는 통신수단입니다.

14 사람이 직접 전달하는 것을 서찰이라 하고, 게시판

같은 곳에 중요한 내용을 붙여 전달하는 것을 방이라고 합니다. 그러나 옛날에는 글을 아는 사람이 적었기 때문에 글의 내용을 아는 사람이 방의 내용을 알려주기도 했습니다. 옛날의 통신수단은 많은 사람에게 내용을 동시에 알려주기에는 어려움이 있었습니다.

[채점 기준] '서찰로 사람이 직접 이동하여 전달했다', '방을 이용해 직접 중요한 내용을 붙여 사람들에게 알렸다'의 내용을 포함하여 바르게 썼다.

15 ⓒ 서찰은 먼 옛날에 사람을 통해 직접 전달했던 통신수단이고, ⓔ 전보는 약 60~70년 전에 사용했던 통신수단입니다. ⓛ 무선 호출기는 1990년대에 주로 사용되었던 통신수단이고, 2010년을 전후로 하여 ⓒ 스마트폰이 발달되면서 우리의 생활이 많이 편리해졌습니다.

16 통신수단이 발달하면서 예전의 통신수단이 없어지고 새로운 통신수단이 등장했습니다. 그에 따라 관련된 직업이 없어지고, 새로운 직업이 생겨났습니다. 미래에도 다양한 통신수단이 발달하면 새로운 직업이 생겨날 것입니다.

[채점 기준] '통신수단의 발달 또는 과학 기술의 발달로 인해 직업이 생겨나기도 하고 없어지기도 했다'의 내용을 포함하여 바르게 썼다.

17 인터넷의 발달로 새로운 직업이 생겨났습니다. 인터넷 장비 설치 기사는 우리 집에 인터넷을 설치해 주고, 편리하게 인터넷을 사용할 수 있도록 도와주는 역할을 합니다. 앞으로 미래에는 더욱 다양한 직업이 생겨날 것입니다.

18 통신 기술의 발달로 농촌에서는 원격 제어 기술을 이용하여 농사를 짓습니다. 직접 비닐하우스에 가지 않아도 농작물이 지내기 좋은 온도를 알아서 맞춰 주고, 적절한 시간에 물을 주기도 합니다. 이러한 원격 기술을 이용하면 편리하면서 과학적으로 농사를 지을 수 있습니다.

19 고장의 환경과 사람들이 하는 일에 따라 사용하는 통신수단은 다릅니다. 수상 안전 요원은 위급한 상황을 알리기 위해 확성기를 사용합니다. 아파트 관리 사무소에서는 중요한 내용을 전달하기 위해 안내 방송을 할 때 스피커를 사용합니다.

[채점 기준] '고장의 환경과 사람들이 하는 일에 따라 사용하는 통신수단이 다르다'의 내용을 포함하여 바르게 썼다.

20 오늘날의 휴대 전화는 떨어뜨리면 잘 깨지기 때문에 튼튼하지는 않습니다. 강화된 재료로 만들어진 튼튼한 통신수단이 개발되면 더욱 편리하고 좋을 것입니다.

1 ㉠ 비행기 ㉡ 고속 열차 2 ③ 3 ④ 4 증기 기관차 5 ㉣ —㉠—㉡—㉢ 6 ⑤ 7 항구 8 ㉠, ㉡ 9 예 산이 많거나 언덕이나 경사가 가파른 고장에서 주로 이용합니다. 10 예 매연으로 환경이 오염되는 것을 막을 수 있습니다. 11 전자 우편 12 ⑤ 13 ② 14 ㉠, ㉢ 15 ㉠, ㉡ 16 예 스마트폰을 너무 오래 사용하면 목이 아프고 눈이 따가워지는 등 건강에 좋지 않습니다. 17 ② 18 직업의 변화 19 예 농촌에서는 마을의 확성기로 안내 방송을 하지만, 아파트에서는 건물 안의 스피커를 이용하여 안내 방송을 합니다. 20 홀로그램

1 공항에 가서 이용할 수 있는 교통수단은 비행기이고, 기차역에 가서 이용할 수 있는 교통수단은 고속 열차입니다. 서울에서 부산까지 비행기로 약 1시간 정도 걸리며, 고속 열차는 약 2시간 40분정도 걸립니다.

2 공항에서는 배가 아닌 비행기를 이용할 수 있고, 배를 타기 위해서는 여객선 터미널이나 항구에 가야 합니다.

3 화물선은 짐을 많이 싣고 바다로 이동하는 배입니다. ⑤ 킥보드는 가까운 거리를 이동할 때 사용하는 교통수단이지만, 위험할 수 있기 때문에 안전모를 꼭 쓰고 타야 합니다.

4 약 100년 전의 기차는 주로 증기 기관차였으며 증기를 내뿜고 큰 소리를 내면서 움직였습니다. 지금의 고속 열차보다 속도도 훨씬 느렸으며 안전상의 문제도 있었습니다. 현재는 교통수단의 발달로 소음도 많이 없어졌고, 예전보다 더욱 빠르고 안전한 기차로 발전했습니다.

5 ㉠ 전차는 약 70년 전 서울 시내를 다니기 위해 사용되었던 교통수단이고, ㉡ 지하철은 우리나라에 1974년 처음 생겼으며, 지금도 많은 사람들이 편리하게 이용하는 교통수단입니다. ㉢ 고속 열차는 우리나라에 2004년 처음 생겨 가장 늦게 발달된 교통수단이고, ㉣ 소달구지는 먼 옛날에 무거운 짐을 옮기기 위해 사용했던 교통수단입니다.

6 다른 지역으로 이동할 수 있는 교통수단과 시설은 더욱 많아졌습니다. 예를 들어 서울에서 부산으로 이동하기 위한 교통수단으로는 비행기, 고속 열차, 고속버스 등이 있으며, 더욱 빠르고 안전하게 갈 수 있게 되었습니다.

7 항구는 바닷가에서 배가 안전하게 드나들도록 설치한 시설로, 사람이 타거나 짐을 싣고 내릴 수 있는 곳입니다.

한눈에 쏙쏙 배와 관련된 교통 시설인 항구와 부두

항구	항구는 배가 안전하게 드나들도록 강이나 바닷가에 부두를 설치한 곳
부두	배를 대서 사람과 짐이 육지로 오르내릴 수 있도록 만든 시설임. 흙이나 돌로 쌓거나 콘크리트로 바다와 육지를 연결해 만듦.

8 ㉢ 인력거꾼은 자동차와 버스 등과 같은 교통수단의 발달로 사라지게 되었고, ㉣ 뱃사공은 배가 더욱 커지고 엔진의 힘으로 이동하게 되면서 없어지게 되었습니다. 교통수단이 발달하면서 다양한 직업이 새로 생겨나기도 하지만, 과거에 있었던 직업이 없어지기도 합니다.

9 산악용 궤도차나 경사용 승강기는 언덕이 가파른 곳이나 산이 있는 고장에서 이용하는 교통수단입니다. 높은 곳으로 사람이 올라가거나 짐을 옮기기에는 매우 힘이 들기 때문에 이와 같은 교통수단을 이용하면 아주 편리합니다.

[채점 기준] '언덕이 높거나 경사가 있는 곳', '산악 지형이다', '높은 곳에 위치한 고장이다' 등의 내용을 포함하여 바르게 썼다.

10 자동차는 석유나 가스 등의 화석 연료로 움직입니다. 자동차가 움직이는 과정에서 매연이 나오기 때문에 환경이 오염되기도 합니다. 이와 같은 문제를 해결하기 위해 매연이 나오지 않으며 화석 연료가 아닌 다양한 연료로 갈 수 있는 친환경 자동차를 개발 중입니다.

[채점 기준] '매연으로 인한 환경 오염을 막을 수 있다', '자동차에서 나오는 매연을 깨끗한 공기로 정화시킨다' 등의 내용을 포함하여 바르게 썼다.

11 전자 우편은 컴퓨터를 이용하여 인터넷 기술로 편지를 주고받는 통신수단입니다. 우편과 달리 사진이나 영상 등을 첨부할 수 있고, 이메일 주소를 알면 즉시 받아볼 수 있기 때문에 편지보다 빠르게 소식을 주고받을 수 있습니다.

편지	편지는 직접 글로 써서 소식을 주고받음. 우체국에 가서 이용해야 하고, 집배원을 통해 전달받기 때문에 시간이 오래 걸림.
전자 우편	이메일 주소만 알면 컴퓨터나 스마트폰으로 글과 사진 등을 바로 보낼 수 있음. 우표를 붙이지 않아도 되기 때문에 따로 이용 요금이 들지 않으며, 보내면 즉시 받을 수 있음.

12 수신자 부담 전화는 학교에서 급한 일이 있어 부모님께 연락할 때 사용할 수 있는 통신수단으로 오늘날에도 이용합니다.

13 항공 경고등은 높은 건물이 많은 도시에서 비행기가 지나갈 때 조심하도록 신호를 보내는 오늘날의 통신수단입니다.

14 ㉡ 스마트폰의 발달로 박물관이나 미술관에 가지 않아도 홈페이지에 접속해 작품을 감상할 수 있습니다. ㉣ 숙제가 무엇인지 직접 가서 친구에게 묻지 않아도 문자 메시지나 누리 소통망 등을 활용하여 쉽고 빠르게 알아볼 수 있습니다.

15 휴대 전화가 발달하기 전에는 거리에서 공중전화를 이용해 전화했습니다. 오늘날에는 스마트폰의 발달로 다양한 통신 기능을 사용할 수 있습니다. ㉢ 전화기가 처음 생겼을 무렵에는 교환원이 있어야 전화를 사용할 수 있었습니다.

16 스마트폰을 너무 오래 사용하면 거북목 증후군에 걸리기도 하고, 눈이 아파 시력이 떨어지기도 합니다. 스마트폰이나 전자 기기를 이용할 때는 사용 시간을 정해 올바른 자세로 사용해야 합니다.

[채점 기준] '스마트폰을 너무 오래 사용한다', '전자파로 인해 눈이 아프다', '적당한 사용 시간을 지켜야 건강에 좋다' 등의 내용을 포함하여 바르게 썼다.

17 통신수단의 발달로 꼭 학교에 가지 않아도 실시간 화상 수업을 들을 수 있습니다. 교실에 함께 있지 않아도 선생님과 친구의 얼굴을 보며 수업에 참여할 수 있습니다.

18 통신수단이 발달하면서 이와 관련된 새로운 직업이 생겨나기도 하지만, 이전에 있었던 직업이 없어지기도 합니다.

19 농촌이나 한적한 시골 마을에서는 마을의 확성기를 이용해 전체 마을에 들리도록 안내 방송을 진행하지만, 아파트에서는 건물 내부에 연결된 스피커를 통해 중요한 내용을 전달합니다.

[채점 기준] '농촌에서는 마을의 확성기를 이용하여 안내 방송을 한다', '아파트에서는 스피커를 이용해 안내 방송을 한다' 등의 내용을 포함하여 바르게 썼다.

20 홀로그램은 3차원 영상으로 된 입체 사진으로, 과학 기술의 발달로 직접 들고 다니지 않아도 가상의 신호나 선을 이용해 물체가 나타날 수 있게 하는 기술입니다.

서술형 팡팡 문제 30~31쪽

1 (1) 자동차 (2) ⓓ 과학과 기술이 발전하게 되어 다양하고 편리한 교통수단이 생겼기 때문입니다. 2 ⓓ 동물의 힘을 이용하거나 사람이 직접 들어서 이동했습니다. 기계의 힘을 이용하지 않았습니다. 많은 사람이 이동하거나 짐을 옮기기에 어려웠습니다. 3 ⓓ 지하철을 이용하여 공항에 갔습니다. 공항에 도착하여 비행기를 타고 제주도에 도착해, 자동차를 타고 도로를 돌아다녔습니다. 돌아올 때는 여객선 터미널에 가서 배를 타고 왔습니다. 4 ⓓ 언젠가는 석유가 고갈되기 때문에 다른 에너지로 다닐 수 있는 자동차를 개발해야 합니다. 5 ⓓ 파발은 사람이 동물을 타고 이동하여 전달하고, 봉수는 불 등의 신호로 소식을 전달합니다. 파발은 글이나 사람의 대화를 통해 소식을 전달하고, 봉수는 눈에 보이는 신호를 통해 위급한 상황을 알립니다. 6 (1) 무선 호출기 (2) ⓓ 더욱 빠르고 편리하게 소식을 전달할 수 있게 되었습니다. 목소리만 전달하는 것이 아닌 영상이나 사진 등으로 소식을 전달할 수 있게 되었습니다. 7 ⓓ 누리 소통망을 활용하여 학급의 여러 친구와 소통합니다. 온라인 수업을 들을 때 스마트폰을 이용해 듣습니다. 8 ⓓ 아파트나 높은 건물이 많지 않은 시골 마을입니다. 바다가 가까운 고장입니다.

1 오늘날에는 과학과 기술이 발전하면서 다양한 교통수단을 이용할 수 있게 되었습니다. 자동차를 이용하면 목적지까지 빠르고 편리하게 도착할 수 있습니다. 버스나 지하철은 대중교통이며 많은 사람을 한번에 목적지까지 데려다줍니다. 이 외에도 우리는 다양한 교통수단을 이용하며 다른 지역으로 이동할 수 있습니다.

[채점 기준] (1) '자동차'라고 바르게 쓰고, (2) '과학과 기술이 발전되어 다양한 교통수단을 사용한다' '기술의 발전으로 교통수단이 더욱 편리해지고 빨라졌다' 등의 내용을 포함하여 바르게 썼다.

2 옛날에는 동물이나 사람의 힘을 이용해 이동하거나 무거운 짐을 직접 옮겨야 했습니다. 가마는 신분이 높은 사람만 사용할 수 있었으며, 사람이 들고 이동하기 때문에 속도가 빠르지 않았습니다. 지금은 기계의 힘을 이용해 자동차나 배로 무거운 짐을 쉽고 빠르게 옮길 수 있지만 옛날에는 그렇지 못해 불편한 점이 많았습니다.

[채점 기준] '동물의 힘을 이용하거나 사람이 직접 들어서 이동했다', '오늘날에는 기계의 힘을 이용한다' 등의 내용을 포함하여 바르게 썼다.

3 제주도는 육지와 떨어진 섬이기 때문에 공항에 가서 비행기를 타고 이동하거나, 여객선 터미널에 가서 배를 타고 이동해야 도착할 수 있습니다. 비행기를 타고 제주도에 길 경우 서울에서 제주도까지 약 1시간, 배를 타고 갈 경우 인천에서 제주도까지 약 13시간 30분 정도 걸립니다.

[채점 기준] '비행기', '배', '자동차' 등의 다양한 교통수단을 포함하여 바르게 썼다.

4 자동차나 배는 주로 화석 연료를 이용하여 움직입니다. 기계의 힘으로 교통수단이 움직이기 위해서는 화석 연료가 필요한데, 연료를 태우는 과정에서 매연이 발생합니다. 이 매연에서 나오는 물질이 환경에 큰 영향을 미치고 미세 먼지, 지구 온난화 등의 문제를 일으킵니다. 이러한 환경 오염을 해결하기 위해 친환경 자동차를 개발 중인데, 수소나 전기 자동차는 매연도 나오지 않으며 친환경적입니다. 언젠가는 화석 연료를 다 쓸 수 있기 때문에 다양한 에너지로 갈 수 있는 교통수단의 개발이 필요합니다.

[채점 기준] '석유가 고갈된다', '환경 오염을 줄이는 새로운 에너지로 자동차를 개발한다' 등의 내용을 포함하여 바르게 썼다.

5 파발은 말을 타고 사람이 직접 나라의 소식을 전달할 때 사용한 통신수단이었습니다. 봉수는 낮에는 연기, 밤에는 횃불을 켜서 위급한 상황을 알리기 위해 사용한 통신수단입니다. 파발은 글을 써서 내용을 전달했지만, 봉수는 눈으로 보이는 신호를 통해 전달하며 많은 사람에게 긴급한 상황을 빨리 전달할 수 있었습니다.

[채점 기준] '파발은 동물을 타고 소식을 전달했고, 봉수는 불을 피워 전달했다', '파발은 글을 써서 사람을 통해 전달했지만 봉수는 불이나 연기 등 눈에 보이는 신호로 위급한 상황을 알렸다' 등의 내용을 포함하여 바르게 썼다.

6 1990년대에 휴대 전화가 발달하지 않았을 무렵, 무

선 호출기에 번호를 남기면 공중전화에 가서 연락을 할 수 있었습니다. 무선 호출기는 숫자로 메시지를 남겨 놓았기 때문에 다양한 숫자 메시지가 유행하기도 했습니다. 휴대 전화가 생겨 어디에서든 전화할 수 있게 되면서 무선 호출기와 공중전화는 없어졌고, 우리의 생활은 더욱 편리해졌습니다.

[채점 기준] (1) '무선 호출기'라고 바르게 쓰고, (2) '더욱 빠르게 소식을 전달할 수 있게 되었다', '소리가 아닌 영상 등으로 소식을 전달한다' 등의 내용을 포함하여 바르게 썼다.

7 스마트폰은 단순히 전화를 하는 기능을 넘어 화상 대화를 할 수 있고, 길을 모를 때는 길 안내판으로 사용할 수 있으며, 영상 공유 누리집에 접속해 여러 나라 사람이 올린 영상을 볼 수도 있습니다. 또한 집에서도 편리하게 장을 볼 수 있고, 은행에 가지 않아도 스마트폰으로 은행 업무를 할 수 있습니다. 이렇듯 스마트폰은 오늘날 일상생활에 없어서는 안 될 필수품이 되었습니다.

[채점 기준] '외국인 친구와 대화를 한다', '온라인 수업을 듣는다', '전화 기능을 넘어 인터넷과 연결되어 다양한 용도로 스마트폰을 사용한다' 등의 내용 중 두 가지를 포함하여 바르게 썼다.

한눈에 쏙쏙 통신수단의 변화로 달라진 생활 모습

길 안내	먼 거리를 이동할 때 보다 쉽고 빠르게 목적지에 찾아갈 수 있음.
온라인 수업	학교에 가지 못해도 온라인으로 친구들과 함께 수업에 참여할 수 있음.
원격으로 장 보기	직접 가지 않아도 필요한 물건을 집에서 인터넷으로 살 수 있음.
전시회 관람	전시회를 관람할 때 스마트폰으로 그림에 대한 자세한 정보를 확인할 수 있음.

8 확성기가 있는 것으로 보아 마을 안내 방송을 위한 통신수단이며, 도시보다는 시골에 가까울 것입니다. 각 집집마다 스피커가 있어 건물 내부에서 방송하는 아파트와는 달리 시골에서는 마을에 확성기를 두어 중요한 내용을 전달하기 때문입니다. 그리고 등대가 있는 것으로 보아 바다와 가까운 고장으로, 등대는 밤에 불을 비춰 배가 올바른 방향으로 갈 수 있도록 안내할 때 쓰일 것입니다. 두 사진으로 추측할 수 있는 고장은 바다가 있는 시골 마을일 것입니다.

[채점 기준] '높은 건물이 많지 않은 시골일 것이다', '한적한 시골 마을일 것이다', '바다가 가까운 마을이 것이다', '어촌일 것이다' 등의 내용을 포함하여 바르게 썼다.

MEMO

똑똑한
교과서 풀이로
언택트 시대
자기 주도 학습을
돕습니다.

초등 사회
자습서 & 평가문제집 3-1

정답

단과 학습 프로그램

푸르넷 수학

현직 초등학교 교사와 일타 강사들의 경험을 토대로 각종 문제들을 종합 분석하여 만든 초등 수학 전문 프로그램

- 본교재(월 1권), 플러스북(월 1권)
- 중간고사·기말고사 예상문제(연 4회 / 4·6·9·11월)
- 푸르넷 아이스쿨(동영상 강의, 유사·발전 문제, 학습만화 e-book)

오! 역사논술

초·중등 역사 교육 과정을 반영하여 한국사를 총 48주 탐구 주제로 풀어낸 역사 논술 프로그램

- 본교재(월 1권), 촬동자료(일 1종)
- 동영상 강의(월 4강)
- 오! 역사논술 퀴즈(월 40문항)

푸르넷 독서논술

다양한 분야의 책을 읽고, 창의·융합적 지식과 공부의 원천 기술을 기르는 독서논술 프로그램

- 1~7단계: 리딩북(월 2~4권), 워크북(월 4권), 리딩다이어리(연 1권),
  X-파일북(연 2권)
- 3~7단계: 동영상 강의(월 2~3강)

푸르넷 한자

실생활에서의 한자 활용 능력, 어휘력, 교과서 한자어 인지도 등을 종합적으로 향상시켜 주는 한자 학습 프로그램

- 본교재(월 1권), 교과서 한자어(월 1권), 한자 쓰기 연습장(월 1권)
- 한자 만화 e-book

영어 학습 프로그램

English Buddy

공신력 있는 리딩 프로그램과 체계적인 커리큘럼, 영어 학습에 최적화된 다양한 디지털 콘텐츠, 정확한 개별 진단 및 지도 교사의 맞춤 지도가 융합된 영어 전문 프로그램

- Beginner Reading Book 4권, Reading Study Book 1권,
  Phonics Study Book 1권, Pencil Book 1권,
  MP3 CD 1장, Smart Learning 서비스
- Prime Reading Book 4권, Reading Study Book 1권(Writing Note
  포함), Study Book 1권, Smart Learning 서비스
- Experience Reading Book 4권, Study Book 1권, Webtoon for
  Daily Conversation 1권, Test Buddy 1권, MP3 CD 1장,
  Smart Learning 서비스

2015 개정 교육과정

학교 공부
기초 탄탄!

교과서랑 친해지는 지름길!

교과서를 200% 즐기는 방법, 금성 초등 자습서 & 평가문제집 시리즈

초등학교 수학 초등학교 사회 초등학교 과학(실험 관찰)

초등 사회 3-1
자습서 & 평가문제집

발행일 • 2022년 3월 1일 초판 발행
발행인 • 김무상
발행처 • (주)금성출판사
주소 • 서울특별시 마포구 만리재옛길 23 (우)04210
등록 • 1965년 10월 19일 제10-6호
구입문의 • TEL 02-2077-8144~6 / mall.kumsung.co.kr
내용문의 • TEL 02-2077-8252(8183)

mall.kumsung.co.kr
발간 이후에 발견되는 오류는 정오표를
다운로드하면 확인할 수 있습니다.